D1298901

# LA MÉDECINE DU CORPS ÉNERGÉTIQUE

*DU MÊME AUTEUR*

MÉDECIN DES TROIS CORPS
1980

NOS TROIS CORPS
ET LES TROIS MONDES
1986

Dr JANINE FONTAINE

# LA MÉDECINE DU CORPS ÉNERGÉTIQUE

*Une révolution thérapeutique*

ÉDITIONS ROBERT LAFFONT
PARIS

ISBN 2-221-01161-9

*A mon maître, le guérisseur spirituel Antonio Agpaoa, le premier à m'instruire de la médecine des trois corps, et sans lequel je n'aurais su découvrir la médecine d'un second monde, invisible mais opérationnel.*

« Parmi les malades dits névrotiques d'aujourd'hui, bon nombre, à des époques plus anciennes, ne seraient pas devenus névrosés — c'est-à-dire n'auraient pas été dissociés d'eux-mêmes — s'ils avaient vécu en des temps et dans un milieu où l'homme était encore relié par le mythe au monde des ancêtres, et par conséquent à la nature vécue et non seulement vue du dehors ; la désunion avec eux-mêmes leur eût été épargnée.

« Certes, l'imagination mythique est partout et toujours présente. Mais elle est aussi honnie que crainte, et cela semble une aventure bien risquée ou une aventure douteuse que de s'abandonner au sentier incertain qui conduit dans les profondeurs de l'inconscient — ce sentier passant pour être celui de l'erreur, de l'ambiguïté et de l'incompréhension

« Je pense à la parole de Goethe

« POUSSE HARDIMENT LA PORTE DEVANT LAQUELLE TOUS CHERCHENT À S'ESQUIVER. »

C. G. Jung, *Ma vie*.



# Prologue

J'ai exprimé, tout au long de mon précédent ouvrage, comment sont nés mes doutes à propos de la validité de l'enseignement médical et religieux reçu, et comment, brusquement, le voile s'est déchiré à l'occasion de la mort de ma mère...

Nous sommes en 1970. Stupéfaite, je m'aperçois que je suis enfermée au sein d'un monstrueux système, fait de contraintes inutiles, de mensonges et d'omissions. Le quotidien m'a cernée à mon insu, conditionnée, et cette société qui se prétend libre m'apparaît davantage comme l'esclave d'un intellectualisme envahissant.

Quittant alors l'hôpital où je dirige le service d'anesthésie et réanimation, je n'ai qu'une hâte : explorer la marginalité médicale d'alors.

Et chaque jour est une découverte, un pas de plus dans ce monde nouveau, fabuleux, dans lequel tout ce qui est réputé impossible dans notre faculté devient possible !

Non contente d'avoir ainsi fait connaissance avec les médecines différentes, je deviens, un peu plus tard, l'élève du plus contesté des guérisseurs, Antonio Agpaoa — contesté parce que le plus célèbre et le plus grand.

A son contact se développent mes sens supranormaux, et la réalité d'un corps invisible m'apparaît être une évidence...

Toutes mes conceptions de la vie et de la mort me semblent erronées... Il faut m'accommoder désormais de ces réalités et de ces conceptions nouvelles. Une douloureuse et longue mutation s'annonce.

Je parviens à équilibrer mes deux modes de penser (rationnel et irrationnel) en développant la thèse des Trois Corps, m'inspirant de l'organisation du Centre de traitement d'Agpaoa. Nous sommes faits d'un corps physique (matériel), d'un corps énergétique, auquel s'adressent les médecines différentes, et d'un corps spirituel, développé grâce à notre travail initiatique personnel — lequel, précisément, croît à l'occasion des épreuves que la vie met sur notre chemin et que nous devons surmonter par un état d'esprit positif et créatif.

Ces trois corps récupèrent leur cohésion si l'on admet, suivant la Tradition, que le microcosme (notre corps) est fait à l'image du macrocosme (le cosmos).

Pour conserver notre équilibre et notre harmonie interne, il devient indispensable de nous soumettre aux lois de la nature ; il serait fou d'imaginer pouvoir la dompter pour la soumettre à nos propres lois. Toute contrainte, même passagère, des éléments nous expose à de graves chocs en retour. L'équilibre écologique est le garant de notre équilibre interne.

Si l'homme possède une constitution ternaire, la nature, dont il est le reflet, possède la même constitution. Il convient donc de réhabiliter le monde intermédiaire de la Tradition, ce monde symbolique dont nous a privés la pensée matérialiste et rationaliste.

Le problème, la difficulté résident précisément dans l'accès à ce monde. Il faut lui accorder sa dimension réelle, son ampleur naturelle, le dégager des relents de la pathologie dans laquelle Freud le localise, et du cercle où les parapsychologues l'ont enclos... Les grandes traditions le connaissaient, Jung est probablement celui qui parmi les Occidentaux en renom l'approcha du plus près, Corbin en fit l'étude auprès des soufis.

Chacun y accède à sa façon. J'essaie dans les pages qui suivent de décrire ma propre voie d'accès à ce que j'appelle le second monde. Ses lois diffèrent de celles du monde ordinaire.

Dans ce dernier, le plus court chemin pour aller d'un point à un autre est bien la ligne droite ; le temps se déroule dans un sens précis : passé, présent, avenir se succèdent. Une interrogation doit être formulée clairement et la réponse explicite : oui, non ou peut-être (formules de dérobade connues).

Les voies d'accès au second monde exigent une modification de notre état d'esprit, de notre entendement. Les lois du temps et de l'espace y sont différentes. Les expressions retrouvées en physique moderne : relation d'incertitude, concept de probabilité, addition de probabilités partielles, s'adaptent bien, il me semble, à ce monde-là...

J'ai pris conscience de ma transformation dans la façon de penser, de prévoir et d'agir dans une circonstance bien précise qui vaut d'être rapportée : un congrès réunissant des chercheurs en psychologie et en psychiatrie a eu lieu à Baguio au début de l'année 1981. Là, j'ai fait la connaissance d'un médecin psychiatre américain qui avait le grand mérite de s'exprimer en français. Il m'a entretenue de ses travaux : pratiquant sous hypnose la technique de régression, il parvient à faire remonter ses patients dans le temps, dans leur vie, jusque dans des vies antérieures. Puis, à partir de documents officiels, il peut déterminer l'exactitude des informations recueillies dans un certain nombre de cas.

Il souhaitait demeurer en salle de *healing* plus longtemps que ne l'exigeait le temps imparti à son groupe. Permission non accordée. Je tente alors de lui expliquer qu'il n'est pas nécessaire de demander, mais plutôt d'être résolument présent. Il accepte cette façon d'être et se tient debout devant la porte d'entrée de la salle d'attente. Un jour, deux jours... En vain.

Un matin, Tony Agpaoa se faisant attendre et le chef de groupe n'étant pas désireux de voir commencer les soins en son absence, nous bavardons, réunis dans la salle d'attente. Là, le médecin, reconnu intéressant, sympathique, est enfin admis à entrer.

Nous prévoyons, lui et moi, de descendre à Lucnab, autre centre de soins, à l'issue de cette séance. Comme il s'inquiète des moyens de transport, j'évoque la possibilité d'emprunter la voiture de Tony et, avant la fin des soins, lui fais signe de sortir.

« Les soins ne sont pas terminés », murmure-t-il.

D'un geste ferme, je lui fais signe de sortir.

Il se dirige vers la gauche pour rejoindre la voiture de Tony, mais je lui fais signe de se diriger vers la droite... Ne comprenant plus rien, il s'exclame : « Je croyais que nous partions avec Tony, n'est-ce pas sa voiture... ? »

Je continue de l'entraîner fermement vers la sortie de l'hôtel

Il s'étonne alors de plus en plus, en français, en anglais..., pendant que, toute explication me paraissant inutile, je l'emmène sur la route pour nous engager sur la descente.

« Ne devions-nous pas... »

Je fais diversion...

« Lucnab est très loin, ce sera une longue marche, n'aviez-vous pas dit que...

— Ne vous inquiétez pas, c'est ainsi qu'il convient de faire. »

D'étonné, il devient inquiet.

Un bruit de voiture... celle de Tony. Tranquillement, je m'arrête, fais un quart de tour sur moi-même pendant que la voiture s'immobilise. Sans un mot, Tony ouvre la portière. Nous montons.

A Lucnab, le psychiatre me fait observer que Tony n'est guère communicatif.

« *Yes* », « *no* », « *you have to observe* »... Il s'en tient là

Il s'étonne aussi de l'étrange comportement qui a été le mien : pourquoi ne pas avoir simplement demandé à Tony de nous emmener lorsqu'il partirait ?

Je mesure alors à cet instant le chemin parcouru, et combien je suis déconditionnée de la façon de penser et d'agir à l'occidentale !

C'est naturellement par expérience, après une série d'observations, mais aussi avec le souci d'être légère dans la vie d'Agpaoa, de m'adapter aux circonstances, que je ne lui ai rien demandé.

Je savais déjà : son départ prématuré avant le reste de l'équipe, le nombre de voitures à la disposition des guérisseurs et des aides, le nombre de places à bord...

De probabilité en probabilité, j'ai ainsi progressé dans la compréhension des mouvements à venir de la petite troupe et noté que désirer quelque chose suppose aussi de savoir être là au bon moment.

L'incertitude a été maîtrisée : de nouvelles conventions par rapport aux lieux, au temps, à l'espace, une bonne intégration au mouvement vécu, un langage silencieux a fini par s'établir entre l'équipe et moi. J'ai appris à reconnaître les signes et à en deviner le contenu, à en tirer la conclusion et à m'y soumettre.

Ce jour-là, je devine quelle distance me sépare de mon confrère médecin. De celui-là et de bien d'autres.

Ainsi suis-je entrée dans ce monde intermédiaire où tout est différent. Là se situe la médecine du second monde. Parce que ses lois ne correspondent pas à celles du monde ordinaire, elle est méconnue et rejetée. Mais ceux qui ont un pied dans l'invisible, consciemment ou inconsciemment, l'ont préservée : sorciers, chamans, guérisseurs, anciens acupuncteurs... Ils connaissent le symbole, langage de l'invisible. Certes, celui-ci échappe à la démarche rationnelle, mais il est empreint d'une merveilleuse logique, laquelle, bien comprise, lui donne le pouvoir de devenir opérationnel.

Alors, l'énergie potentielle qu'il supporte s'actualise et devient agissante. Oui, le symbole peut s'actualiser au sein de la macromolécule et agir sur le système biologique humain.

Cet itinéraire, nous allons tenter de vous le faire partager, de probabilité en probabilité. Nous avancerons, au fil de ses méandres, lesquels, tout comme à mon confrère psychiatre, vous poseront une interrogation. Mais laissez-vous conduire...

# 1

# Éveil à l'énergie

Notre conception purement matérialiste, basée sur l'étude du cadavre et sur une physiologie mécaniste fondée elle-même sur des travaux de laboratoire, est incapable de saisir notre réalité subtile.

Anesthésiste et réanimateur dans le centre de chirurgie cardio-vasculaire de l'hôpital Broussais, à l'époque des premiers cœurs-poumons artificiels, j'avais remarqué que certaines interventions se soldaient par un échec dû à la défection de l'appareil et non à la réparation cardiaque. Quand une panne d'appareil survenait, le malade sombrait dans le coma en fin d'intervention, par défaut d'oxygénation du cerveau. J'avançai cette hypothèse . si les malades ne se réveillaient pas, c'est que leur cerveau avait souffert d'un défaut d'oxygénation. Quelques cellules étaient mortes, mais d'autres pouvaient n'être qu'en souffrance... Administrer un aliment immédiatement assimilable pouvait peut-être réamorcer le métabolisme de la cellule... Je songeais à la cocarboxylase, laquelle fournit immédiatement une énergie utilisable. Sur un garçon qui était dans le coma depuis trois jours, je fis alors une tentative thérapeutique basée sur ce principe en injectant successivement trois ampoules par voie intraveineuse, tout en observant attentivement mon patient. Dès la première injection, sa respiration s'amplifia. A la seconde, il ouvrit les yeux. A la troisième, il émit un juron, furieux, semblait-il, d'être arraché à l'espace où il se trouvait jusque-là.

Je répétai ce traitement sur d'autres patients. Les résultats étaient souvent spectaculaires, mais inconstants. Cela me confortait dans mon opinion. Il s'agissait bien d'une relance métabolique, et selon le degré d'atteinte de la cellule cérébrale, il y avait réponse ou non-réponse. Si les troubles cellulaires étaient encore réversibles, l'ester pyrophosphorique de la vitamine B1 ou cocarboxylase jouait le rôle de déclencheur.

J'obtins du laboratoire une étude expérimentale de ce produit sur le chien en état d'anoxie. Les résultats parurent dans la revue *Agressologie* publiée par Laborit. Ils ne confirmaient pas mes observations. Il existait donc un impondérable incapable d'être mis en évidence par un laboratoire. C'était l'énergie !

A la même époque, j'endormis en clinique un malade pour une intervention digestive. Tout se passa bien, le réveil fut normal, et je l'abandonnai avec des prescriptions banales pour les suites opératoires. Vers cinq heures du matin, le chirurgien Jean Vaysse m'appela, m'informant que mon malade se trouvait dans un état comateux inexplicable ; cardiologue et neurologue en renom n'avaient décelé aucune cause.

Je vérifiai le contenu des flacons de perfusion. Tous les composants figuraient sur les étiquettes et correspondaient bien à mes prescriptions. Alors, l'énergie toujours « en tête », je lui fis doucement une injection de sérum glucosé hypertonique à 30 pour cent, pour « nourrir » son cerveau.

Le malade était vraiment dans un état alarmant : tension artérielle maintenue par des vaso-constricteurs, pouls faible et rapide. Au fur et à mesure de l'injection, les choses changèrent. Tout à coup, la respiration s'amplifia, le pouls fut mieux frappé, et le comateux ouvrit les yeux, me regarda, sourit et parla. J'étais tout aussi surprise que l'entourage !

Le glucose avait été le supplément d'énergie nécessaire aux cellules cérébrales capables ici de récupérer intégralement. Il s'agissait d'un coma hypoglycémique, passé inaperçu aux yeux de tous. L'infirmière étourdie avait administré une dose d'insuline supérieure à celle qui avait été ordonnée !

Je continuai pourtant, à l'hopital, des années encore, à travailler selon le protocole classique, mais cependant persuadée que quelque chose d'important m'échappait.

Il est inutile de reprendre les conditions de mon éloignement de l'hôpital, je les ai longuement exprimées ailleurs. Rappelons simplement que la mort de ma mère me fit prendre conscience de la faille énorme qui existait dans l'univers médical hospitalier auquel j'appartenais.

Pourquoi la souffrance, la maladie et la mort ? D'où venons-nous et où allons-nous ? Il n'était pas de bon ton d'afficher ce genre d'inquiétude métaphysique dans notre milieu, mais subitement, il devenait ma préoccupation essentielle. Ce fut l'origine de ma démarche, longue épreuve semée de doutes, d'errements et d'erreurs. Mais les portes d'un nouvel univers lentement s'ouvrirent. Transcrire cette expérience, c'est peut-être aider ceux qui s'interrogent. La connaissance de ce monde ne se transmet pas par les mots qui ne sont que des repères. C'est dans sa chair, son sang, son âme et dans l'isolement que chacun peut la trouver, après avoir appris à penser, à méditer dans un corps à corps avec la nature.

Les prémisses de cette mutation s'inscrivirent en moi pendant la maladie de ma mère, laquelle généralisait un cancer opéré douze ans plus tôt. Sa douleur était immense et les analgésiques ne la calmaient pas.

Par bonheur, j'appris qu'un congrès de sophrologie se tenait à Barcelone. Parmi les indications de la sophrologie, on notait la douleur. J'y entraînai mes parents. Un psychiatre, Caycédo, de retour des Indes, avait créé cette nouvelle discipline. Utilisant les principes du yoga, ceux de la prise de conscience de l'énergie et de la notion de conscience de l'image du corps, il en avait fait une technique coupée de toute dimension spirituelle, en conservant cependant le travail sur la pensée positive.

A Barcelone, je crus avoir atterri sur une autre planète. Les conférences faisaient état de quelque chose qui n'était jamais nommé mais que les conférenciers semblaient connaître. Cela ne se voyait pas, ne se palpait pas, ne se dosait pas, ne se disait pas, et l'on en parlait cependant des heures et des heures, lui attribuant des mérites et des indications médicales. Jouait-on au jeu de charade ?

Toutefois, les références faites à la physiologie et à la pathologie y étaient semées d'erreurs, et je me demandais quel crédit accorder à l' « inconnu », évoqué dans ces conditions.

Tout comme mes collègues médecins présents, j'aurais crié aux charlatans et disparu de la salle si près de moi une mère souffrante et gémissante ne m'y avait retenue.

Elle attendait courageusement qu'un de ces marchands d'espoir la soulage, car l'espoir chez elle avait remplacé la désespérance et allégé sa misère. Elle assista aux conférences puis suivit le groupe là où le congrès se terminait par des exercices pratiques. Nous comprîmes alors de quoi « ils » parlaient. Pour la première fois, nous apprîmes l'une et l'autre que ce n'était pas le mouvement qui comptait, mais la phase de repos intermédiaire qui permet une prise de conscience de ce qui se passe au niveau des sensations corporelles. C'était partir à la conquête de nos propres sensations !

Tout cela était profondément nouveau pour moi bien que je fusse rompue à la gymnastique, la danse et l'acrobatie. Jamais il ne m'avait été donné d'envisager un exercice physique sous cet angle.

Ma mère découvrait aussi ce monde, et la douleur qui la tyrannisait n'était plus seule à l'habiter. Elle percevait d'autres sensations et percevait au niveau de ses mains, bras, thorax, abdomen, membres inférieurs... l'existence d'une énergie jusque-là ignorée. Plusieurs fois, je surpris sur son visage une expression sereine inhabituelle.

Nous apprîmes ensemble ce qu'était la pensée positive, attitude nouvelle dans une société où l'information ne privilégie que les éléments négatifs de la vie, et où la religion dominante, dès l'enfance, nous fait récapituler nos péchés chaque soir et craindre le diable et l'enfer.

Autre élément nouveau : nous dûmes, en fin d'exercice, porter notre attention sur un « objet naturel » en nous identifiant à lui. Je ne compris la portée de l'exercice que bien plus tard.

Nous apprîmes à ruser avec nous-mêmes en cas de maladie et de souffrance. Ma mère, ô combien motivée, apprit à imaginer que son membre douloureux était de plâtre. Je la vis jouer si bien son rôle qu'elle marchait parfois de telle façon qu'on eût pu croire à un membre réellement de plâtre. Elle affirmait parvenir ainsi à mieux contrôler la douleur.

L'importance du conditionnement, de l'autosuggestion m'apparaissait, ainsi que le bénéfice thérapeutique qu'on pouvait en obtenir (sans en découvrir toutefois encore les rouages subtils). Les lois de la neurophysiologie me semblaient bien dépassées. Celles de la motivation s'y substituaient. Il n'était pas question d'hypnose chez ma mère, ni de charlatanisme chez Caycédo. La sottise et la crédulité n'atteignaient pas maman : il s'agissait bel et bien de la prise de conscience d'une fonction non éveillée par notre éducation.

Mais pourquoi, comment ce processus était-il capable de se déclencher ?

J'ai découvert que la douleur et l'espoir étaient ses guides. Ces deux facteurs intervenaient aussi à mon endroit et développaient une tolérance nouvelle et imprévue face à cette médecine, bien que mon conditionnement préalable et la rigueur de pensée — héritage d'une école de cardiologie — ne m'aient guère incitée à la tolérance vis-à-vis des erreurs de physiologie ou de physiopathologie commises dans l'enseignement...

Depuis, j'ai souvent observé comment les membres d'une famille pouvaient par amour remettre en question leurs habitudes et leur conditionnement à l'occasion de la maladie d'un être cher. *Souffrance, espoir, amour* sont trois facteurs d'évolution, trois motivations puissantes à toute remise en question.

Faut-il encore que la rencontre avec l'éveilleur soit faite et que l'être soit prêt à évoluer...

Certains individus sont pétrifiés très tôt dans leur vie, incapables de progression, de mutation intérieure, de réorganisation de leur âme.

Victimes d'un conditionnement datant de l'enfance, ils seront inaptes à trouver leur authenticité, leur individualité[1].

En effet, deux parties distinctes nous habitent : la personnalité et l'individualité. Jean Vaysse[2] définit ainsi la personnalité :

« La personnalité dans l'homme est ce qui n'est pas à lui, c'est-à-dire ce qui lui est venu du dehors, ce qu'il a appris ou ce qu'il reflète.

« La personnalité se développe sous l'effet de circonstances extérieures (le lieu, l'époque, le milieu) dont elle dépend presque entièrement. Bien que les conditionnements qui la constituent soient très solides, elle peut être modifiée plus ou moins profondément par le changement des circonstances ; elle peut être changée presque totalement et parfois rapidement ; elle peut être perdue, corrigée ou renforcée.

1. M. Aïvanhof, *Individualité et personnalité*, éd. Prosveta.
2 Jean Vaysse, *Vers l'éveil à soi-même*, éd. Tchou.

« L'essence est ce qui est inné, c'est-à-dire les dons et les marques particuliers à chacun, elle est son patrimoine dans la vie et ce qu'il est chargé de faire prospérer... Ce qui est bien à lui lui appartient en propre et le suit partout. »

Contrairement à la personnalité, l'essence ne peut être perdue et elle ne peut être modifiée sans un consentement tout au moins tacite du sujet.

Chez un être faible qui se laisse aller à l'ambiance, l'essence peut être étouffée ou même éteinte sans qu'il s'en rende compte ; ou au contraire, elle peut être libérée ou rééquilibrée. Mais elle ne peut être développée sans une participation active du sujet. Les changements dans l'essence sont lents et nécessitent un travail, un temps, une profondeur beaucoup plus grands que les changements dans la personnalité.

« Essence et personnalité ont pour support un troisième élément constitutif de l'homme : son corps organique. Celui-ci est l'instrument à travers lequel se font tous les échanges qui permettent leur vie. Ces trois éléments sont les éléments initiaux donnés à l'homme à sa naissance. Chacun d'eux a un centre de gravité. Le centre de gravité est le centre moteur, celui de l'essence est le centre affectif, celui de la personnalité est le centre intellectuel. [1]. »

J'adhère aujourd'hui à la pensée de Jean Vaysse, inspirée de l'école de Gurdjieff, mais, la première fois qu'il me tint ce langage, j'en souris. Et quand il me dit que seul notre corps physique mourrait pendant que la partie subtile de notre être — l'essence — survivrait, j'en fus totalement surprise et ne le crus pas une seconde. Comment, me disais-je, un homme de bon sens, un de nos meilleurs chirurgiens parisiens, pouvait-il tenir de semblables propos ?

Je refusai de le suivre dans cette voie. Seul, l'ébranlement de mon centre affectif (reprenons ses termes) fut capable d'alerter mon « essence » et d'entraîner la recherche qui suivit.

1. Jean Vaysse, *op. cit.*

# 2

# Découverte du symbole

Comment s'emparer de ce trésor bien dissimulé : le mystère de la maladie ? Au début de cette quête, j'acceptais toutes les suggestions de Caycédo, me soumettant à son *neitikria* (inhalation d'eau tiède et salée par une narine et expulsion de l'eau par l'autre), pratiquant les exercices de tension-relaxation, rejoignant dans le parc, par l'imaginaire, le bel arbre de l'hôtel. Ma curiosité était stimulée, mais alternait avec la perplexité devant certains résultats thérapeutiques. Fruits d'une coïncidence ? d'un hasard heureux ? Comment établir une relation de cause à effet ? Je ne disposais d'aucun moyen de détection. Il n'en demeurait pas moins que Caycédo tenait là une méthode capable d'aider des malades sans l'utilisation d'un médicament, phénomène nouveau pour moi en 1970. Cela ressemblait à de la magie.

Pourtant, je nourrissais une certaine rancœur à l'égard de cet enseignant, incapable de m'expliquer le pourquoi et le comment de son action, et barbouillant d'erreurs la physiologie et la physiopathologie, mes disciplines alors préférées. Le décès de ma mère, en novembre 1970, fut une nouvelle agression. Plus que jamais, les grandes instances de la vie et de la mort prenaient une actualité, devenaient interrogation ô combien douloureuse et sans réponse. Il m'incombait de régler ces problèmes pour acquérir quelque sérénité.

Ayant rencontré ce qui me paraissait être une voie d'issue à l'enfermement occidental, je me remis à l'étude de la sophrologie sous la direction de Jacques Donnars, et m'intégrai à ses groupes de travail.

Les études ne s'y faisaient plus dans les livres mais *sur soi-même !* C'est ainsi que je fis le tour des techniques de groupes, d'imagerie mentale, de bioénergie, etc. On y apprend à regarder vivre sa personnalité, à reconnaître son essence. Je n'avais pas pris le temps, absorbée par le travail, et les parents-époux-enfants, de gratter à la surface de moi-même ; pourtant, je découvrais que certains consacraient à cela plusieurs de leurs soirées, chaque semaine, parfois des week-ends et même des vacances... Si cette étude n'avait pas été dirigée par un médecin, on aurait pu prétendre que je passais mon temps au sein d'une secte. Le scepticisme régnait dans mon entourage immédiat où l'on se demandait à quelle sorte d'activité étrange nous pouvions bien nous livrer... Se connaître est cependant un travail courageux. Il est évidemment plus aisé de prendre un bouc émissaire, « objet-poubelle » choisi dans la famille ou le travail — ce tondu, ce pelé, ce galeux —, que de s'en remettre à soi pour expliquer son mal de vivre...

Je poussais doucement la porte d'un autre monde, au mépris des difficultés que représentait le fait de s'observer avec lucidité, de faire la part du cinéma social qui m'avait construite et de ma vérité intérieure. Il faut mettre à plat cet état schizophrénique malsain dans lequel l'éducation et la société nous placent. Il faut devenir un être vivant, guidé par son intuition, à l'écoute de son langage intérieur.

A cet instant de ma vie, je savais que je m'engageais sur une voie qui m'était propre, et que rien ni personne ne saurait m'en faire dévier.

Mille questions non résolues, en médecine classique, se posaient encore. Il me fallait y songer à ma façon. Une autre forme de recherche médicale s'imposait, car la nôtre était, malgré son apparence de modernisme, désuète, coûteuse, et laissait sans réponse la plupart de nos questions.

Acquérir un esprit neuf était indispensable, une rupture avec le monde hospitalier nécessaire.

La direction d'un service, cinq ans durant, me laissait sur un goût de temps perdu. Plusieurs événements m'aidèrent alors à vaincre les hésitations, et la rupture se fit.

Abandonnant ainsi la sécurité pour l'aventure, mon attitude

prit une allure scandaleuse pour mes proches. Pour survivre, je me contentai de deux vacations matinales dans une clinique en utilisant le reste du temps à de nouvelles études.

Mais bientôt, je compris que je n'avais plus aucune place au sein de notre société médicale. Mon attitude provoquait l'inquiétude : comment cet enfant non prémédiqué [1], mais que je venais de sophroniser dans un couloir, se laissait-il placer sur la table et faire une injection intraveineuse sans mot dire, le sourire aux lèvres ?... (Je lui avais suggéré d'aller faire de la luge, en montagne !) Comment cet insuffisant respiratoire, dont les sutures abdominales avaient lâché, et qui s'était extubé sept fois dans la nuit en rejetant la sonde d'intubation trachéale qui le reliait au respirateur artificiel, se laissait-il tout à coup intuber, par mes soins, sans anesthésie ? Comment acceptait-il, une semaine, cette sonde, paisiblement, le temps de récupérer ? Comment avais-je fait pour régler sa ventilation sans le secours d'aucun examen de laboratoire ?

J'inquiétais, je suscitais des remises en question, encore impossibles, puisque l'instant du doute n'était pas encore prêt de sonner, pour ceux-là...

J'interrompis alors définitivement ma carrière d'anesthésiste-réanimateur.

La sophrologie ayant répondu à mon attente, je multipliai les infidélités à la médecine dominante, espérant multiplier en même temps le nombre des réponses à mon immense ignorance.

Je disposai désormais de loisirs pour suivre des cours d'acupuncture, d'homéopathie, de « cinorthèses », nom donné par Éric de Winter à ce que l'on appelle couramment les manipulations vertébrales. J'appris l'hypnose qu'il convient de différencier de la sophrologie, bien que certains les confondent. Et, puisqu'il était dit que j'aborderais tout ce qui était méprisé par le pouvoir médical, j'ajoutai l'astrologie à ce palmarès et, plus tard, la phytothérapie...

Une évidence : les patrons ont bien raison de qualifier ces médecines d'illégales, car les accepter reviendrait à admettre qu'ils doivent reprendre la vie d'étudiants et descendre de leur chaire...

---

1. Prémédication : Injection de médicaments qui mènent au sommeil et suppriment l'angoisse.

Mais toutes les difficultés rencontrées à l'approche de la sophrologie réapparurent alors à l'étude de l'acupuncture. Tout comme en sophrologie, on décrivait quelque chose d'invisible, d'impalpable, de non mesurable. Les faibles différences de potentiel mesurées entre un point d'acupuncture et un point quelconque de la peau, les photographies de Kirlian étaient pour moi les équivalents d'un enregistrement électrocardiographique ou électro-encéphalographique. Sans m'émouvoir, j'assimilai — non sans mal — les noms ou les numéros des points chinois ; la fonction des méridiens et leurs perturbations sous l'effet du vent ou de l'humidité, en revanche, me laissaient sceptique. L'énergie dite « perverse » n'est-elle pas une invention facile, destinée à noyer le poisson et à éluder les causes scientifiques ?

Bref, pour moi, l'homme demeurait encore indépendant de la nature. Je n'avais, en outre, aucune idée de la fonction ni du maniement du symbole Matérialiste et analytique, je le serai encore quelque temps, devant ces médecines différentes, cependant consciencieusement étudiées. J'avais l'honnêteté de reconnaître qu'un maillon, si ce n'était une chaîne, manquait à mon système d'entendement. D'autres, pour se rassurer sur leurs compétences, décidaient que ces médecines obéissaient à l'entendement ordinaire. Était-ce pour convaincre la faculté, ou pour dissimuler le gouffre qui les séparait de la réalité ?

J'avais conscience de mon ignorance, de mon incompétence, et j'enviais les élèves apparemment à l'aise dans ce galimatias. Je retrouvais l'angoisse de mes six ans, admirant les voisins de classe qui savaient déjà lire et me souvenais du temps où l'on me disait : « A ton tour, lis. » La chance aidant et tout en poussant mon petit doigt sous les mots, je faisais semblant de lire, alors que je ne faisais que réciter le texte déjà lu par les autres, profondément malheureuse devant tous ces signes dont la valeur et l'enchaînement m'échappaient. La situation alors était à peu près identique. Méridiens et points se situaient dans un monde auquel je n'avais point encore accès.

A Montpellier, Lavier connaissait admirablement, disait-on, l'acupuncture. Je suivis son enseignement élémentaire et en tirai deux informations essentielles : les textes chinois anciens étaient mal traduits par le chinois moderne. Le chinois étant une écriture symbolique, il fallait être familiarisé avec ses symboles pour obtenir une traduction correcte.

La seconde information se basait sur l'histoire de l'aigle et de la fourmi, inventoriant le dessus d'une table. Alors que d'un coup d'aile, le rapace pouvait en faire l'inventaire, la fourmi, elle, devait la parcourir en long et en travers, et même y passer sa vie. 1. L'aigle représentait la pensée symbolique. 2. La fourmi, la pensée analytique.

La situation devenait claire. Mieux valait travailler comme l'aigle plutôt que comme la fourmi, le problème revenait maintenant à savoir ce qu'était la pensée symbolique.

J'errai alors de librairie en bouquiniste, pas encore avertie de l'existence de librairies ésotériques. Je confondais allégrement les littératures psychiatrique, psychanalytique, occulte, universitaire et romancée sur le sujet. Je tombais sur des dictionnaires symboliques, sur des analyses de la symbolique, mais la clé de cette pensée symbolique, elle, restait introuvable.

La voie d'accès ici ne m'était pas révélée.

« Quand l'élève est prêt, le maître arrive. »

Feuilletant des piles d'ouvrages, au quartier Latin, je mis un jour la main sur un petit opuscule signé d'un nom étrange : Michaël Aïvanhof[1]. Il y était question des symboles. L'auteur les expliquait ainsi : « Le prisme décompose la lumière en sept couleurs. Sous ce phénomène en apparence banal se dissimule un grand mystère. » Tant de grandiloquence, pour dire un phénomène simple et bien connu de la physique (développé au chapitre des lois de la décomposition de la lumière) me fit sourire...

Souriant toujours, je lus encore que, symboliquement, les trois côtés du prisme représentaient les trois principes qui sont en l'homme : intellect, cœur et volonté, mais aussi pensée, sentiment, action, ou, mieux : père, mère et enfant. Mais ce pouvait être aussi l'acide, la base et le sel. La longueur, la largeur, la hauteur. En physiologie, le poumon était le prisme qui renvoyait l'air en le transformant en sept forces ensuite distribuées dans l'organisme à l'expiration. L'estomac, lui, permettait la digestion des aliments à leur tour générateurs de sept sortes d'énergies...

Quelques lignes, qui me livrent en un instant la clé du

1. *La Fraternité blanche universelle,* éd. Prosveta.

symbolisme ! L'acupuncture et l'énergie deviennent tout à coup choses vivantes. La lumière, c'est l'énergie. Les couleurs de l'arc-en-ciel : les sept formes de l'énergie, et l'homme est un prisme !

Le prisme dissimule aussi le secret de l'aigle. Grâce à lui, la pensée prend de la vitesse. Connaissant deux éléments d'un ensemble, le troisième se devine par analogie et sort spontanément de l'ombre...

Depuis, ces fascicules dont les premières lignes m'avaient fait sourire sont devenus mes compagnons fidèles. En les consultant, j'ai le sentiment de m'abreuver à la source de la Connaissance.

Au hasard des rencontres et des médecines différentes qui me fléchaient le parcours, je parvenais, doucement, au seuil de l'autre monde.

Michaël Aïvanhof m'ouvrait les portes, et, telle Alice au pays des merveilles, je passai de l'autre côté du miroir. Mais, plongée dans un brouillard lumineux, je n'en distinguais pas encore les trésors. Les contes de fées devinrent un temps mes lectures, notre pensée symbolique occidentale y étant inscrite : *Blanche-Neige et les sept nains, Le Petit Poucet et ses sept frères, Les Bottes de sept lieues* sont des histoires ayant quelque analogie avec la lumière et les sept couleurs...

La pensée symbolique était donc cette fonction si naturelle que les enfants et les civilisations dites « non civilisées » possèdent spontanément ! « Détail » arbitrairement supprimé par l'éducation que j'avais reçue.

Ce que je cherchais paraissait folie ! Je n'œuvrais que pour reconquérir mon patrimoine et l'exploiter, afin de comprendre une autre médecine dont l'accès m'avait été interdit. Mais c'était un crime !... Combien d'affection ai-je perdue pour cet acte de délinquance, que d'incompréhension et de critiques malveillantes ai-je subies !

L'étudiante des médecines différentes que je venais d'être se faisait alors une opinion sur l'enseignement parallèle. Reconnaissante de tout ce qui m'avait été apporté, je souhaitais maintenant « creuser » seule, pour donner à ce monde nouveau le goût du vécu.

Les parapsychologues un temps fréquentés m'avaient instruite de la réalité des phénomènes étranges capables d'émaner de ce monde dont je cherchais les arcanes. En demeurant cependant à la surface de ce monde, en se contentant de les dénombrer, de les présenter sous des allures statistiques « bon chic bon genre », ils ne faisaient pas, selon moi, l'acte de foi nécessaire pour y pénétrer. Matérialistes de bonne volonté, ils en représentaient une couche révolutionnaire, pas plus. A cette époque, j'ignorais leur degré de sincérité. N'avaient-ils fait simplement que découvrir un « créneau » ?...

Sortant volontairement de ce que je commençais à percevoir comme l'engrenage d'un nouveau système, souhaitant m'assumer dans une recherche nouvelle et personnelle, je les abandonnai, les regardant œuvrer désespérément dans un espoir fou : celui de convaincre les scientifiques « bon teint », ceux qui tremblent à l'idée que le monde pourrait ne pas être uniquement le produit de leur intellect, ceux qui oublient qu'ils sont à peine le temps d'un soupir dans l'histoire de la Terre.

La cosmogenèse taoïste, il y a près de 5 000 ans, connaissait déjà les liens qui unissent le Ciel et la Terre par l'intermédiaire de l'Homme.

Le tao, unité suprême, est symbolisé par un cercle contenant à la fois le yin et le yang, symboles de la terre et du ciel.. Deux principes en apparence opposés mais en fait complémentaires, car la nuit engendre le jour et le jour engendre la nuit.

Le symbole du yang est fait d'un trait (▬) et celui du yin de deux traits (▬ ▬), leur addition donnant le ternaire (☲) c'est-à-dire l'Homme, fruit du Ciel et de la Terre, du Jour et de la Nuit...

Se développer, pour l'Homme, c'est résoudre cette contradiction apparente, en déployer les effets dans une maïeutique[1] positive et harmonieuse, à l'exemple du Jour et de la Nuit, lesquels ont su produire les harmoniques de l'Aube et du Crépuscule. Mais cet Être possède un Double invisible qui est fait d'Énergie. Unique en apparence, Cette Énergie est, elle aussi, tripartite, faite des énergies OE, YONG et TSING.

— L'énergie OE, d'origine céleste, donc positive, chemine le

1. Maïeutique : méthode par laquelle Socrate, fils de sage-femme, se flattait d'accoucher les esprits des pensées qu'ils contiennent sans le savoir.

long du corps par des méridiens appelés TSING-KANN. Elle est défensive, c'est notre armée.

— L'énergie YONG, d'origine terrestre, donc négative, parcourt les douze grands méridiens en vingt-quatre heures, temps de rotation de la Terre sur elle-même. Elle est nourricière.

— L'énergie TSING est le capital énergétique qui nous est accordé à notre naissance. Elle ne sera pas renouvelée. Bipolarisée, produit de l'union du masculin et du féminin, elle est notre capital héréditaire.

Ainsi, à l'intérieur de l'Unité cosmique existe une dualité ; le Ciel et la Terre reliés entre eux par l'Homme.

Sa tête le relie au Ciel, son Père. L'abdomen et les membres le relient à la Terre, sa Mère. Le thorax, partie intermédiaire, comme le démontrent les mouvements rythmiques qui l'animent, dépend en alternance de l'un et de l'autre.

Pour les Anciens, l'Homme est encore relié aux Entités : aux Astres qui brillent dans le ciel, aux Sons qui résonnent dans le cosmos, aux Couleurs de la Lumière. Autant de signes qui témoignent d'un dialogue. Dialogue fallacieux pour les uns, éblouissant pour les autres, ceux à qui une intuition aiguisée accorde le pouvoir de comprendre les messages et de les utiliser.

Les Anciens en ont décodé les arcanes et appris que la santé dépendait d'une harmonie entre les Éléments et l'Homme. Ils en ont déduit une thérapeutique : l'acupuncture traditionnelle.

A partir des quatre points cardinaux et d'un centre, ils ont établi la Loi des Cinq Éléments. Celle-ci résume l'organisation du monde et désigne la place de l'homme au sein de cette organisation.

A chacun des cinq éléments est suspendue une *colonne hiérarchisée,* obéissant à la loi des Correspondances[1].

Sur une même colonne, on peut reconnaître l'accord existant entre une planète, une orientation, une saison, une couleur, un organe, un viscère, un sens, une région du corps, un orifice, une humeur, une odeur, une saveur, un son, une caractéristique psychique, une qualité d'énergie. Mais aussi une correspondance animale, sociale, alimentaire, végétale.

Naturellement, un point précis d'acupuncture correspond à

1. Dr Jean Choin : *Voies rationnelles de la médecine chinoise,* ed. S.E.L., Lille.

l'élément désigné. Les caractéristiques de ce point varient en fonction de la saison, du jour, de l'heure...

Le malade souffre-t-il de troubles consécutifs à une grande peur ? L'acupuncteur examine le pouls qui, parmi les douze, représente la peur et qui est celui du méridien du rein. Puis il recherche le retentissement de cette perturbation sur les autres méridiens. Enfin, il en détermine les éléments de compensation : un régime, un changement de climat, un voyage (dans une direction indiquée par les cinq éléments), et bien entendu le point de puncture régulateur. Cette connaissance de la Hiérarchie et des lois de Correspondance permet une maîtrise de l'Énergie, donc du Double de l'Homme, être apparemment matériel, mais dont les anciens Chinois, à l'aide de la simple observation conjuguée à l'Intuition, avaient déjà su reconnaître la manifestation invisible.

# 3

# L'image du corps

Le pied posé sur le nouveau monde, il me faut maintenant l'explorer, en reconnaître la géographie, mais, pour cela, m'assurer d'un guide averti et de points de repère.

J'entends parler d'un ouvrage de Castaneda : *L'Herbe et la petite fumée.* Un maître mexicain lui avait fait toucher du doigt ce monde « non ordinaire ». Mais sa voie ne me convient pas, qui utilise des champignons hallucinogènes. Bien que certains prétendent qu'il est bon, comme point de départ, pour acquérir une référence, d'en faire l'expérience, je continue de penser qu'il est délicat d'aborder un monde inconnu avec un état d'esprit altéré. Comment en faire lucidement l'inventaire, d'une façon solide, en étudier les fonctions, en déduire les applications médicales ? C'est une fantaisie que l'on peut s'offrir si l'on veut rêver, mais elle est interdite au thérapeute, responsable de malades.

Mais les circonstances vont m'aider.

Venue au secours d'une infirmière anesthésiste grâce à la sophrologie, puis l'ayant revue anecdotiquement, elle m'avertit qu'un de ses cousins pratiquait une médecine nouvelle, l'auriculomédecine, et souhaitait m'en entretenir. Il était étonné de ne pas me connaître, car un médecin hospitalier se penchant sur les médecines différentes, en cette année 1972, n'était pas chose courante.

Certes, je ne me vante pas de mes origines dans ces milieux, m'en sentant plutôt embarrassée. Appartenir à ce qui pourrait ressembler à une mafia s'étant emparée du pouvoir médical et d'une clientèle par voie d'autorité et perpétuant ses méfaits par l'intermédiaire de la voie des concours et de la hiérarchie hospitalière ne me semble pas être une référence...

C'est là une erreur de ma part : le monde de la faculté et de ses titres, celui de l'hôpital et le fait de régner sur un service (tout en étant dégagé des problèmes financiers d'investissement dans des murs et des responsabilités de personnel) est un privilège pour beaucoup d'entre nous. Et cela permet de considérer avec un certain mépris ceux qui soignent tout en faisant face aux basses besognes financières.

Je vois donc ce médecin, élève d'un confrère de Lyon, Paul Nogier, lequel dirige, me dit-on, un groupe, le GLEM, qui se réunit chaque mois pour des travaux.

Il me persuade d'en faire partie.

J'y entends parler de l'oreille, sur laquelle on peut retrouver une projection anatomique du corps humain. La piquer en certains points exerce une action curatrice sur la partie du corps concernée. C'est l'auriculomédecine. Le principe de la représentation analogique n'est pas nouveau mais l'utilisation du principe mal connue. Sur l'image du cerveau, représentée dans tous les livres, figure souvent le dessin de l'homonculus, image du corps en réduction, donnée utilisée d'ailleurs par les neurochirurgiens. On sait que cette représentation n'est pas strictement superposable à notre anatomie. Les régions les plus sollicitées ont une représentation plus large que les autres. Ainsi, le pouce et l'index occupent une surface énorme comparativement aux pieds (à moins qu'il ne s'agisse d'un patineur).

La sophrologie s'était déjà servie de cette donnée. Par le biais des exercices de prise de conscience des diverses parties du corps, elle prétendait en redresser l'image faussée, source possible de la maladie... Tout se passant comme si la personne souffrant d'un ulcère d'estomac était la propriétaire au niveau de la représentation de cet organe d'une énorme surface « dévorant » les autres représentations ; toute stimulation affectant le malade, tel un choc affectif, agresse avec prédilection cette zone au lieu de se répartir sur les autres régions. On comprend que l'estomac-organe subisse alors lui aussi cet excès de stimulations et réagisse par un ulcère.

Ainsi familiarisée avec l'image du corps sur le cerveau (sous forme miniaturisée), il ne m'est pas difficile de la reconnaître sur l'oreille. Les iridologues la découvrent dans les yeux et les nasothérapeutes dans le nez. Certains thérapeutes la retrouvent sous les pieds. Les mains possèdent des dermatoglyphes où l'on peut lire certaines affections génétiques. Mais la médecine classique ne porte pas grand intérêt à ce genre de faits.

Ce qui me stupéfie, c'est l'efficacité attribuée à ces ponctures de l'oreille. Les théories de Paul Nogier étant *a priori* irrecevables pour toute personne de bon sens.

Curieuse de tout ce qui n'est pas enseigné par la faculté, je tiens à me rendre à Lyon. Le sort veut qu'un jour ma voiture tombe en panne. Il manque une pièce de rechange et je dois attendre trois jours. Libre de mon temps, je demande au Dr Nogier la permission d'assister à ses consultations. Dans un premier mouvement, il refuse, puis le lendemain accepte.

C'est le début d'une grande aventure, celle de la découverte de l'énergie. Paul Nogier me met entre les mains tous les éléments de base, ceux qui vont me permettre d'édifier ma propre conception du Corps Énergétique, de ce que j'appelle le Second Corps. De plus, il me fournit les moyens de tester l'efficacité si contestée des guérisseurs et de reconnaître leur champ d'action.

En observant Paul Nogier, j'apprends une autre façon d'être médecin. Viennent le voir les grands échecs de la médecine classique. Invariablement, il débute l'interrogatoire par « depuis quand », recherchant une chute, un déménagement, un accident, lesquels pourraient être la cause d'un problème vertébral qu'il se propose de traiter par manipulation.

Parfois, c'est un choc psychologique, une grande joie et il annonce « cofféa ». Une déception rentrée, et il annonce « staphysagria [1] »...

L'auscultation, la palpation, les examens de laboratoire entrent rarement en compte.

Il en arrive à l'examen de l'oreille et à sa puncture.

Je ne vois pas le temps passer, le regarde faire, bouche bée, jusqu'à des heures indues le soir, sans me lasser. Comme dans une sorte de « cour des miracles ».

1. Noms de médicaments homéopathiques.

Il repousse très loin la notion du possible définie par la médecine classique.

Je vis là des pages de la Bible. Et tout cela se fait calmement, sans effort. Paul Nogier va lentement, de son bureau jusqu'à la table d'examen, à l'autre extrémité d'une vaste pièce (son sport, dit-il). Après s'être installé à la tête du malade, il prend le pouls du bras gauche pendant que je saisis celui du bras droit. Je fais d'immenses efforts de concentration pour sentir la moindre modification des pulsations, à mesure qu'il explore l'oreille. Pour cela, il déplace un index coloré lumineux ou bien un bâtonnet en T portant un repère or et un repère argent (parfois un repère noir et blanc ou un aimant nord et sud) devant les différentes partie de cette oreille.

Cet index devient un excitant lumineux ou magnétique qui entraîne des modifications du pouls : un phénomène de « rebond ». L'examen terminé, il place les aiguilles.

Parfois, le résultat est immédiat. Sinon, il faut attendre la consultation suivante pour faire le point.

Entre deux patients, je retourne sagement m'asseoir, à mi-distance du bureau et de la table d'examen, en attendant l'acte suivant. Le spectacle est à ce point passionnant que j'oublie régulièrement l'heure du spectacle à l'Opéra pour lequel j'ai pris des places. J.-P. Jacquillat, un ami, est alors chef d'orchestre de l'Opéra de Lyon, et l'opéra est le spectacle que j'aime le plus au monde...

Je vis un enchantement. Nul ne peut comprendre mon enthousiasme s'il ne vit tout cela. De retour à Paris, naïvement, je tente de faire partager ma joie de médecin ayant découvert une façon simple d'aider les malades. On me regarde avec commisération. Je comprends leurs doutes, qui égalent les miens au temps des premières séances du GLEM. Là, interloquée, j'avais observé la salle s'exprimer : j'écoutais, à ma droite un étonnant personnage prétendre avoir soulagé une angoisse en piquant un certain point O, j'écoutais, à ma gauche, tel autre disant avoir soulagé un ulcère d'estomac en piquant un point O'... et devant moi, où un troisième affirmait diminuer les douleurs vertébrales avec un point de bordure... Étais-je au milieu d'illuminés, de fabulateurs ? Si tout cela était vrai, la faculté l'eût vérifié depuis longtemps, d'innombrables communications en témoigneraient ! C'était vrai, et la faculté l'ignorait !

Depuis, j'ai expérimenté moi-même le fait à mes dépens, j'ai su comment on s'y prenait pour étouffer ou discréditer tout ce qui représente un péril pour un monde matérialiste soucieux de nous faire croire qu'il protège l'humanité tout entière.

Qu'importe, ce que j'avais cru impossible est là, non pas fruit du hasard, mais répété par Paul Nogier, chaque jour.

Quant à moi, je peine dans ma recherche correcte du pouls. Mon passé d'anesthésiste, de réanimateur, de spécialiste de l'anesthésie du nourrisson et du nouveau-né, mais aussi de cardiologue — disciplines exigeant une fine connaissance de la prise du pouls — ne me sert en rien. J'éprouve mille difficultés à percevoir autant le pouls de Nogier que les douze pouls chinois, j'en suis bien déconfite.

Pour résumer ce qu'est l'auriculomédecine et l'objet de ce stage, disons qu'il me faut apprendre la perception du pouls et de son rebond sous l'effet d'une stimulation lumineuse, magnétique ou métallique de points ainsi sensibilisés de l'oreille. Comme il existe une analogie entre la forme de l'oreille externe et la forme d'un embryon renversé, on a pu retrouver une corrélation entre l'oreille et l'anatomie du corps tout entier. A partir de cette constatation, le traitement est guidé par la localisation anatomique. Les points réceptifs à l'excitation sont traités en fonction d'un raisonnement admis en médecine chinoise : un excès d'énergie se corrige par une dispersion à l'acier, alors qu'une insuffisance se corrige par une tonification à l'or. Après la piqûre, la répartition du champ énergétique se trouve modifiée. Il faut alors diriger cette nouvelle répartition.

Cela est l'auriculomédecine élémentaire, anatomique, mais il existe une vue beaucoup plus subtile, purement énergétique, dont la description ne saurait être faite ici.

A l'instant où je peux enfin prendre le pouls de Nogier, je sais aussi que j'ai RENCONTRÉ L'ÉNERGIE...

Il m'apprend à la suivre, à la dépister, à deviner ses déplacements, à détecter son rythme et sa vitesse. On peut la retrouver grimpant l'oreille ou la descendant, parfois croisant la face. On en perçoit les « gros paquets » évoluant lentement, scrupuleusement, et celle aussi qui chemine, s'arrête, fait demi-tour. Un bon coup d'aiguillon, et la voici repartant au trot et dans le bon sens. Il y a celle qui fait cahin-caha son petit bonhomme de chemin en un long circuit répétitif, inéluctable, et celle qui, vivante, tenaillante, réveille inlassablement une douleur au moment de rejoindre la représentation de la zone malade — la douleur persistant aussi longtemps que cette énergie stagne à ce point.

L'énergie et moi, désormais, sommes capables de nous mesurer l'une à l'autre sur le champ de l'oreille. La phénoménologie, la médecine expérimentale qui ne peut abuser personne, les faits étant là, c'est cela !

Ma jubilation culmine lorsque le maître utilise les couleurs : sept couleurs, rejoignant par là Michaël Aïvanhof et sa conception de la décomposition de la lumière par le prisme. Sept couleurs qui sont sept formes d'énergie et occupent de préférence chacune une plage sur l'oreille !

Paul Nogier utilise des fragments de gélatine colorés qu'il pose sur l'un ou l'autre bras, la couleur devenant le facteur d'excitation révélateur d'une cartographie particulière de l'oreille. Lorsque celle-ci ne correspond pas à celle que l'on a préconçue, il faut la modifier par puncture de l'oreille du malade.

Un peu plus tard, Paul Nogier met au point une lampe à tourelle, porteuse de minuscules plaques de gélatine éclairées par une ampoule. Cette lampe à tourelle permet de projeter directement la lumière colorée sur l'oreille et de détecter la cartographie correspondante.

J'acquiers ainsi la possibilité de dépasser les frontières du monde visible et de passer à la détection de l'invisible, tout en m'appuyant sur des éléments de contrôle et en établissant des références. Je suis familiarisée avec les procédés de recherches du patron. Chaque jour, il arrive avec une nouvelle idée « à vérifier ». Il me stupéfie par son génie inventif. Et les week-ends du GLEM prennent toute leur signification. L'étonnement, la suspicion ne m'habitent plus.

Beaucoup d'entre nous accompagnent cette étude d'une remise en question, amorce d'une aventure intérieure salutaire. Il est bien difficile de continuer à considérer la médecine, la maladie et la mort comme on nous l'a enseigné lorsqu'on a perçu l'Énergie.

Malheureusement, le groupe de chercheurs étonnants venus des quatre coins de France et des pays voisins, liés par une solide complicité et une belle amitié, se trouve perturbé par la présence d'un conquérant préoccupé par l'idée de transformer cette petite académie (terme utilisé par le Dr Quagliacenta de Turin) en école. L'amicale chaleur ambiante s'en ressent, les anciens quittent les réunions. Je fais de même. Ayant quitté un système, il m'est impossible de retomber dans un autre.

Un cycle est achevé, Paul Nogier m'ayant armée pour continuer ma route.

Je connus le GLEM au temps de sa splendeur. Quand des médecins de génie, réfractaires à la vision rétrécie du monde majoritaire, évoluaient en toute liberté. A ceux-là, le sens de l'observation permit d'aller bien au-delà des recherches faites dans les lourdes machines hospitalières. Dans la solitude, la discrétion, ils avançaient.

Si le mélange des genres, chez Caycédo, avait permis un certain flottement au niveau de la rigueur des connaissances de la physiologie et de la physiopathologie — donc de la pureté du langage médical —, au GLEM, tous possèdent alors le diplôme de docteur en médecine, ce qui mène à l'unité de langage, rassurante pour l'explorateur aventuré au sein de ce groupe.

Je quitte Paul Nogier et le GLEM avec le sentiment d'être bien en place sur les rails d'une histoire apparemment sans risque. Mais, par sécurité, j'en vérifierai chaque traverse, chaque boulon, durant des mois... et des années. C'est chose possible puisque le pouls-témoin me confère le droit d'appréhender directement les mouvements de l'Énergie. Réinventant ainsi mon propre système d'examen, mes nouvelles habitudes s'éloignent du système initial de Paul Nogier, mais en restent les filles, évidemment.

Le monde de l'Énergie est fait de plusieurs visages, il peut prendre des teintes dont les harmoniques varient en fonction du cristal humain qui perçoit, réfracte et transmet la lumière.

# 4

# Étude comparative des deux médecines

Un ancien ami de travail, patron d'un service hospitalier, me propose bientôt de « parasiter » son service. Craignant peut-être que j'en aie oublié les bonnes traditions. Il m'offre d'examiner ses malades difficiles, parallèlement aux données classiques.

Je me trouve donc placée dans d'excellentes conditions, proprices à l'étalonnage de l'oreille en fonction des couleurs de la lumière par rapport à la maladie et à la structuration de mon propre système d'examen. Mais je m'abstiens de soigner — admise là sans poste officiel, libre d'effectuer ma recherche — de crainte de perturber le service. Cependant, le sens de l'aide inhérent à tout médecin digne de ce nom me fait dépasser plus d'une fois cette prise de position.

Aucun de mes principes n'est sacrifié. Lorsque le malade connaît son heure de naissance, j'établis sa carte du ciel.

J'avais étudié l'astrologie durant six mois, à raison de deux leçons par semaine. (Mon intervention à la Société française d'Astrologie, pour y parler de l'intérêt de l'astrologie en médecine, avait déplu à mon professeur, et je fus expulsée du cours...)

Au sein du monde des astrologues, monde uranien, les excès et les ruptures sont plus fréquents que partout ailleurs — ce qui nuit à cette superbe discipline minoritaire où la désunion règne en permanence.

Incident diplomatique qui toutefois me servira : l'expérience quotidienne comparative des deux médecines et des aspects fournis par l'examen du thème me permet d'étayer et de codifier mon *propre* système de compréhension de la maladie.

La connaissance de la symbolique des planètes, celle des maisons, et l'examen des principaux transits, appuyée par l'examen du malade, enveloppée de l'intuition créatrice, faculté supérieure de l'être humain (plaignons les astrologues qui ne la possèdent pas) me suffisent.

J'ai donc le loisir d'examiner divers malades du service. Une des premières observations marquantes est celle du facteur : un jour, le spécialiste de la consultation appelle le patron pour examiner un malade particulièrement difficile. Toujours en quête de cas exceptionnels pour les étudier comparativement, je l'accompagne. C'est un homme jeune, qui erre d'hôpital en hôpital, de service en service, muni d'un énorme dossier. Aucun diagnostic, aucun traitement n'ont été satisfaisants. Il souffre de dérobement des jambes, lesquels entraînent des chutes de plus en plus fréquentes. On évoque une possible évolution vers une maladie paralytique. Fait caractéristique, à l'instant des crises, la partie supérieure du corps devient rouge et se couvre de sueur. Il se plaint de véritables bouffées de chaleur. L'endocrinologue a été consulté, les dosages sont là, qui n'apportent aucun renseignement.

Le corps médical ici présent « sèche » à son tour en manipulant radios et feuilles de laboratoire qui s'amoncellent dans un beau désordre... Silencieuse, j'observe et réalise le monde qui nous sépare ! Dans le mien, tout est simple : il s'agit d'une mauvaise répartition du sang et de l'énergie, de part et d'autre d'une ligne transversale passant par l'ombilic. Il suffit d'assurer une bonne répartition de l'un et de l'autre pour que tout s'arrange...

Mais impossible d'expliquer cette chose simple, ils ne me croiraient pas ! Il est préférable d'offrir mes services à l'occasion de la prochaine consultation si celle-ci demeure thérapeuthiquement infructueuse. C'est d'ailleurs bien volontiers que l'on me confie ce malade huit jours plus tard.

Dès le premier traitement, la transformation est totale : pas de chute, pas de dérobement des jambes, pas de bouffées de chaleur. A part une hypersudation sous les aisselles, un moral au beau fixe ! Il est si heureux et me fait tellement confiance que j'abats mes cartes, bien qu'étant à l'hôpital, et lui parle de son thème natal.. Un thème pour le moins étonnant : des planètes ainsi placées que tout l'incitait aux grands voyages... Ainsi qu'une vie affective et un état de santé apparemment liés ! Je l'en informe. Il m'apprend qu'il était effectivement marin, mais que la femme qu'il aime avait exigé, deux ans auparavant, qu'il demeurât à terre. Le seul emploi qu'il trouva fut celui de facteur (ce qui n'étonnera pas les astrologues). Peu de temps après ses débuts dans ce nouveau travail, les troubles commencèrent...

Il comprend, tout seul, devant moi, l'enchaînement des faits, le pourquoi du blocage d'énergie et la maladie qui s'ensuivit.

La troisième et dernière consultation est un adieu, il embarque le lendemain !

Il reprend son métier de marin, la terre ferme n'est pas faite pour lui. Je triomphe secrètement : en un temps record, par une manœuvre on ne peut plus simple, sans le secours d'aucun examen, je l'ai guéri en lui faisant redécouvrir le sens de sa vie.

De tels succès n'étaient pas inutiles. Ils me permettaient de maintenir mon cap et mon moral face aux critiques et aux railleries que pouvaient déclencher mes recherches et la conception simpliste que j'avais de la maladie.

Il m'arrivait d'être étonnée par le point d'impact que pouvait avoir mon traitement. Il remettait les conceptions apparemment les plus solidement établies en question...

Autre cas : ce malade tuberculeux, qui fait le désespoir du service. Malgré son hospitalisation et un traitement réputé pour ne plus connaître d'échecs, les bacilles de Koch demeurent dans ses crachats, en même temps que persiste la fièvre.

J'établis son dossier. Profession : il fait, la nuit, les ménages dans les bureaux. Date de naissance, lieu, heure, il se souvient. Je monte son thème sur-le-champ et m'étonne que rien, dans ce thème, ne se rapproche de la profession de cet homme... Je lui fais part de mon sentiment. Il relève la tête, sourit, et, d'un air entendu, m'avoue qu'il a fait fortune plusieurs fois, grande fortune, dans des pays étrangers. Mais invariablement, une guerre, une révolution fait tout s'écrouler. Il vit en France depuis sa dernière ruine, de ce travail d'homme de ménage. Une tuberculose grave s'est déclarée. Il n'en guérit pas.

Je le soigne, tout en lui expliquant la loi des cycles qui régissent sa vie, et la façon de négocier ses aspects, dont les dates peuvent être prévues.

C'est un autre homme qui me quitte.

La semaine suivante, passant devant sa chambre en compagnie de la surveillante, je l'aperçois, en costume de ville, tête haute, élégant, n'ayant plus rien du pauvre être que j'avais soigné la semaine précédente.

« Il sort aujourd'hui, les B.K. ont disparu, la fièvre est tombée, tous les examens sont normaux », me dit la surveillante.

Les B.K. n'avaient pas résisté à l'espoir que je lui avais donné d'une renaissance possible, ni à la manipulation d'énergie, mais ils avaient résisté aux traitements spécifiques.

Je fais aussi connaissance de M. X, porteur d'une maladie rarissime : vingt-deux cas alors publiés dans le monde, me disait-on, et mortels en deux ans. Traité par la cortisone, sans résultat, c'est un des piliers du service. A l'examen, il est d'une telle misère physiologique que je le soigne tout de même en manipulant l'énergie, malgré le traitement cortisonique qui peut en diminuer les effets. Il devient un pilier de mon bureau, où il se trouve bien.

Sa sortie de l'hôpital coïncide avec l'interruption de la cortisone. Nous évoquons alors ensemble la possibilité de tester l'effet de mon traitement sans cette redoutable médication. Malheureusement, son père s'y oppose rigoureusement. Traiter une maladie gravissime en piquant les oreilles ne lui paraît pas sérieux. De plus, on me déconseille, à l'hôpital, de m'attaquer à une affection dont le pronostic est aussi sombre. Je risque de « perdre confiance en ma méthode ». Pourtant, un mois plus tard, je reçois une lettre touchante, écrite d'une main tremblante. Un appel au secours. Il ne peut plus se laver seul, ni couper sa viande, ni faire sa toilette, ni se lever... Sa maman me l'amène, en cachette du père.

Une amélioration progressive lui permet de retrouver son indépendance. Vivant toujours sur sa chaise roulante, il peut cependant faire quelques pas, se laver, s'alimenter, s'habiller puis reprendre un travail à domicile quarante heures par semaine...

Le père de son côté emmène régulièrement son fils à la consultation de l'hôpital. On constate les progrès...

Devant les nouvelles prescriptions du médecin, le père un jour fait alors cette remarque : « C'est inutile, il ne prend pas de médicaments... S'il va mieux, ce n'est pas grâce à eux !... »

Mère et fils feront des aveux peu après. Bon prince, le père conduit désormais la voiture qui transporte son fils chez moi.

Malheureusement, la chute dans un escalier d'un homme qui le porte provoque une fracture du bassin. Mais l'amélioration générale persiste.

J'accepte alors de traiter, à titre d'essai, scléroses en plaques, maladies de Charcot, dégénérescences nerveuses et musculaires de tous ordres...

La loi évoquée à propos de la cocarboxylase se retrouve toujours : si le nombre de cellules en état de récupérer est suffisant, il se produit une nette amélioration. Si le capital cellulaire est définitivement atteint, si les cellules ne sont pas seulement « endormies » mais mortes, alors, on ne peut que maintenir dans l'état, en évitant l'aggravation. Un traitement précoce peut permettre d'échapper à l'évolution fatale : les poussées existent, on les suit sur la carte du ciel, mais à l'instant où se termine le transit maléfique, la récupération est totale (le traitement effaçant immédiatement les perturbations métaboliques qui ne s'inscrivent pas). Un traitement régulier, bien sûr, s'impose.

Poursuivant mes études comparatives, j'étudie l'action de ma thérapeutique sur les poussées rhumatismales : le patient perclus de douleurs, résistantes au traitement hospitalier, arrive sur une chaise roulante... et peut repartir à pied, en la poussant !

Il est frappant de constater combien cette médecine échappe aux phénomènes de spécialisation si chère à la médecine classique et matérialiste et si caractéristique de celle-ci. C'est une conquête de la médecine énergétique que d'être universelle, une des preuves qu'elle touche au niveau supérieur de l'être, à l'autre monde.

Un matin, une infirmière pousse son chariot de soins, tout en pleurant. Un interrogatoire discret m'apprend qu'elle est suivie par un O.R.L. que je connais bien — pour lui avoir donné des anesthésies —, et dont la réputation n'est pas à mettre en doute.

Aucune intervention n'est à envisager. Cependant, elle n'entend plus, et son oreille la fait souffrir. Avec la permission et en présence de la surveillante, je la soigne après avoir testé son degré de surdité, apparemment total pour les sons ordinaires. Après mon traitement, non seulement la douleur a disparu mais l'ouïe est revenue. Étonnées, nous appelons le patron, pour lui montrer le « miracle ». Il en est pour le moins dérangé, et demande que la chose ne soit pas ébruitée.

J'acquiers aussi la certitude que les tumeurs bénignes peuvent régresser ou disparaître. Voici le cas de cette femme, qui a rendez-vous, tous les trois mois et depuis bientôt deux ans, avec le chirurgien professeur d'urologie qui lui ôte ses polypes vésicaux. Elle supplie son médecin de faire cesser cette maladie. A tout hasard, et parce qu'il en est incapable, il me la confie.

Elle est alors à trois semaines d'une future intervention, et avec l'expérience qu'elle a de la chose, elle sait que les polypes sont là : lourdeurs et cystites le lui signalent. A deux reprises, je la traite. Elle m'appelle au lendemain de l'intervention prévue : « Bravo ! Le chirurgien n'a plus trouvé de polypes, et moi, je ne sens plus rien !... »

Mais il faut savoir que ces polypes peuvent se présenter à trois stades différents : ceux qui répondent aux manipulations énergétiques sont petits, récents. Ceux qui répondent moins bien, plus lentement, sont plus anciens et plus volumineux : un vieux blocage d'énergie qui s'est matérialisé. Ceux qui ont dégénéré signifient le cancer, lequel peut apparaître aussi comme primitif...

Dans ce dernier cas, je fais confiance, initialement, jusqu'à preuve du contraire, à la chirurgie et à la médecine lourde, me contentant de renforcer le terrain et de conseiller à la famille de faire vivre le patient dans un climat positif et décontracté, en surveillant l'hygiène alimentaire. Le temps est venu pour le malade de faire aussi un travail spirituel, un travail de détachement du monde matériel. J'ai vu, alors, des régressions inattendues se produire et durer aussi longtemps que la sérénité demeure. Mais je reste persuadée que le traitement le plus efficace est préventif. Chacun devrait, aux changements de saison, faire vérifier son état énergétique, maintenir une hygiène morale et faire un travail sur soi.

Bien des essais thérapeutiques non répertoriés par la médecine classique peuvent présenter un intérêt en tant que thérapeutiques d'appoint. Mais je n'oserais certainement pas déconseiller le traitement d'attaque. Quand la tumeur est là, le cancer atteint, à mon sens, les trois corps. Il faut donc les traiter tous trois.

Ma précieuse expérience hospitalière s'achève sur une mésentente avec le patron. Je fais le diagnostic de sclérose en plaques chez un jeune jardinier, grand garçon bien bâti. Mais devant l'absence de certitudes cliniques, il est qualifié de « paresseux » et déclaré apte pour le service militaire...

L'examen de l'oreille et la carte du ciel m'avaient permis d'affirmer ce diagnostic. De plus, deux nystagmographies demandées en dehors du service me confortaient dans cette idée. Le patient, considérablement amélioré par mes soins, me fait confiance. Pourtant, on lui conseille de ne plus me voir et de laisser progresser les signes pour s'assurer du diagnostic.

Lorsqu'on sait qu'il n'existe pas de traitement de la maladie, cette attitude, caractéristique du médecin classique, me fait entrer dans une saine colère. Incapable de supporter plus longtemps l'état d'esprit du corps hospitalier, je quitte définitivement le service.

Aujourd'hui, le patient va bien, est toujours jardinier, installé à son compte. Les périodes de poussées, donc de fatigue, sont réservées pour visiter ses clients, faire ses commandes et ses comptes. Grâce au traitement, les régressions sont toujours totales, dès la fin du transit astrologique fatal. Alors, en dehors des crises, il reprend son travail, huit heures par jour. Signalons encore un fait, illustrant l'importance du corps vibratoire : cet ancien malade ne supporte ni le train ni certains ascenseurs. Se rendant un jour dans le midi de la France, il s'écroula sur le quai de la gare, à peine sorti du wagon, et fut hospitalisé.

J'ai donc fait mes classes et me suis forgé une expérience comparative des deux médecines. Il devient clair que la médecine classique est celle du monde des apparences, analytique, horizontale, niant l'espoir d'ascension verticale.

J'ai été frappée de la réelle collaboration des kinésithérapeutes et des responsables du personnel infirmier, ceux qui vivent le côté humain de la maladie tout au long de cette expérience.

Mon propos n'est évidemment pas de culpabiliser mes collègues. Ils sont le produit de la société et de la Faculté. Je sais le prix qu'il faut payer pour assumer la mutation, et ce temps n'est pas venu pour tous.

# 5

# Approche du corps invisible

Dans cet hôpital, j'ai vécu cependant une expérience essentielle dans l'histoire de mon éveil à l'énergie.

On me présente un matin une malade souffrant d'un membre fantôme (nom donné aux douleurs résiduelles qui succèdent à l'amputation d'un membre). Les massages et analgésiques ne la soulagent pas. La voici donc, allongée sur la table. J'utilise fréquemment à cette époque la lampe à tourelle de Nogier, et une curiosité apparemment sans objet m'entraîne à examiner, à l'aide des couleurs, le membre inférieur restant plutôt que l'oreille... Un geste maladroit fait soudain dévier cette lampe hors du champ du membre, et cependant un rebond apparaît au pouls ! Inquiétude extrême. Rien ne devait ici me donner ce rebond ! Le pouls-témoin serait-il une méprise à laquelle auraient adhéré Nogier et tous ses élèves ?

Reprenant mon calme, j'analyse la situation. Ma lampe, ce détecteur élémentaire, a dévié en direction du membre absent : balayons donc la surface de cet absent et voyons ce qui se passe... J'effectue cet examen à l'aide des sept couleurs, en dessinant sur un papier placé sous la jambe toutes les informations perçues. L'examen terminé, mon papier ne reflète pas moins que... le contour du membre absent ! Silencieuse quelques minutes devant ce phénomène étrange, je ne peux qu'évoquer l'aura dont j'ai, comme chacun, entendu parler. Passant à l'examen, puis au traitement de l'oreille, j'espère éclaircir la situation. Dès la première puncture, le malade annonce : « Ma jambe change de forme », puis peu après : « La douleur diminue », et enfin : « Je n'ai plus de jambe », « Je n'ai plus mal »...

A l'examen systématique, le membre inférieur amputé, mais dessiné quelques instants auparavant, a disparu.

Observation qui appelle plusieurs commentaires : le dessin du membre fantôme est superposable à celui dessiné par l'examen du membre présent. L'un et l'autre pieds portent, en bout d'orteils, une frange de la largeur d'une paume de main et qui dépasse la forme du pied. Ceci évoque une projection de l'énergie hors du corps physique, ou plutôt du moule du corps physique — puisque le membre fantôme présente aussi cette caractéristique.

Six couleurs dessinent le membre fantôme. Une septième est absente, celle que j'ai identifiée comme représentante des membres.

Une forme invisible peut donc être à la fois vécue par le malade et perçue par le médecin. Dans ces conditions, cet invisible devient réalité.

Un monde vivant, invisible, avec lequel nous sommes en relation, est donc là.

Il répond à une certaine organisation, et l'idée que je m'en suis fait semble être juste. L'amélioration instantanée de l'état de la malade tend à le prouver.

L'aura, les fantômes et autres fantaisies sont-ils les produits de l'imagination ou correspondent-ils à une réalité ?

Je mets quelques jours à « digérer » ce phénomène... Pourtant, tout ne fait que commencer...

Ce matin-là, tout en prenant doucement conscience des réalités, je m'éveille... quand tout à coup un visage apparaît devant mes paupières closes, sur grand écran. L'image disparaît quand j'ouvre les yeux. Qui est ce personnage ? Où ai-je vu cet homme ? Pour aider à la réflexion, j'abaisse les paupières. L'image est toujours là. J'ouvre les yeux, elle disparaît. Je les ferme, elle est là.

Qui est cet homme blond, la raie sur le côté, le regard intelligent, le teint bronzé ? Ce n'est pas un malade, ce visage respire la santé...

Devant vaquer à mes occupations, j'ouvre les yeux et l'abandonne définitivement au royaume du mystère.

Cet après-midi-là se réunit la société de parapsychologie

dont je fais alors partie. Quelques publicités s'étalent sur une table devant la porte d'entrée. Au hasard, j'en prends une, qui donne les horaires de la projection d'un film sur les guérisseurs philippins. Je décide d'aller voir ce film.

Le visage de l'homme qui l'a réalisé, ô surprise, correspond exactement à celui qui, ce matin, s'est présenté sous mes paupières... Il revient des Philippines, y ayant accompagné des malades, et organise quelques voyages. Il insiste sur les améliorations incompréhensibles qu'il a observées là-bas...

Habituée des salles d'opération, je comprends immédiatement qu'il ne s'agit pas de chirurgie, au sens occidental du terme. Ceux qui voient là une ouverture du corps ne font qu'une projection de leur conditionnement, de leur propre correspondance symbolique. Mais ceux qui les dénoncent comme étant des escrocs font sans doute la même erreur et la même projection, mais en négatif. Tout dépend, dans l'interprétation des faits, de sa propre disposition intérieure, de la transparence de son âme, de ses propres motivations.

Pour moi qui viens de vivre coup sur coup deux événements étonnants, ce film est la preuve qu'il existe un monde inconnu, invisible, dont nous n'avons pas la moindre idée. Peut-être ces guérisseurs manipulent-ils l'invisible tout autant que le sang et la matière qui apparaît sous leurs doigts, fussent-ils des viscères de poulet... Sans doute est-ce cet invisible malade auquel ils s'adressent, et qu'ils manipulent ? L'homme, pour moi, n'est plus ce cadavre physique que l'on dissèque dans les amphithéâtres. Et moi-même, je guéris bien en manipulant des couleurs !

Ces thérapeutes me semblent posséder ce qui manque à notre médecine : la compréhension de la souffrance humaine et la compassion. Quant aux patients qui, dit-on, se laissent prendre au piège, il convient de considérer leur démarche avec respect. Quand on est bien portant, on ignore l'état d'esprit de l'être malade qui côtoie la mort... Peut-être ces gens atteignent-ils en eux une dimension qui ne s'éveille qu'à cet instant précisément ?

Le cinéaste organisant des voyages, à tout hasard, je lui confie mon adresse. Maintenant persuadée que le phénomène maladie-guérison est encore plus complexe que je ne l'imaginais, j'envisage l'éventualité d'une troisième dimension de l'homme, simple interrogation a cette époque. Il faut, pour le concevoir, mieux comprendre la finesse intentionnelle des procédés de ces guérisseurs, ainsi que celle de leurs confrères africains. Le magicien de spectacle n'est qu'un singe savant à côté de ces gens-là.

L'organisateur des voyages m'annonce au téléphone un prochain départ. Étudier ces phénomènes me paraît une aventure bien coûteuse. Ces gens appartiennent à un autre monde auquel je n'ai certainement pas accès. Comment entrer en résonance avec eux ?

Un matin, en m'éveillant, j'entends une musique, venant d'un piano, à l'intérieur de moi-même. J'ouvre les yeux, elle cesse. Je les ferme, elle recommence. J'apprends la musique par cœur, sans même pouvoir y mettre un nom.

Quelques heures plus tard, l'épouse du pianiste bulgare Yury Boukoff, m'appelle pour me proposer de passer chez elle dans l'après-midi. Yury Boukoff donne le soir même un concert au musée du Louvre, retransmis par la télévision. On m'y invite à titre exceptionnel, car tout se déroule dans la chambre du roi. La répétition commence quand soudain, je reconnais l'air du matin — c'est la *Cinquième Étude* de Rachmaninov, très exactement le second thème musical...

Dans la voiture qui nous raccompagne, mes amis tout à coup me racontent le voyage qu'ils ont fait aux Philippines, à l'occasion d'un concert. Coïncidence... Ils évoquent la façon étrange dont procèdent les guérisseurs. Evelyne Boukoff avait vu disparaître une petite tumeur qu'elle avait sur la joue[1]...

Le lendemain matin, très tôt, l'« homme au visage » me téléphone pour m'indiquer les dates exactes du prochain et dernier départ. Les coïncidences se multipliant, je décide de partir.

Ayant déjà exposé ailleurs et en détail l'histoire de ces séjours, je n'en retiendrai ici que ce qui touche strictement à l'énergie. Cependant, pour situer l'état d'esprit dans lequel sont faits les soins, voici le texte de la lettre d'accueil reçue par les malades à leur arrivée (on pourra d'ailleurs s'étonner, au niveau de l'information élémentaire, que ceux qui ont écrit sur Agpaoa

1. Celle-ci récidivera un an plus tard et sera extirpée chirurgicalement cette fois. Ce qui ne l'empêchera pas de réapparaître...

n'aient jamais publié ces « Paroles de bienvenue » qu'il réservait à ses malades) :

« En premier lieu, je vous remercie de votre venue et je veux essayer de tenir mes engagements, donc, faire tout mon possible pour vous aider.

« Ne craignez point d'être tourmentés par des questions d'ordre religieux ; cependant, il est nécessaire que vous sachiez que mon pouvoir de vous aider spirituellement est basé essentiellement sur les lois divines, comprenant en tout premier lieu l'amour du prochain.

« La guérison spirituelle n'est rien de nouveau, bien au contraire. C'est une des façons de guérir les plus anciennes. Pour vous qui êtes de culture occidentale, Jésus-Christ est certainement la personnalité la plus connue, qui a opéré des guérisons spirituelles, donc miraculeuses. Je vous prie de croire que je ne me considère pas comme une réincarnation de Jésus-Christ, loin de là, mais, par une grâce divine, la possibilité m'a été donnée d'utiliser envers mes malades ces lois divines en parfaite harmonie.

« La chirurgie spirituelle que je pratique, qui n'a absolument rien de commun avec la chirurgie courante, ce qui a déjà donné lieu à pas mal de confusions, doit vous aider à surmonter vos maladies, causées par toutes sortes de raisons.

« Vous devez savoir également qu'une des bases de ma méthode de guérison est ma conviction profonde d'une survie après la mort, que nous ne possédons pas seulement un corps matériel mais encore un corps astral que nous négligeons bien trop souvent.

« Je puise mes forces pour guérir dans mes méditations, pendant lesquelles je m'efforce de recharger mes corps matériel et astral de cette force subtile qui me permettra d'éloigner de vos corps, matériellement, vos maladies, et cela en premier lieu par la force spirituelle.

« Sont compris dans vos maux vos peines d'âme et vos peurs, et, sous forme matérielle, vos tumeurs, etc.

« En de rares occasions, l'état général du malade est immédiatement changé, en bien des cas, il faut attendre plusieurs jours ou semaines, parfois des mois avant de constater la guérison matérielle, qui pourtant, spirituellement, a déjà eu lieu. Cependant, celui qui travaille uniquement sur la base spirituelle se trouve aussi parfois devant les frontières biologiques de la mort. Bien souvent, les malades dont les corps sont déjà dans un état de destruction avancé, viennent me consulter... Je me sens l'homme le plus heureux si j'ai pu au moins alléger leurs souffrances. Mais c'est justement dans ces cas-là que la collaboration du patient est indispensable.

« Je vous en prie, ôtez de votre esprit tout résultat de clinique, toute analyse de laboratoire qui vous ont fait comprendre que vous étiez atteint d'une maladie incurable. La guérison spirituelle ne connaît pas de pareilles limites. Avant de vous rendre à ma consultation, faites votre examen de conscience. Vous êtes si loin de chez vous. Il vous est certainement plus facile de reconnaître les raisons de votre maladie. N'en accusez ni votre destin ni votre entourage, mais prenez bien en main votre problème. Rien que le fait que vous vivez est la preuve que vous aussi possédez cette force spirituelle.

« En ma qualité de guérisseur spirituel, j'essaierai de compléter et de régénérer cette force qui est en vous, et dont une partie vous a été retirée.

« Quand vous nous quitterez, vous devez être en état de vous aider vous-même, personnellement. Sachez aussi que vous êtes bien maître de vous-même, que vous ne dépendez de personne et que vous avez le droit d'user de ces forces qui apparaissent aux personnes ignorantes des lois divines comme " miracles ".

« Il est très normal que la plupart d'entre vous soient très tendus intérieurement avant et lors du premier traitement, c'est la raison pour laquelle j'interviens plusieurs fois, bien que le succès du traitement ne dépende absolument pas du nombre de mes interventions.

« Tant que vous êtes entre mes mains, j'essaie de vous transmettre une totale tranquillité et sérénité, tant de votre système nerveux que de toute votre personne, âme, corps, esprit.

« Je vous conseille de vous reposer avant et après mon traitement. N'ayez nulle honte à faire une prière selon votre religion.

« Pour garder votre santé après votre départ, pratiquez chaque jour quelques minutes de détente, de méditation, en vous souvenant de moi.

« Évitez à l'avenir de trop vous fatiguer. Faites tout pour garder la paix dans votre entourage. Soyez plus tolérant envers votre prochain et donnez ainsi l'exemple d'une vie en parfaite harmonie avec les lois divines et naturelles, tant dans votre vie intime que dans votre profession.

« Je ne puis pas toujours vous donner le résultat immédiat que vous escomptez de mon traitement, c'est pour cette raison que je vous fais ces suggestions. N'hésitez pas, le cas échéant, à me demander un traitement à distance. La force est active partout, mais il faut la demander. Je ne puis outrepasser cette loi. Je ne suis moi-même qu'un être humain, et je sais combien il est pénible et difficile de s'abstenir de manger, boire ou fumer certaines denrées nuisibles à votre santé. Toutefois, essayez, notamment si votre corps en a souffert.

« Il est compréhensible qu'à votre retour, vous éprouviez le besoin de raconter ce que vous avez vécu ici. Je ne voudrais que vous rendre attentifs aux paroles du plus grand guérisseur de tous les temps : Jésus-Christ lui-même.

« " Pars et ne dis rien à personne... "

« Croyez-moi, la radiation spirituelle vous fera très certainement rencontrer des personnes auxquelles je pourrais venir en aide, mais ces malades doivent faire le premier pas. Racontez ce que vous avez vu et vécu quand des personnes ayant besoin d'aide vous le demanderont.

« Je ne me considère personnellement que comme un exécutant des lois divines, et j'ai essayé de vivre ma vie en la mettant au service des malades. Ma plus grande joie est de pouvoir vous renvoyer chez vous en bonne santé et guéris. »

La plupart des patients du groupe avaient accepté de se laisser examiner avant le début du traitement, et j'effectue un second contrôle la veille du départ. Examen bien entendu fondé sur l'auriculomédecine, c'est-à-dire portant sur l'étude de l'état énergétique.

J'observe qu'il est possible de classer les résultats sous trois rubriques : celle des améliorations complètes, celle des améliorations relativement satisfaisantes et celle des améliorations quasi nulles. Dans ce dernier cas, qui concerne une sclérose en plaques, il est tout de même à noter que les désordres psychiques ont totalement disparu. En revanche, l'énergie malade en cause dans cette affection n'est pas vraiment réorganisée.

Il existe donc des états réversibles, partiellement réversibles et irréversibles. Mais l'énergie psychique se trouve dans tous les cas équilibrée.

Cette equipe est donc bien faite de guérisseurs et non pas de chirurgiens aux étranges façons. Peut-être que ces étranges façons, tout comme la lumière, dissimulent un grand secret...

J'observe au cours de mon séjour qu'il s'agit là, chez Tony Agpaoa, d'une équipe parfaitement organisée. Médecin acupuncteur, chirurgien classique, guérisseurs, masseurs, évangéliste s'associent pour les soins... Je m'étonne que l'on n'ait pas porté l'accent sur ce fait qui me semble d'importance, et que la presse n'ait pas non plus su relever cet aspect plus que positif de l'événement. Mais chacun ne peut communiquer aux autres que son propre niveau de compréhension et de connaissance.

L'évangélisation du frère Sunny, les courts entretiens qu'Agpaoa nous accorde modifient progressivement l'idée que mon éducation occidentale m'avait imposée du guérisseur.

Ce qui se fait ici, ce qui se dit, n'a plus aucun point commun avec ce que l'on disait chez nous à ce sujet.

Et quand Tony Agpaoa m'avertit que j'ai l'aura du guérisseur en me proposant de travailler au sein de son équipe, il m'incite une fois de plus à remettre en question ma conception occidentale du monde et à sortir des sentiers battus...

Aux Philippines, je fais plusieurs remarques [1] :

— Les guérisseurs travaillent sur les grands points d'acupuncture.

— Tony Agpaoa, lui, la pratique en utilisant ses doigts, comme si chacun de ceux-ci était porteur d'une énergie différente. Il n'utilise pas n'importe quel doigt pour n'importe quel point.

— On réserve une journée pour l'équilibration du yin et du yang.

— On réserve également une journée au traitement du « centre émotionnel » qu'ils localisent dans une région voisine du plexus solaire (équivalent du point zéro de Nogier, grand point régulateur).

1. Voir *Médecin des Trois Corps.*

— Les soins sont précédés d'une cérémonie, accompagnés de musique et de chants. On y affirme que le guérisseur n'est que l'intermédiaire entre le ciel et la terre, qu'il ne possède pas de pouvoir propre, qu'il ne fait que transmettre l'énergie cosmique ambiante. Il ne faut pas chercher à savoir comment apparaissent les choses qui viennent sous ses doigts, que l'important est de s'ouvrir à l'énergie cosmique, à la puissance divine.

Les mantras sont la preuve de la conception orientale de la vie. La présence de la Bible entre leurs mains, le souvenir de la conquête espagnole. Elle est utilisée pour son contenu symbolique et pour rappeler qu'il est noble d'être guérisseur, Jésus ayant été sans doute le plus grand.

J'obtiens, lors de mon premier traitement, un échantillon de ce que la guérisseuse Niévès tient entre ses doigts après m'avoir traitée.

L'examen me montre un coton, dont toutes les fibres sont comme tissées dans le même sens et imprégnées d'une matière dont j'ignore la qualité. Mais ce qui m'intrigue, c'est d'y trouver une minuscule aiguille d'acupuncture, terminée par un cercle (appelé un ciel, en acupuncture). Elle symbolise parfaitement, par sa dimension, la miniaturisation de mon procédé d'acupuncture.

Une aiguille qui ne ressemble en rien à celles qu'utilise l'acupuncteur d'Agpaoa, pas davantage à celles que j'utilisais moi-même.

Correspond-elle à une miniaturisation symbolique de mes préoccupations ? Au-delà de tous les artifices susceptibles d'être utilisés pour frapper l'inconscient du malade et que les journaux appellent escroquerie, n'y a-t-il pas un phénomène mystérieux appartenant au monde invisible et dont ces guérisseurs connaissent les lois ?

Enfin, Tony Agpaoa se révèle à mes yeux non seulement porteur d'une énergie magnétique exceptionnelle, mais aussi doué de « clairaudience » et de clairvoyance.

Ces guérisseurs appartiennent donc au nouveau monde qui, doucement, se manifeste à moi sous divers aspects. Ils ont un pied dans notre invisible.

C'est l'évangéliste, frère Sunny, qui le premier m'aide à comprendre ce que peut être un guérisseur.

« Beaucoup de guérisseurs s'imaginent que le flot d'énergie vient d'eux, explique-t-il. C'est une erreur. L'énergie provient de l'énergie divine, le guérisseur n'est que l'intermédiaire entre Dieu et vous. Beaucoup d'entre vous peuvent devenir guérisseurs. Il n'est pas nécessaire pour cela d'être un saint. Il faut simplement que tous nos corps soient en harmonie et il faut aussi avoir développé tous les niveaux de soi : physique, émotionnel, mental, spirituel. Ces quatre niveaux doivent être harmonieusement développés, ainsi, le courant peut passer entre Dieu et le malade par l'intermédiaire du guérisseur. Il s'agit d'un transfert d'énergie.

« Si vous avez un bon équilibre entre ces corps, quand vous approchez avec compassion quelqu'un qui souffre et que vous le touchez avec bonté, vous êtes guérisseur. »

Je réalise que chez nous, en Occident, l'ensemble des gens pensent qu'il est de bon goût d'avoir un corps physique en bon état, bien bronzé, bien musclé, d'y adjoindre un mental bourré de connaissances. L'émotionnel est méprisé : l'homme et la femme forts doivent être invulnérables sur ce plan.

Quant au spirituel, on voudrait nous faire croire qu'il est l'apanage de fous, d'illuminés, de sectes, tous fautifs. La religion elle-même ne sait plus ce qu'est le travail spirituel. Perdu dans ses dogmes qui abolissent le pouvoir de réflexion, évanoui dans l'action du travail à l'usine, loin de la solitude méditante, le prêtre perd ses qualités magnétiques. Et c'est presque heureux, car par les mutations apportées à la sainte messe la transmission de ses symboles la transformeraient en magie noire si ses serviteurs étaient encore capables de transmettre quelque chose.

N'insistons pas sur les liens qui se sont noués entre l'Église, le pouvoir, la politique et les tractations financières de grande envergure plus ou moins malsaines.

Trop souvent et trop longtemps, le corps humain a été vécu et considéré par le clergé en ennemi fautif. Par lui, le mental a été farci d'opinions, l'émotionnel maltraité et le spirituel oublié. Par leur présence, les prêtres, hélas ! dans l'ensemble, ne transmettent plus grande énergie cosmique. Peut-être est-ce la seule grâce qu'ils nous accordent en cette ère, car on ne sait trop sur quelle couche ils sont maintenant branchés.

Tout cela est devenu si évident que bon nombre d'entre eux,

dans une action individuelle, tentent de modifier l'état des choses. Tout comme, en catimini, se sont profilées les médecines différentes, une religion différente essaie de sauver l'Église...

Il est réconfortant de penser que, dans toutes les circonstances, il demeure une minorité pour tenter de conserver le souvenir de qui nous sommes et de ce que nous faisons sur terre.

Ici, aux Philippines, le frère Sunny insiste sur la nécessité de se préserver un temps de méditation. Pour lui, c'est un traitement de l'esprit. On en prend soin et on le guérit s'il est affligé, par la méditation. Toutes les formes en sont respectables et efficaces, si celles que nous avons choisies nous aident. La méditation est un phénomène très profond qui se réfère à notre propre expérience. La méditation transcendantale, les méditations du yoga, tantriques, zen, etc. Toutes les formes en sont belles et bénéfiques pour celui qui les pratique. C'est une façon de comprendre l'existence divine et comment nous sommes reliés à Dieu.

Mais qui prend le temps de soigner son esprit, qui, à l'école, apprend ce savoir à l'enfant, dit civilisé ?

Mon séjour chez Agpaoa me donne le loisir de prendre conscience de ces vérités. Un centre de soins et de repos, sous un ciel clément, dans un lieu enchanteur, loin des tracasseries de la vie quotidienne, tout est prévu et conçu pour cela. Je suis étonnée de voir le bonheur qui frappe, à de rares exceptions près, ceux qui en reviennent et qui, souvent, souhaitent y retourner.

Les conditions matérielles ne sont pas les seuls avantages et les seules raisons de cet épanouissement. On y apprend la notion de bonheur et celle de l'esprit positif. Médecins, scientifiques, rationalistes comptent dans leur jugement assez peu sur la notion du bonheur. Tout aspect subjectif de la vie semble soit leur échapper, soit être méprisé. C'est pourtant une capacité humaine qui demande à être comblée. Il en résulte une incompréhension totale entre les divers points de vue : la réalité affective vécue par le malade et l'opinion formulée par les observateurs, qui voient les choses avec les yeux de leur intellect.

Mon intention ici n'est pas d'inciter les malades à partir se faire soigner aux Philippines, je tente simplement d'analyser une situation, pour savoir le pourquoi et le comment de certains succès obtenus par l'équipe d'Agpaoa et éventuellement d'en tirer des conclusions applicables à nos centres de soins, notre orgueil dût-il en souffrir.

Le journaliste non concerné par la douleur et la mort, l'observateur en balade, qui veulent aller chez le guérisseur tout comme on va au cirque, en lui appliquant des critères de jugement personnels issus d'une société différente, ne peuvent comprendre. L'humilité leur fait défaut.

« On ne peint bien que son propre cœur en l'attribuant à l'autre », écrivait Chateaubriand.

Le frère Sunny, chaque matin, évangélise, et chaque après-midi, instruit.

« Quand vous chantez *Babanam Ke valam,* vous chantez un mantra, dit-il, et ce mantra s'adresse au Dieu absolu. Ce n'est pas un dieu particulier, ce n'est pas Jésus, ce n'est pas Bouddha. Chacun peut avoir sa propre définition de Dieu. Dieu, c'est l'être supérieur. Dieu, c'est la puissance de l'être suprême, c'est lui que le guérisseur appelle quand il soigne. Il lui attribue tout pouvoir. Il est bon, au cours du traitement, que guérisseur et malade fassent don d'eux-mêmes à l'Être suprême, ceci dans toutes leurs dimensions : émotionnelle, mentale et spirituelle.

« Bien que nos problèmes et nos peines soient en rapport avec notre état émotionnel, il ne faut pas mélanger nos problèmes à l'offrande de nous-mêmes. Il faut les oublier et être avant tout capables de s' " ouvrir " et de s' " offrir ".

« Nous ne vivons pas dans ce monde uniquement comme des êtres humains qui vaquent à leurs occupations. Trop souvent, nous ne nous adressons à Dieu que pour lui demander de pourvoir à nos besoins. Mais Dieu nous a créés avant que nous ayons pris forme humaine et nous existons en dehors de cette forme humaine.

« Le développement du monde technologique et scientifique nous a fait oublier ce qui est vraiment profond en nous, nos autres dimensions, c'est-à-dire les vraies valeurs de beauté, d'éternité, d'invulnérabilité, de pureté ! Tout ceci est latent en nous, ceci est notre esprit vivant, un peu trop oublié. C'est le moment de se réveiller ici ! S'éveiller pour comprendre la réalité et s'accepter soi-même comme participant à l'Être Suprême, au Dieu absolu ! C'est seulement de cette façon qu'il est possible de faire marche arrière et de retrouver ce qu'on a perdu : perte de l'harmonie, de la notion d'amour, du sens de la beauté du monde.

« Le monde était un paradis, certains lieux le sont encore, ceux que nous n'avons pas détruits, pourris ; chacun de nous a contribué à cette destruction du paradis, chacun d'entre nous à sa façon.

« En mettant la dysharmonie dans ce paradis terrestre, en y semant la laideur, la discorde, la corruption, nous avons semé à profusion la maladie, la souffrance, la peine, l'absence de tendresse, d'affection, d'amour, de tolérance et de pardon. Sans même le vouloir, notre esprit est devenu malade, contaminé. Nous avons introduit le conflit en nous-mêmes tout autant que le conflit au sein de la société. Il en résulte la confusion, la dysharmonie, la maladie et la guerre.

« Quand je vois les cartons des Européens, je vois que la majorité des maladies dont vous souffrez proviennent d'une dysharmonie : insomnie, tension nerveuse, problèmes cardiaques, hypertension, dépression. Vous devez pouvoir soigner vous-mêmes tous ces problèmes.

« Les guérisseurs vont vous injecter une énergie qui va permettre de rétablir une harmonie intérieure. Mais si vous ne faites pas l'effort quotidien pour régler vos problèmes, vous serez de nouveau déprimés, insomniaques, hypertendus au moment de rentrer chez vous.

« On peut être très heureux, très joyeux dans ce monde. La majorité des Philippins ont une philosophie : la joie de la vie de tous les jours. Quoi qu'ils fassent, ils sourient. Ils ne considèrent pas le travail comme une perte d'énergie ou comme une punition, mais... ils ne veulent pas se fatiguer inutilement, par exemple si vous froncez les sourcils, songez que quatre-vingt-sept muscles travaillent, mais si vous souriez, treize muscles seulement entrent en activité.

« Il faut apprendre à rendre les choses belles. Il faut trouver la vérité, la réalité, chercher le royaume de la sagesse et développer cette sagesse en nous, ainsi que la paix.

« Nous avons en nous-mêmes sagesse et paix, mais nous vivons à l'extérieur de nous-mêmes, à l'ombre de nous-mêmes et refusons de les reconnaître en nous. Nous vivons à côté de cet océan de beauté en étant toujours à côté de nous-mêmes. Inutile d'aller aux Indes et même aux Philippines pour trouver cela. Tout est en vous.

« Vous êtes déjà soigné à partir du moment où vous avez décidé de venir ici rejoindre la grâce de Dieu. Vous aviez refusé d'accepter le flot d'amour et d'arriver à rejoindre le fond de vous-mêmes où tout est présent et peut se manifester. Le Ciel est en vous !

« Le Ciel ne signifie pas Dieu. C'est un état mental et émotionnel de joie de vivre et d'harmonie, de bonheur, un paradis ! Vous êtes tous au Ciel pour le moment. C'est un état émotionnel et non pas Dieu, et si vous considérez le Ciel comme une chose concrète, alors, levez les yeux, il est au-dessus de vous !

« Cet enfant aveugle qui est parmi vous considérait le Ciel comme une chose concrète, pour en profiter, il aurait fallu qu'il le voie tout de suite. Pourtant hier, à l'instant du traitement, il a appelé Dieu, puis il a pleuré. Les larmes sont l'eau de la vie qui lavent toutes les tensions et tous les problèmes. Puis il a senti, dit-il, quelque chose qui changeait en lui, il s'est senti heureux. C'est la façon qu'a Dieu de communiquer avec lui, par un plan de conscience très élevé et qui possède un impact physique. C'est difficile de comprendre la façon dont la superconscience veut ou peut communiquer avec nous. Ce peut être par les larmes, la joie ou une certaine forme de médiumnité.

« Nous devons nous ouvrir largement à la venue de Dieu dans notre âme, pour nous ouvrir nous-mêmes à la vérité intérieure, à la conscience intérieure.

« Vous voilà éveillés par ce beau matin, préparez la maison, un visiteur important vient, avec lequel vous devez parler et dont vous recevrez les instructions. C'est Dieu en vous !

« Souvenez-vous aussi, vous chrétiens, que lorsque vous dites le Notre Père, vous ajoutez : " Que ta volonté soit faite sur la Terre comme au Ciel. " Cela suppose une soumission complète et totale, pas seulement de votre chair, de votre sang, de vos os... mais de la totalité de vous-mêmes. Quand on chante *Baba nam que vadam,* on se confie totalement à Dieu, au Dieu absolu, à l'Être suprême. C'est alors comprendre et admettre que l'on a une âme que nous soumettons, devant l'autel, en même temps que notre corps.

« " Trouvez d'abord mon royaume et je ferai le reste. "

« Quand vous serez sur la table de soins, ce n'est pas

Martine, ce n'est pas Gabriel, ni Jean tels que vous les connaissez qui seront là, mais la totalité de leur personne, de l'être qu'ils sont

« Quand au moment des soins vous donnerez votre carton sur lequel vous avez inscrit l'endroit dont vous souffrez, n'exigez pas qu'on vous soigne ici ou là. Non, c'est la totalité de votre être que le guérisseur soigne et qui est en jeu. Il sait, il voit l'endroit qu'il doit soigner.

« Ce n'est pas si simple que certains le croient : on soigne en un endroit, et après tout est terminé. Non, l'être est complexe.

« Nous avons aussi à comprendre qu'il ne faut pas seulement recevoir mais aussi donner, l'échange est nécessaire.

« Tony, Rudy, Niévès contribuent à votre amélioration, mais " Dieu aide celui qui s'aide ". Vous devez vous unir à eux. Ensemble, dans la prière pour le succès des soins, dans une belle harmonie de pensées positives et d'amour.

« Mais vous devez faire le nécessaire pour conserver en vous cette harmonie heureuse. Dieu sait ce qui est bon pour vous, pour chacun de nous. Et parfois, il est nécessaire de passer par des épreuves. Dieu sait ce qui est bon pour nous. Il est justice, amour, pouvoir, toute miséricorde et toute bonté.

« Oubliez-vous vous-mêmes, et pensez à votre âme durant le traitement. Souvenez-vous seulement qu'il faut chercher le royaume de Dieu, soyez confiants dans le destin qu'il vous prépare. »

# 6

# L'élève guérisseur

Quelques jours avant notre retour des Philippines en France, il me semble bon de prendre au sérieux la proposition d'Agpaoa, de devenir son élève et je lui propose de rester à Baguio quelques jours de plus. C'est là une décision importante.

Je l'en informe. Il me répond : « Rentrez à Paris maintenant. Vous devez y subir une épreuve, et vous reviendrez ici l'esprit libre. »

Sans doute fait-il allusion à un éventuel divorce, lequel me libérerait des problèmes familiaux engendrés par ma mutation.

Mais c'est sous la forme d'un accident que se manifeste l'épreuve. Une voiture me renverse, et la partie gauche de mon crâne heurte le pare-brise. Ce traumatisme entraîne une perte de mémoire des faits passés et des acquisitions récentes. Certes, mon esprit est libre, mais je ne pensais pas bénéficier de cette liberté-là...

Libérée de mon conditionnement occidental et de mon passé médical, je rejoins Agpaoa. Une nouvelle forme de culture, la sienne, va pouvoir s'inscrire sur mes cellules cérébrales durant la phase de récupération.

Je quitte donc Paris en octobre 1977, à peine convalescente, fragile et le cœur gros car mon père souffre d'une hépatite à virus[1].

---

1. Son agonie et son décès vont marquer le début de ma nouvelle mutation. J'ignore encore à ce moment les phénomènes de communication à

Agpaoa, le premier jour, m'accueille aimablement puis semble ne plus me voir. Je suis le rythme de vie des malades, participant à l'instruction du matin avec le frère Sunny. Tout se passe en plein air, devant l'autel de Saint-Martin-de-Porres. Les malades sont assis sur des bancs alignés ; derrière, les guitaristes et chanteurs, sous la voûte de cette église improvisée qu'est le ciel bleu, entonnent des mantras que nous reprenons avec eux.

Frère Sunny nous tient des propos auxquels notre civilisation ne nous a pas conditionnés : il évoque l'acquisition du calme intérieur, de la mise en harmonie avec la nature. Il est question de tolérance, de compréhension des autres, d'espoir, de pensées positives, de bonheur. Puis, c'est le moment des soins. Un aide me montre comment lever les bras au ciel, mains écartées, puis celles-ci se rejoignant, s'approchent du malade et en demeurent à distance, cette fois mises à plat comme pour palper l'invisible.

Après quelques jours de cette mise en situation étrange, pendant laquelle je m'interroge sur l'efficacité de ce mode d'enseignement, la paume de mes mains devient brûlante. Entre deux patients, je les rafraîchis en les collant contre le mur frais. Ce n'est pas suffisant, il me faudrait pouvoir les tremper dans un récipient d'eau fraîche. J'essaie la sophronisation, rien n'y fait. C'est intolérable.

Une seule issue : demander à Tony ce qu'il faut faire. Sans un instant d'hésitation, il répond : « Vous essayez de comprendre, vous bloquez l'énergie, laissez aller. » Alors, comme mues par une force extérieure, elles changent d'orientation, s'inclinent vers le bas, et la brûlure disparaît.

J'apprends à retrouver cet état d'abandon, et l'apparition et la disparition des brûlures me guident dans cet apprentissage.

Les jours suivants, j'adopte donc l'état de passivité propre à m'éviter la réapparition des brûlures, cessant de vouloir faire un diagnostic médical rapide, abandonnant l'idée de comprendre comment se fait la manipulation énergétique ou l'apparition de sang entre les doigts du guérisseur.

Résolument, je laisse aller.

---

distance qui vont s'établir. Les ayant développés dans *Médecin des Trois Corps*, je n'y reviendrai pas.

Alors apparaissent sous les paumes des « bulles de champagne ».

Avec le temps, les sensations se précisent : certaines sont nombreuses et pressées d'éclater à la surface, d'autres, plus rares, plus lentes, plus grosses, butent sous la main.

Un jour, dans un geste amical, je pose les mains sur le front d'un malade. J'y sens non pas des bulles mais des vibrations fines, agréables. Elles correspondent à la finesse et à l'intelligence du malade.

Puis, je choisis comme point de comparaison un homme à l'aspect bourru. Les vibrations qu'il émet, sous la main, sont lourdes, grossières, désagréables, ce qui confirme mon idée première : il existe un certain parrallélisme entre les qualités de l'homme et les vibrations qu'il émet.

L'homme, tel un prisme, transforme la lumière en vibrations plus ou moins harmonieuses. Il est une partition musicale.

Ce qui est bulles de champagne pour les mains à distance devient vibrations au contact du corps.

Je ne suis pas persuadée d'être guérisseur. Tony me dit : « Vous êtes guérisseur, je le vois à la radiance électromagnétique de votre corps », et je me sens médecin ! Mais je suis éblouie par la possibilité de « jauger » un individu en percevant simplement sa qualité vibratoire ! On nous avait appris à le faire en utilisant une batterie de tests. Ici, c'est tout simple ! Les circonstances vont me contraindre doucement ou brutalement à modifier l'idée que j'ai de la médecine, du possible et de l'impossible.

Le premier exemple frappant est celui de cet Allemand qui fut atteint d'une embolie pulmonaire et dont j'ai déjà expliqué l'histoire[1].

Sauver une embolie pulmonaire par auriculomédecine en quelques minutes m'avait semblé être chose impossible jusque-là !

Tony m'avait dit : « Vous devez apprendre à reconnaître les anciennes voies de l'acupuncture, traiter avec vos doigts et non pas avec des aiguilles. »

Je m'interroge sur ce qu'il entend par « anciennes voies ».

1. *Médecin des Trois Corps.*

Les voies actuellements décrites ne seraient-elles pas authentiques ?

J'expérimente pour la première fois l'action de mes doigts en sortant de la salle de *healing,* toute vibrante des vibrations des guérisseurs auprès du même malade.

En examinant son membre inférieur, gonflé par la phlébite, je m'aperçois que la circulation énergétique se fait en sens inverse sur les méridiens concernés, et des doigts, en me concentrant, en formulant le désir que les vibrations aillent dans le bon sens, je caresse ces méridiens, et l'énergie m'obéit !

Un événement marque un tournant dans mon quotidien : Niévès, qui aide Agpaoa, est seule en fin de matinée pour examiner une patiente fraîchement arrivée. Elle passe les mains au-dessus de celle-ci, semblant palper l'invisible, puis me fait signe d'en faire autant. Un peu émue, car c'est bien la première fois qu'on s'intéresse à mon éducation depuis que je suis là, je l'imite et perçois au-dessus de la région sus-pubienne un pétillement de bulles de champagne, bien localisé, qui semble provenir d'un foyer d'émission sous-jacent. Dans la région du cou, un autre foyer de bulles apparaît. Le médecin prenant alors le pas sur le guérisseur, j'abaisse les mains pour palper : sous la robe, une grosse tumeur qui bombe, sans doute un fibrome, sous le collier, la cicatrice d'une thyroïdectomie.

Le geste pratiqué par les guérisseurs n'est pas un rite sans valeur : c'est l'équivalent de notre inspection-palpation-percussion, mais ils le pratiquent au niveau des corps subtils.

Tant d'années passées près de cliniciens réputés ne m'ont jamais appris cela ! Comparés à ceux-ci que certains appellent charlatans, ne seraient-ils que des enfants ?

Cette découverte m'apporte le bonheur. Je ne suis pas venue ici abusée par Agpaoa. Doucement, je pénètre dans leur monde, et je vis des instants magnifiques.

Ma joie est de courte durée, car ce test passé avec succès, on veut m'évincer de la salle de *healing* pour me placer dans une petite salle sans fenêtre où je dois faire du *magnetic-healing.*

Habituée à vivre maintenant avec les guérisseurs, dans l'ambiance de leurs chants, mêlée à leurs vibrations, soulevée par elles, ébahie par le travail d'Agpaoa, quitter leur salle revient à quitter un monde chaleureux, heureux, amical et magique pour me retrouver seule face à face avec un malade.

C'est le désenchantement !

Tout devient terne et triste, ma présence à Baguio me paraît soudain vaine. Mon père est souffrant, une angoisse sourde s'installe en moi, que fais-je ici ?

Une guérisseuse américaine est avec moi. Voici le premier malade. Alors, sans trop y croire, je mime ses gestes. Mais à quoi bon ? Je ne sais rien du malade, il est japonais, il n'a pas de carton d'observation, je n'ai pas les instruments de détection de Nogier, je n'ai que mes mains !

« Vous devez apprendre à vous servir de vos mains en toute circonstance », m'avait dit Agpaoa. Alors je m'attache à détecter par le pouls les blocages et les pertes d'énergie, puis ayant renoué contact avec le patient de cette façon, m'étant aperçue que mes doigts pouvaient faire se mouvoir l'énergie des blocages, je travaille alors sans filet, c'est-à-dire sans le pouls, et entre alors véritablement en dédoublement, uniquement préoccupée par le subtil.

J'en sors épuisée mais satisfaite.

Le déjeuner est suivi d'une longue sieste peuplée de rêves étranges.

Le réveil se fait lentement. Avec inquiétude, je constate ne plus avoir la commande de mon corps, et ma vision est trouble !

Tony m'avait dit : « Il faut vous apprendre à vous élever. » Je pensais qu'il fallait « élever » la qualité de ses pensées. Peut-être est-ce autre chose ? Déjà, ces jours derniers, je me sentais devenir légère, comme portée dans une nacelle par les guérisseurs ; ce qui se passe maintenant est-il un phénomène semblable ?

Est-ce un exercice ? Ces jours derniers, assise dans le parc, étudiant l'anglais, une impulsion subite m'a poussée à me lever, à me diriger vers l'angle de l'hôtel, sans rien avoir à y faire. Tony apparaît alors, me fait signe et disparaît. J'ai pensé qu'il s'agissait les premières fois d'un hasard, puis j'ai compris qu'il s'agissait d'exercices de transmission de pensée, une action concrète suivie d'une approbation pour exercice réussi. Cette pensée me satisfait et me rassure. Il s'apercevra bien que quelque chose ne va pas chez moi, il fera le nécessaire, et j'attends.

Immobilisée mais confiante, j'attends, car il est guérisseur.

Et tout rentre dans l'ordre.

En quelques jours, j'ai établi mon protocole d'examen en *magnetic-room.*

Alors, m'y ennuyant terriblement, j'abandonne Francis et les malades et demeure quelques jours absente.

Francis me récupère et m'annonce que Mamassa est arrivée, il faut la connaître et participer à ses séances de magnétisme.

Mamassa, célèbre guérisseuse japonaise et chef de groupe, est un petit personnage souriant, pétillant, doué d'une médiumnité perçante.

Après avoir été massés par Niévès et ses aides, les malades sont pris en main par Francis qui pose ses deux mains successivement sur leur tête, puis sur le thorax et enfin l'abdomen après avoir contrôlé le plexus solaire.

Il me faut l'imiter. Persuadée d'abuser de la crédulité des patients, je m'exécute en posant les mains aux endroits désignés. Les yeux clos, tout comme Francis mais avec un coin de l'œil qui s'entrouvre pour calquer mon temps d'imposition sur le sien, afin de sauver les apparences. Soudain, je sens un rythme s'installer sous mes mains ! C'est un rythme 4/4. Celui que Nogier attribuait au tissu moyen. Prise au piège, passionnée par la découverte du rythme de la vie qui apparaît après un temps variable, me voici convaincue du bien-fondé de la séance à laquelle je ne croyais pas.

Ne mimant plus Francis mais travaillant pour mon propre compte, j'attends simplement que le rythme soit nettement apparu sous mes mains pour passer à la région suivante.

Ce sont des après-midi bénis, réchauffés de la gaieté de Mamassa et d'un thé-gâteaux final.

Je sais maintenant qu'en m'éloignant de la salle de *healing* on voulait m'apprendre à m'assumer, à m'exercer. Ayant acquis la capacité de percevoir, il me fallait apprendre à émettre.

Mais ne vivant l'expérience que sous l'angle négatif, je me sens rejetée, expulsée de la chaude ambiance de la salle de *healing.* Aussi j'écris une lettre de supplique à l'intention d'Agpaoa, qui m'accepte alors à ses côtés quand il travaille. Me faufilant, telle son ombre, dès que le « gardien du seuil » ouvre la porte, j'utilise ce temps pour étudier le rôle thérapeutique de ce grand guérisseur. Dans un ordre qui se veut systématique, mes tests se déroulent ainsi :

Passant rapidement les mains au-dessus du patient pendant

qu'Agpaoa prend l'eau et le coton, je localise les points d'émission des bulles. C'est-à-dire les pertes d'énergie (c'est ma conception d'alors).

Je sens, sous la main, la poussée d'énergie qu'entraîne l'imposition d'Agpaoa. Pendant que l'aide essuie le patient, j'examine subrepticement l'endroit estimé pathologique et constate que l'émission a disparu.

Le corps du malade vibre et émet uniformément une sorte de pointillé vibrant. Agpaoa pour lequel mes intentions sont transparentes m'aide, sans un mot, à effectuer ces examens comparatifs. Il « ose » même me confier quelques-uns de ses malades personnels que j'examine avant et après son traitement, pouvant ainsi par auriculomédecine analyser son action.

L'adjonction de ses deux techniques : matérialisation et digitopuncture, produisent en deux à trois minutes une régularisation de l'énergie absolument parfaite.

Il me révèle, toujours sans un mot, ce qu'est le phénomène de vampirisation des énergies. M'éloignant un jour du patient, il place Francis à la tête de celui-ci et soigne. En quelques instants, une sorte de malaise vibratoire m'envahit. Quelque chose de vivant file hors de moi, j'essaie de tenir bon, me couvre de sueur, et suis obligée de m'asseoir, anéantie.

A l'inverse, quand il s'approche du malade, je sens parfois un courant vibratoire remonter dans mes bras et filer le long de ma colonne vertébrale.

Ce phénomène peut être plus accentué. Travaillant un jour avec Niévès, je le vois s'approcher, appliquer ses mains sur le patient. A cet instant je suis rejetée en arrière, comme si une force invisible me repoussait !

Niévès qui a vu et senti en rit !

C'est dans l'isolement, le silence et le calme, en le côtoyant journellement que se forge mon expérience.

Faut-il que notre appartenance occidentale nous ait pétris d'orgueil pour que certains visiteurs portent un jugement définitif avant d'être entrés dans ce monde. Ceux-là prétendent même infliger leur vérité à des patients qui n'en n'ont nul besoin. Ont-ils lu *Le Canard sauvage* d'Ibsen ? Connaissent-ils la lettre du chef indien Seatle ?

Le chef indien Seatle tenait en 1894 les propos humbles d'un initié face au puissant chef blanc des États-Unis, lequel souhaitait lui acheter une portion de terre indienne, promettant une « réserve pour le peuple indien ».

Avec une humilité teintée à la fois d'humour et de profonde tristesse, le chef Seatle décrit admirablement l'*immense désert qui sépare l'homme blanc, dit civilisé, du sauvage qui occupe toujours sa place entre le ciel et la terre,* demeurant intégré à l'un comme à l'autre.

« Comment peut-on acheter ou vendre le ciel, la chaleur de la terre ? L'idée nous semble étrange.

« Si la fraîcheur de l'air et le murmure de l'eau ne nous appartiennent pas, comment peut-on les vendre ? Pour mon peuple, il n'y a pas un coin de cette terre qui ne soit sacré. Une aiguille de pin qui scintille, un rivage sablonneux, une brume légère au milieu des bois sombres, tout est saint aux yeux et dans la mémoire de ceux de mon peuple.

« La sève qui monte dans l'arbre porte en elle la mémoire des Peaux-Rouges, chaque clairière et chaque insecte bourdonnant est sacré dans la mémoire et la conscience de mon peuple.

« Les morts des Blancs oublient leur pays natal quand ils s'en vont dans les étoiles. Nos morts n'oublient jamais cette terre si belle, puisque c'est la mère des Peaux-Rouges. Nous faisons partie de la terre et elle fait partie de nous. Les fleurs qui sentent si bon sont nos sœurs, les cerfs, les chevaux, les grands aigles sont nos frères ; les crêtes rocailleuses, l'humidité des prairies, la chaleur du corps des poneys et l'homme appartiennent à la même famille.

« Cette terre est sacrée pour nous. Cette eau scintillante qui descend dans les ruisseaux et les rivières, ce n'est pas seulement de l'eau, c'est le sang de nos ancêtres.

« Si nous vendons notre terre, vous ne devez jamais oublier qu'elle est sacrée. Vous devez apprendre à vos enfants qu'elle est sacrée, que chaque image qui se reflète dans l'eau claire des lacs est comme un fantôme qui raconte des événements, des souvenirs de la vie de ceux de mon peuple. Le murmure de l'eau est la voix du père de mon père.

« Les rivières sont nos sœurs, elles étanchent notre soif ; ces rivières portent nos canoës et nourrissent nos enfants. Si nous vous vendons notre terre, vous devez vous rappeler tout cela et apprendre à vos enfants que les rivières sont nos sœurs et les vôtres et que, par conséquent, vous devez les traiter avec le même amour que celui donné à vos frères.

« Nous savons que l'homme blanc ne comprend pas notre façon de voir. Un coin de terre pour lui en vaut un autre, puisqu'il est un étranger qui arrive dans la nuit et tire de la terre ce dont il a besoin. La terre n'est pas sa sœur mais son ennemie ; après tout cela, il s'en va. Il laisse la tombe de son père derrière lui. En quelque sorte il prive ses enfants de la terre et cela lui est égal. La tombe de son père et les droits de ses enfants sont oubliés. Il traite sa mère la terre et son père le ciel comme des choses qu'on peut acheter, piller et vendre comme des moutons ou des perles colorées. Son appétit va dévorer la terre et ne laisser qu'un désert.

« Je ne sais rien, nos façons d'être sont différentes des vôtres.

« La vue des villes fait mal aux yeux des Peaux-Rouges.

« Peut-être parce que le Peau-Rouge est un sauvage et qu'il ne comprend pas.

« Il n'y a pas de coin paisible dans les villes de l'homme blanc. Nulle part on n'entend la poussée des feuilles au printemps ou le frottement de l'aile des insectes.

« Mais peut-être est-ce parce que je suis un sauvage que je ne comprends pas.

« Dans les villes le tintamarre semble seulement insulter les oreilles. Que reste-t-il de la vie si on ne peut entendre le cri de l'engoulevent et le coassement des grenouilles autour de l'étang pendant la nuit ?

« Mais peut-être est-ce parce que je suis un sauvage que je ne comprends pas.

« L'Indien préfère le son si doux du vent qui frôle la surface de l'étang et l'odeur du vent, lui-même, purifiée par la pluie du milieu du jour ou parfumée par les pins.

« L'air est précieux à l'homme rouge car tous partagent le même souffle. La bête, l'arbre, l'homme, tous respirent de la même manière. L'homme blanc ne semble pas percevoir l'air qu'il respire. Comme un mourant, il ne reconnaît plus les odeurs. Mais si nous vous vendons notre terre, vous devez vous rappeler que l'air est infiniment précieux et que l'esprit de l'air est le même dans toute chose qui vit. Le vent qui a donné à notre ancêtre son premier souffle reçoit aussi son dernier regard. Et si nous vous vendons notre terre, vous devez la garder intacte et sacrée comme un lieu où même l'homme peut aller percevoir le goût du vent et la douceur d'une prairie en fleurs.

« Je prendrai donc votre offre d'achat en considération. Si nous nous décidons à l'accepter, j'y mettrai une condition : l'homme blanc doit traiter les bêtes de cette terre comme ses frères et ses sœurs.

« Je suis un sauvage et je ne comprends pas une autre façon de vivre.

« J'ai vu des milliers de bisons qui pourrissaient dans la prairie, laissés là par l'homme blanc qui les avait tués d'un train qui passait.

« Je suis un sauvage et je ne comprends pas comment ce cheval de fer qui fume peut être plus important que le bison que nous ne tuons que pour les besoins de la vie, de notre vie.

« Qu'est-ce que l'homme sans les bêtes ? Si toutes les bêtes avaient disparu, l'homme mourrait complètement solitaire car ce qui arrive aux bêtes bientôt arrive à l'homme.

« Toutes les choses sont reliées entre elles.

« Vous devez apprendre à vos enfants que la terre sous leurs pieds, n'est autre que la cendre de nos ancêtres. Ainsi, ils respecteront la terre. Dites-leur aussi que la terre est riche de la vie de nos proches. Apprenez à vos enfants ce que nous avons appris à la terre, aux nôtres : que la terre est notre mère et que tout ce qui arrive à la terre nous arrive et arrive aux enfants de la terre. Si l'homme crache sur la terre, c'est qu'il crache sur lui-même.

« Ceci, nous le savons ; la terre n'appartient pas à l'homme, c'est l'homme qui appartient à la terre.

« Ceci nous le savons : toutes les choses sont reliées entre elles comme le sang est le lien entre les membres d'une même famille.

« Toutes les choses sont reliées entre elles : tout ce qui arrive à la terre arrive aux enfants de la terre. L'homme n'a pas tissé la toile de la terre : il en est simplement le fil. Tout ce qu'il fait à la toile de la terre, c'est à lui qu'il le fait. L'homme blanc lui-même, qui a un Dieu qui parle et qui marche avec lui comme un ami avec un ami, ne peut être exempté de cette destinée commune.

« Quand le dernier homme aura disparu de la terre et que sa mémoire ne sera plus que l'ombre d'une image traversant la prairie, les rivages et les forêts garderont les esprits de mes frères car ils aiment cette terre comme le nouveau-né aime les battements de cœur de sa mère. Si nous vous vendons notre terre aimez-la comme nous l'avons aimée, prenez-en soin comme nous l'avons fait et traitez les bêtes de ce pays comme vos sœurs. Car si tout disparaissait, l'homme mourrait d'une grande solitude spirituelle.

« Après tout nous sommes peut-être frères et sœurs, nous aussi. Il n'y a qu'une chose que nous savons bien et que l'homme blanc découvrira peut-être un jour, c'est que notre Dieu est le même Dieu. Vous semblez croire qu'il vous appartient comme vous voudriez que notre terre vous appartienne. C'est impossible. Il est le Dieu de l'homme et il a la même compassion pour tous les hommes, blancs ou rouges.

« La terre lui est précieuse, et maltraiter la terre, c'est mépriser son créateur. Les Blancs aussi passeront, peut-être plus rapidement que toutes les autres tribus.

« Celui qui souille son lit périt un jour étouffé sous ses propres odeurs. Mais pendant que nous périssons, vous allez briller, illuminés par la force de Dieu qui vous a conduits sur cette terre et qui, dans un but spécial, vous a permis de dominer les Peaux-Rouges.

« Cette destinée est mystérieuse pour nous. Nous ne comprenons pas pourquoi les bisons sont tous massacrés, pourquoi les chevaux sauvages sont domestiqués ni pourquoi les lieux les plus secrets des forêts sont lourds de l'odeur des hommes, ni pourquoi encore la vue des belles collines est gardée par les fils qui parlent.

« Que sont devenus les fourrés profonds ? Ils ont disparu.

« Qu'est devenu le grand aigle ? Il a disparu aussi.

« C'est la fin de la vie et le commencement de la survivance. »

L'homme blanc a perdu le sens des réalités, des vraies réalités que les populations traditionnelles connaissaient et que certaines connaissent encore. Mais le pouvoir au niveau de l'information, de l'éducation nous en éloigne et conditionne la société à de fausses valeurs. Le sectarisme exerce de plus une propagande culpabilisante sur tous ceux qui ont le front d'exister dans la tradition de la « survivance ».

Il est fort difficile de conserver le calme intérieur, le silence, la paix, de s'assurer la solitude nécessaire au travail intérieur, à la méditation. Le téléphone est une intrusion à toute heure du jour que quiconque s'accorde le droit de faire chez l'autre.

La vie collective valorise tous les aspects négatifs de la société, exception faite de quelques groupes favorisés.

Pourtant une période de mutation s'annonce. Une nouvelle société s'organisera. Pour assurer sa propre survie et la survie des fonctions de la terre, l'homme blanc doit être en mesure de retrouver ses valeurs perdues.

Pour cela, il doit retrouver et développer les capacités que possèdent encore ceux qui, moins « civilisés », vivent à l'écart de notre société. Ils sont encore des êtres réalisés, près desquels nous pouvons apprendre à deviner, à sentir, à exister sur d'autres plans.

Alors, en possession de l'expérience acquise au sein du monde moderne, puis de celle des initiés, l'homme blanc après sa chute vertigineuse retrouvera peut-être une place au premier plan.

La phase matérialiste pure n'aura duré que le temps d'une expérience destinée à acquérir un savoir supplémentaire du monde ordinaire.

Et nous retrouverons notre place première : celle d'intermédiaires entre le Ciel et la Terre.

Car la Terre nous ressemble et nous ressemblons à la Terre[1]. Ensemble, nous obéissons aux lois cosmiques. Nous sommes liés. Le mal que nous lui faisons, nous le faisons à nous-mêmes. En prenant soin d'elle, nous prenons soin de nous.

Les continents sont faits de sa chair, l'Océan de son sang. Les crêtes montagneuses dessinent sa colonne vertébrale, les filons métalliques son système nerveux, les pierres précieuses ses glandes endocrines.

L'Océan est le sang de la Terre, les marées reflètent le rythme de son cœur.

Un vaste mouvement circulaire anime ses fluides et dessine son système cardiovasculaire. L'eau s'évapore, se condense en nuages au sein de l'atmosphère. Mais l'aurore qui se lève dépose le suc d'une précieuse alchimie : la rosée.

Cette eau devient réserve au creux des glaciers et des lacs,

1. Dr G. Encausse, *Inspiré d'occultisme et astrologie*, éd. Dangles.

véritables plexus sanguins, puis descend en ruisseaux, cascades, rivières et fleuves qui retournent à la mer. Tel le sang veineux qui rejoint le poumon, elle rejoindra pour s'y purifier le Ciel, poumon de la Terre.

Indéfiniment et sans faiblesse fonctionne cette pompe cardiaque, ce lien entre le haut et le bas.

La Terre est vivante et possède son métabolisme personnel : l'humus digère les éléments qui entrent en contact avec elle, les corps morts des végétaux, des animaux et des hommes.

A partir de cet humus, fécondée par la semence des végétaux, elle engendre l'herbe, les plantes, les arbres.

Elle est vivante et douée de magnétisme : un pôle Nord, un pôle Sud dirigent le sens de ses énergies. Elle obéit à la loi du tao, et l'équateur est son triple réchauffeur.

Grâce aux filons métalliques, l'énergie circule à l'intérieur de la Terre. Mais qu'un court-circuit se produise, et c'est l'explosion : un tremblement de Terre, écho de ses troubles énergétiques.

Qu'une maladie survienne ? l'éruption volcanique est le plus sûr moyen d'évacuation des miasmes !

Chaque mois, le Soleil, passant dans les signes du Zodiaque éclaire la Terre en un point différent. Ainsi fait-elle une prise de conscience rythmée de son corps en une année : relevant la tête au mois du Bélier, elle tend le cou avec celui du Taureau. Dans une grande inspiration, elle étire ses bras sous le signe des Gémeaux. A l'heure du Cancer, l'estomac et le plexus solaire sont à l'ordre du jour. Le Lion lui fait battre le cœur, la Vierge anime son système digestif et la Balance lui fait les reins solides. Quant au Scorpion, il exacerbe ses fonctions de reproduction et de transmutation par son symbolisme de mort et de sexualité réunies. Enfin, dans un mouvement bien ordonné, Sagittaire et Capricorne, Verseau et Poissons donnent énergie et force à ses cuisses, genoux, jambes et pieds. En une année, le grand exercice de yoga est terminé.

Mais de mini-exercices sont prévus ! Réglés par le mouvement de son Ascendant qui, en vingt-quatre heures de concert avec le Soleil, parcourt la somme de ses méridiens : la loi du tao commande !

Pourtant son rythme de vie est infiniment plus lent que le nôtre ! Quand bien même ferait-elle l'effort de s'éveiller à l'aube pour secouer son manteau de neige, faire poindre ses feuilles et ses fleurs en boutons, les faire éclore à midi et se couvrir de feuilles ou de fleurs épanouies dans la même journée, quand bien même ces dernières deviendraient graines au coucher du soleil pour disparaître au sein de l'humus au crépuscule, non, jamais elle ne pourrait rejoindre notre rythme de vie !

Nous sommes des éphémères... et notre rythme respiratoire est une multiplication du sien.

Elle inspire, le jour, les fluides du Soleil et des planètes alentour qui se nomment Mercure, Mars, Vénus, Jupiter, Saturne, Uranus, Neptune, Pluton, et aussi celui de planètes plus lointaines qui nous sont moins familières ; certaines nous sont même inconnues. Et peut-être s'en cache-t-il encore au sein des trous noirs de l'immensité cosmique.

La nuit, elle expire les fluides dont elle doit se défaire, ceci avec l'aimable complicité de la Lune.

Elle inspire, elle expire, elle inspire, elle expire... au rythme du jour et de la nuit. Ceci par tous les pores de sa peau ! Chaque brin d'herbe, chaque tige, chaque feuille, chaque arbre en est un !

Oui, la Terre est vivante, et le mal que nous lui faisons nous le faisons à nous-mêmes, inconsciemment car nous ignorons trop que nous lui sommes unis et que, d'une certaine façon, nous lui ressemblons.

La fin du monde dont on nous menace, n'est-ce pas plutôt la fin de la Terre tout simplement, de la terre vivante que nous exterminons peu à peu sous prétexte de progrès, de science et d'évolution ?

Peut-être sommes-nous semblables à la Terre plus que nous le pensons ! La loi réincarnationiste n'est-elle pas superposable au mouvement circulaire qui anime ses fluides ? Nos corps subtils ne parcourent-ils pas le même mouvement régulier, passant du monde visible au monde Invisible en libérant nos corps subtils à l'instant de la mort, puis passant du monde invisible au monde visible à l'instant de l'incarnation terrestre ?...

# 7

# De l'image du corps à l'image du monde

Pour bien comprendre les propos du frère Sunny, il faut connaître, au moins d'une façon élémentaire, quels sont les principaux thèmes des grands courants de pensée de l'Inde.

Pour l'Inde traditionnelle, l'univers tout entier est un ordre, et la loi interne du monde se nomme le dharma. C'est par lui que l'univers maintient sa cohésion, aussi bien sur le plan du microcosme que du macrocosme. La religion de l'Hindou[1] n'est pas l'expression d'une loi imposée de l'extérieur, elle est fondée sur le respect des lois cosmiques dont la réalité est perceptible à l'intérieur de soi-même car, si le microcosme et le macrocosme sont en harmonie (le visible et l'invisible étant à l'image l'un de l'autre), le corps de l'homme devient alors le champ d'investigation privilégié offert à l'observateur averti. Il permet une lecture de l'ordre subtil des choses, car ce qui est en dehors de soi est à l'image de ce qui est en dedans de soi.

Il s'agit en quelque sorte d'une physiologie mystique de l'homme dans laquelle, loin de renier son corps, l'homme mystique apprend à l'accepter, à le connaître en l'explorant d'une façon systématique, par déduction analogique, il y découvre les lois cosmiques.

On voit toute la différence qui existe entre cette conception et celle de la religion judéo-chrétienne.

Cette attitude s'oppose aussi à celle de l'homme qui n'envi-

1. Tara Michaël, *Corps subtil, corps causal*, Courrier du Livre.

sage toute chose qu'en fonction de son moi égoïste, de ses désirs, de ses craintes, oubliant de prendre en considération les conséquences de cette attitude sur ceux qui l'entourent et sur le monde dans son ensemble.

Celui-là sera coupé de ses racines, de sa propre essence, restera à la surface de lui-même, sera porteur d'angoisses, ne sachant ni ce qu'il fait sur cette terre ni quelle est sa place.

Cette attitude adoptée par l'ensemble ne pourrait conduire qu'au chaos.

Le yoga peut être considéré comme un des chemins de cette mystique puisqu'il conduit à la connaissance des énergies du corps. Mais pour le vrai yogi, la vie peut être considérée comme une épreuve initiatique. Il admet le processus de la réincarnation, et pour lui chaque vie est un combat qui va lui permettre d'accéder à un plan supérieur. Le combat n'est pas destiné à vaincre l'autre, il concerne l'individu qui part à la conquête de lui-même. Aussi, dans la tradition, l'homme est-il parfois représenté par un char de combat, lequel est tiré par des chevaux ; un cavalier en tient les rênes, il transporte un passager.

Essayons de découvrir le sens caché de cette représentation : le char[1], c'est notre corps physique, les chevaux symbolisent l'énergie dont nous disposons, les rênes sont la pensée active qui dirige, mais en fait c'est le cavalier qui ordonne et dirige les rênes et par là même les chevaux. Il est l'âme du char. Et le passager, celui qui est transporté est l'essence.

En fonction de son degré d'évolution personnelle, l'homme peut être identifié à l'un ou l'autre des composants du char.

— L'homme ordinaire, suivant qu'il maîtrise ou non ses instincts, occupera la place du char, du cheval ou des rênes, alors que le yogi essaie de rejoindre le cavalier ou mieux encore le passager.

— L'homme qui s'identifie au monde des objets, au monde matériel occupe la place du *char*. Absorbé par les objets de son désir, sans doute ignore-t-il jusqu'à l'existence d'autre chose.

— Si l'homme est devenu suffisamment conscient pour ne plus s'identifier aux objets, le yoga devient pour lui une façon d'améliorer sa forme physique. Il a pris conscience de sa dimension énergétique, il a pris la place du *cheval*.

1. Les roues du char du soleil en Orissa symbolisent le temps.

— Quant à l'intellectuel souhaitant devenır maître de ses réflexes, qui veut en tenir les *rênes*... on devine quelle est sa place

— Le *cavalier*, lui, ne considère plus le yoga comme un exercice destiné à améliorer ses performances et le hata-yoga devient une prière gestuée qui unit l'homme aux forces cosmiques.

Le passager, lui est le *maître* du char. Assis, immobile, non agissant, il est l'essence de l'Être. Celui qui subsistera à la fin du combat et qui sera là pour le combat suivant, c'est-à-dire pour la réincarnation, car : « Celui qui se meut parmi les objets sensibles, ses fonctions sensorielles étant soustraites à l'amour comme à la haine et tenues sous son empire, celui-là, âme disciplinée, accède à la sérénité suprême. » (Bhagavad Gita.)

Cependant, pour passer de la position de cavalier à celle de passager, autrement dit de l'âme à l'essence, il faut dépasser la conception de l'exotérisme religieux habituel à notre civilisation pour tendre vers l'ésotérisme initiatique. La religion majoritaire aime, honore, prie Dieu, donc demeure dans la dualité. Mais la spiritualité supérieure tend à la réalisation de l'Unité. Le parcours initiatique semé d'embûches et d'épreuves est donc représenté par un char de combat dépouillé des décorations, de... roses et de lys.

Par son action, le yogi s'intègre, au travers de toutes les contradictions du monde, successivement au char, au cheval, aux rênes, au cavalier, enfin au passager. Ce passager immobile en méditation n'est pas création mais manifestation. Ceci est donc la voie du mystique, de l'homme initié.

Cette attitude se distingue de celle des groupes charismatiques religieux qui adoptent une attitude passive devant la vie. Ils sont faits de foi, d'espérance et d'amour mais attendent que l'aide vienne d'ailleurs et prient pour cela. Le problème est posé. Cette attitude permet-elle de rejoindre l'Unité et d'assumer son évolution ?

En résumé, le yoga est une voie de maîtrise, un combat organisé et qui, grâce à un système de postures, d'exercices de concentration et de méditation, mène à l'Unité.

En parlant du yoga, on évoque souvent la kundalini et les chakras. J'ai l'impression qu'il s'agit de points d'émergence privilégiés de l'énergie, lesquels varient en fonction de la constitution électromagnétique de l'individu considéré. Je ne sais s'ils correspondent comme certains le disent à des niveaux d'évolution personnelle, car non seulement ils peuvent varier spontanément dans le temps mais, fait plus étrange, ils sont parfaitement sensibles à la thérapeutique, et j'ai peine à croire qu'un traitement puisse permettre une « évolution » si prompte ! Si bien que pour l'instant, j'adhère à la définition de Bhagwan Shree Rajneesh[1]. Pour lui, la Kundalini est un « passage » par où la force vitale emmagasinée dans le centre sexuel s'écoule, monte dans le corps pour rejoindre le centre le plus haut situé au sommet du crâne. C'est donc un canal. D'autres voies existent mais elles sont plus difficiles et plus astreignantes. Dans ce cas, le canal spécifique ne sert pas, il s'agit des voies tantriques ou occultes.

Les chakras sont des centres qui appartiennent au corps subtil et qui ont un point de correspondance sur le corps physique. « Il faut sentir les chakras et non pas cultiver un savoir sur eux... Le savoir ne sert à rien, en fait il a été hautement destructeur en matière du monde intérieur. Plus on acquiert de savoir, moins on a la possiblité de sentir les choses réelles et authentiques. »

La kundalini est un processus de circulation d'énergie dans le corps éthérique comme la circulation sanguine se fait dans le corps physique. Elle se passe de la volonté. Mais pour qu'elle se mette en mouvement, il faut se mettre en méditation, et dans la méditation le savoir livresque est inefficace et la visualisation physique de la kundalini n'a pas de sens.

« Les bouddhistes disent qu'il y a neuf chakras, les hindouistes disent qu'il y en a sept et les Tibétains parlent de quatre, et tous ont raison !

« Le *savoir livresque n'est d'aucun recours*. Quand vous avez un certain savoir vous vous l'imposez, vous vous mettez à voir les choses telles qu'on vous les a enseignées. Comme elles ne correspondent pas à votre situation individuelle, cela crée bien des confusions.

« L'esprit a la faculté de créer des chakras imaginaires. Dans ce cas, de par votre imagination, un courant se crée, qui n'est pas la kundalini mais un fantasme : un phénomène parfaitement

1. *La Méditation dynamique*, éd. Dangles.

illusoire. » Par la suite vous aurez des expériences imaginaires et vous développerez en vous un monde tout à fait irréel

« La préconception est préjudiciable. »

La démarche qui me semble particulièrement intéressante est la recherche d'une paix intérieure conquise grâce à la mise en relation harmonieuse avec le cosmos et ses lois. Elle mène vers une meilleure acceptation des contradictions internes du monde et vers une tolérance accrue vis-à-vis des autres, phénomène exceptionnellement vécu par le monde judéo-chrétien, dirigeants compris.

« Nous pouvons voir que c'est de l'absence de paix intérieure que proviennent les passions telles que la haine, la jalousie, etc., dit le Dalaï-Lama. Personne ne peut dire que la haine est source de bonheur ; bien au contraire, la haine, la colère, toutes ces émotions négatives ne peuvent créer que des problèmes, des difficultés. Ce soir, ici même par exemple, si je me mettais en colère, si j'avais une attitude négative de haine, à ce moment-là, probablement, des paroles dures s'ensuivraient ainsi que des actions dures probablement aussi, et tout cela créerait immédiatement une atmosphère de tension, une atmosphère pénible qui entraînerait pour nous tous des problèmes, des souffrances.

« De même, dans des circonstances difficiles comme par exemple lorsque nous faisons face à des ennemis, si nous nous mettons en colère, cela ne fait qu'aggraver les choses. Ma propre colère, ma haine, provoquera la haine de mon adversaire, et la haine se développera, se multipliera, et cela ne fera que créer des difficultés pour tout le monde... Vous voyez par conséquent que la haine ne crée des problèmes que pour nous-mêmes, elle détruit notre propre paix mentale, elle détruit également la paix des gens qui nous entourent, nos amis, les autres. Bref, elle est destructrice pour toute atmosphère de paix, donc le véritable ennemi n'est pas à l'extérieur.

« Il faut chercher à l'intérieur de nous-mêmes cet ennemi intérieur qui est le réel ennemi destructeur de notre paix, de la paix des autres, bref, de la paix de tous.

« Bien au contraire, l'amour et la compassion qui sont à la base de l'enseignement de toutes les grandes religions sont la source de la paix et du bonheur. Si nous comprenons bien cela, si nous réalisons l'importance du rôle de l'amour et de la compassion qui ne sont pas seulement des mots mais un sentiment réel, une expérience réelle, nous agirons en faveur de la paix.

« Répéter ces mots des centaines et des milliers de fois nous intéresse certes peu ; au contraire, développer en nous-mêmes ce sentiment, cette expérience de l'amour est très utile. Cela n'est certainement pas facile de développer une attitude aussi noble, mais si nous voulons le bonheur, il nous faut bien comprendre où est la source de ce bonheur. Et dès lors, nous verrons que développer cette noble attitude qui est si difficile à développer est en fait la seule alternative possible et que cela en vaut infiniment la peine. Donc, nous qui sommes rassemblés venant d'horizons extrêmement différents [1], je crois que notre tâche principale est de prier Dieu, afin que ce joyau intérieur se développe en nous, ce joyau de l'amour et de la compassion.

« Lorsque je parle de Dieu, j'en parle dans un sens extrêmement large, car je pense qu'il y a de très nombreuses interprétations possibles de ce mot. Pour un bouddhiste, nous parlerons d'un être supérieur qui a développé au point le plus haut toutes les possibilités spirituelles.

« Il y a de nombreuses religions différentes. Parmi ces grandes religions on peut faire une grande division : les religions qui n'acceptent pas l'idée d'un Dieu créateur, comme le bouddhisme, et les autres religions, c'est-à-dire la majorité, qui fondent toutes leurs pratiques spirituelles sur l'idée d'un Dieu créateur. On pourrait alors se demander d'où vient le sort extrêmement différent des divers individus. La réponse qu'offre le bouddhisme est celle-ci : le créateur est l'Esprit lui-même. Nous avons en nous des motivations très différentes, donc nous créons des actions différentes, ou, comme nous le disons en termes bouddhistes, des karmas différents. Par la force de ces différentes motivations, certains d'entre nous seront dans un état de paix alors que d'autres seront dans un état agité, préoccupé, tandis que d'autres encore seront dans un état complètement neutre. Par conséquent, selon ces différentes motivations, des états intérieurs différents seront créés.

« Il y a certainement des différences entre le bouddhisme et le christianisme, principalement philosophiques, et je pense que

1. Extraits de conférences faites par le Dalaï Lama lors de son passage a Paris en 1982.

si nous voulons développer un véritable sens de respect mutuel, il nous faut connaître ces différences, et c'est seulement sur la base d'une telle connaissance que nous pourrons développer cette mutuelle compréhension, ce sentiment d'être proches les uns des autres. Mais le bouddhisme n'accepte pas l'idée d'un Dieu créateur et donc, à ce point de vue, il n'est pas une religion. Certains érudits disent que le bouddhisme est athée, d'autres disent que le bouddhisme est une science de l'esprit. Il faut donc bien comprendre ces différences, et, sur la base de compréhension de ces différences, savoir que notre but et celui des grandes religions est le même : l'amour, la compassion, le bien de l'humanité. La personne qui n'est pas croyante et athée convaincue a besoin autant que les autres d'amour et de compassion. Le service désintéressé et altruiste vis-à-vis des autres est une chose noble, que vous soyez croyant ou non croyant.

« Autrefois les petites communautés pouvaient vivre de façon pratiquement indépendante, complètement isolées. Cette période est complètement révolue. La personne la plus égoïste, la communauté la plus égoïste a besoin pour vivre de dépendre des autres communautés. Nous avons besoin les uns des autres pour que l'humanité survive. Il faut qu'il y ait cette claire compréhension en chacun de l'unité de l'humanité.

« Les personnes ont besoin des autres pour vivre, même sur le plan économique. Malgré les différences idéologiques, malgré le fait que différents pays appartiennent à des blocs militaires différents et opposés, une coopération doit s'établir. Nous sommes tous semblables, tous identiques. Les gens qui vivent dans les pays occidentaux regardent les communistes de l'Est comme des diables. Cela est faux. Si les gens de l'autre côté ont la même attitude vis-à-vis des capitalistes, cela est faux également.

« Par conséquent, il faut bien comprendre que nous sommes frères et sœurs. Il est très important que tout le monde comprenne bien que nous sommes tous identiques, que nous sommes tous identiquement des êtres humains. Les différences de foi ou d'idées politiques sont secondaires. Il faut bien comprendre l'unité de l'humanité et développer ce sentiment de responsabilité universelle. »

Un moine vivant près du Dalaï Lama donne les précisions suivantes :

« Lorsque Sa Sainteté parle d'amour, je crois qu'elle parle

surtout d'une expérience vécue. Ce qu'il faut bien comprendre dans le bouddhisme, c'est qu'on ne fait pas de prêche moral, on ne dit pas, comme on dit au petit gosse " Il faut faire ceci, il faut faire cela ", on dit : " LES CHOSES SONT COMME ELLES SONT. " *La réalité ne dépend pas de notre bon plaisir.* Donc, réfléchissez. Le but fondamental de tout être vivant, c'est d'essayer d'être heureux, d'éviter la souffrance. Mais la particularité de l'homme, selon le bouddhisme, c'est d'avoir l'*intelligence qui nous permet d'adapter les moyens à leur fin.* Donc, si vous voulez être heureux, il faut éliminer la souffrance. Pour cela, il faut la reconnaître, reconnaître ses causes et les éliminer, et le bouddhisme enseigne ce chemin. Mais le bouddhisme n'est pas qu'une science de l'esprit, il va beaucoup plus loin, il vise à le libérer de sa condition humaine, à le transformer. En ce sens, c'est une spiritualité, une religion. C'est dans ce sens, je crois, qu'il faut comprendre l'amour dont parle Sa Sainteté. Si on veut être heureux et si on veut surtout rendre les autres heureux, il nous faut développer certaines aptitudes, justement celle de l'amour. Ce qui frappe, si l'on va dans le métro, par exemple, et que l'on est confronté avec les gens, c'est le manque de communication, c'est la dureté des relations entre les gens, et je crois que dans une telle société, l'expérience de l'amour devient extrêmement importante.

« L'amour, c'est une expérience que chacun de nous peut faire suivant ses capacités. On ne parviendra pas à développer dès le début un amour pour tous les êtres, mais je crois qu'il faut commencer à transformer notre attitude envers les êtres qui nous entourent et commencer ainsi à nous développer de cette façon. »

Dans la religion chrétienne, Dieu est avant tout un Être personnel, créateur et paternel. Il existe toujours un dialogue entre Dieu et l'homme.

Le bouddhiste pense au contraire que Dieu n'est pas extérieur à soi, ce n'est pas quelqu'un qui ressemble à un homme tout-puissant sur nous. Dieu est, en fin de compte, *la vraie nature de notre Esprit. Quand on a atteint l'état d'éveil, on est avec Cela* qui est sans nom, et Dieu n'est plus en dehors de nous. Il est notre vraie nature, en fin de compte quand on atteint l'état d'éveil, nous sommes la divinité. Dieu n'est pas séparé de nous, nous possédons ce potentiel divin. Tous les êtres sont de nature divine, la divinité existe potentiellement en eux.

Nous sommes en puissance la divinité, le but recherché est celui de la réalisation.

Le bouddhisme n'implique pas la foi, au contraire de l'hindouisme ou du catholicisme, mais la compréhension de notre condition, des causes de notre souffrance et de techniques de libération. C'est aussi une philosophie, mais une philosophie qui ne reste pas sur le plan de la théorie, c'est une *expérience vécue.*

Qu'est-ce que l'Esprit créateur que les bouddhistes appellent les phénomènes de Clarté et de Connaissance ?

Le bouddhiste, quand il parle d'esprit et de conscience, en parle uniquement à partir de l'expérience. Si nous essayons d'observer ce qu'est l'expérience de Clarté, nous pouvons imaginer que nous pénétrons dans une pièce où l'obscurité règne, nous ne distinguons aucun des objets présents, mais nous allumons la lampe, les objets deviennent alors clairs. Mais la qualité d'être clair n'appartient pas aux objets, elle appartient à la lampe qui les a éclairés.

*L'esprit a la qualité de la lampe, il donne la possibilité de prendre conscience des objets, de les appréhender.* Cette Entité qui est Clarté et Connaissance ne peut être que différente de la matière, car cette matière quelle qu'elle soit ne peut jamais avoir cette qualité de clarté et de connaissance, c'est-à-dire de conscience, conscience qui lui permet de prendre conscience des objets et d'elle-même.

Cette conscience n'est pas réductible à une base matérielle car elle est consciente d'elle-même.

Quelques points me semblent plus spécialement intéressants dans le bouddhisme. C'est, tout d'abord, le rôle primordial donné à l'expérience vécue.

Bouddha dit :

« Maintenant, écoutez, Kalama, ne vous laissez pas guider par des rapports, par la tradition ou par ce que vous avez entendu dire. Ne vous laissez pas guider par l'autorité de textes religieux, ni par la simple logique ou l'inférence, ni par les apparences, ni par le plaisir de spéculer sur des opinions, ni par des vraisemblances possibles, ni par la pensée " il est notre Maître ". Mais, Kalama, lorsque vous savez par vous-même que certaines choses sont défavorables, fausses et mauvaises, alors, renoncez-y... Et lorsque par vous-même vous savez que certaines choses sont favorables et bonnes, alors, acceptez-les et suivez-les. »

Il me semble que la priorité donnée à l'*expérience vécue* est trop souvent absente de la pratique médicale. Plutôt que de s'adapter aux signes présentés par le malade et aux descriptions qu'il donne de ses symptômes, le médecin classique ne retient de son interrogatoire *que* les signes qui lui permettent d'intégrer le malade dans une classification reconnue. Ceci est préjudiciable à la fois à la recherche et à l'efficacité thérapeutique. Il faut reconnaître que l'homéopathe ne souffre pas de cette faiblesse et se sert de toutes les indications fournies par le patient pour lui apporter une aide.

Le deuxième point intéressant est le sens de la *responsabilité de soi*, et si Bouddha peut être considéré comme un sauveur, c'est seulement dans le fait qu'il a découvert et indiqué le sentier qui conduit à la libération, au nirvana. Mais à chacun incombe la responsabilité de rejoindre le sentier et de le suivre. La mentalité d' « assisté » à outrance et de « normalisation » des systèmes de pensée me paraît être une cause du mal à vivre, qui peut être à l'origine de démission de l'individualité de chacun. Il s'ensuit une série de troubles d'origine fonctionnelle (certains diraient psychologique avec retentissement somatique). La thérapeutique médicamenteuse induit des pathologies iatrogènes[1] secondaires, puis l'évolution se fait vers l'organicité de la maladie. Chacun doit savoir ce qui est bon et mauvais pour lui et faire dans la mesure du possible ce qui convient pour conserver son équilibre personnel.

Trop souvent, l'homme se représente comme une machine capable de se détraquer que l'on porte à l'hôpital comme l'on porterait sa voiture au garage. Il est parfois très étonné que l'hôpital n'ait pas remis la machine à neuf, alors qu'il commence à posséder des pièces de rechange, et que l'on nous fait espérer l'usage quasi indéfini... du corps.

Il ignore l'existence de son corps énergétique et de son corps spirituel. Il n'en possède pas l'expérience vécue. On lui apprend à

1. Maladies engendrées par les médicaments.

vivre sur des idées toutes faites. Seul le marginal de la pensée s'y est intéressé.

Le troisième élément important me semble être l'idée de Karma et de réincarnation.

Walpola Rhahula[1] exprime d'une façon claire la théorie du karma :

« L'idée de justice morale, de récompense, de punition provient de la conception d'un Être suprême, d'un Dieu qui juge, qui est législateur décidant de ce qui est bien et de ce qui est mal. Le mot " justice " est ambigu et dangereux, en son nom il est fait plus de mal que de bien à l'humanité. La théorie du karma est une théorie de cause et d'effet, d'action et de réaction ; elle exprime une loi naturelle qui n'a rien à voir avec l'idée d'une justice rétributive. Toute action qui est appuyée sur une volition produit ses effets, ses résultats. Si une bonne action produit de bons effets, ce n'est pas une question de justice, ou de récompense, ou de punition ordonnée par une puissance qui juge la nature de l'action, cela résulte simplement de la nature propre de celle-ci, de sa loi propre. »

Quand on a saisi cela, que l'on a pu l'expérimenter quelquefois, on sait qu'un jour ou l'autre, dans cette vie ou les autres, le choc en retour se produira. On acquiert ainsi un meilleur sens de la responsabilité de ses actes, on tend vers un plus grand équilibre, on bannit les excès de toutes sortes. La notion de réincarnation, elle, est peut-être un peu plus délicate à comprendre et à admettre.

Un certain nombre de faits appartenant au domaine du vécu tendent à en prouver la réalité.

J'ai personnellement admis avec une grande simplicité ce phénomène après l'hypothèse des Trois Corps. Le corps physique est périssable, mais les corps subtils, invisibles, car d'origine vibratoire, sont susceptibles de persister après la rupture des « adhérences » entre corps subtil et corps physique. Cette idée de persistance des êtres chers au-delà du monde visible est rassurante et consolatrice à l'instant de la grande séparation (chapitre 20).

Elle est aussi rassurante pour soi-même. L'idée de « fin » est

1. *L'Enseignement du Bouddha*, Coll. Sagesse, éd. du Seuil, p. 54.

intolérable, et la notion de survivance du meilleur de soi-même est une invite à travailler sur ce « meilleur », elle implique l'idée de progression et s'oppose à ce qu'implique la boutade « après moi le déluge ».

Il est un peu plus difficile d'exprimer l'idée de continuité du courant de conscience.

Disons tout d'abord que l'ignorance n'est pas seulement le fait de ne pas connaître, mais aussi celui d'appréhender la réalité d'une façon erronée. Or notre idée de la réalité est erronée, nous donnons une réalité propre, une existence intrinsèque à des choses qui n'existent pas. Il faut donc, dans un premier temps, réaliser le vide en soi, par la méditation, et le méditant en se concentrant sur cette vacuité élimine les attitudes erronées qu'il portait en lui. La vacuité n'est pas un vide, c'est un plein, c'est la sagesse. C'est perdre l'illusion d'un Je ou d'un Moi séparé de l'univers. Ce n'est pas le néant, c'est le contraire... Le Je peut avoir comme représentation l'attachement ou la haine, il est à la base de tous les troubles. Il faut apprendre à ne pas se désolidariser de l'univers.

L'expérience nous montre que notre courant de conscience est en perpétuel changement. Un état de conscience se produit, puis disparaît pour laisser la place à un nouvel état de conscience. Le nouvel état de conscience disparaît pour donner un troisième état de conscience, etc.

Il existe donc un courant continu d'états de conscience. Il est associé à une base matérielle, mais il n'est pas réductible à cette base, il ne fait que participer tout en étant distinct.

Si nous prenons conscience qu'un moment de la conscience est suivi d'un nouvel état de conscience, nous pouvons admettre également que chaque état de conscience est précédé d'un autre état de conscience et faire remonter ces états de conscience jusqu'à la naissance. Mais avant la naissance existait pour le nouveau-né un autre moment de la conscience, et au moment de la conception un autre état de conscience, qui suivait un autre état de conscience. Aussi loin que nous remontons, il existe toujours un moment de conscience qui précède un autre moment de conscience, c'est un courant continu qui s'incarne et se désincarne d'un support matériel mais qui est capable de persister indépendamment de lui.

La réincarnation ne se fait pas sans cause. La cause de notre naissance, c'est le karma. *Nos actions les plus marquantes développent au long de notre vie un potentiel d'énergie qui dirige notre courant de conscience et le pousse à renaître après la mort dans une certaine situation matérielle...* Par là, nous sommes responsables devant la vie, devant la mort... Ce qu'on appelle la vie, c'est la combinaison d'énergies physiques et mentales, c'est la combinaison des cinq agrégats : agrégat de la matière, des sensations, des perceptions, des formations mentales, c'est-à-dire des actes volitionnels bons ou mauvais où karma, le cinquième agrégat, est l'agrégat de la conscience.

Je ne peux, face à cette conception des cinq agrégats, que les relier aux cinq éléments de la tradition chinoise.

# 8

# Scanning

« *You'll find your way* », « Vous trouverez votre chemin », m'a dit Agpaoa le jour où je l'ai interrogé sur mon avenir médical.

Les idées du monde occidental dont je suis issue sont en opposition absolue avec celles du monde adoptif des guérisseurs qui m'intègre doucement. S'ils ont su adopter l'allure extérieure de l'Occidental, tout en conservant leurs relations privilégiées avec le monde subtil, il m'est beaucoup plus difficile d'intégrer leur monde subtil à mon allure d'Occidentale... Il me faut comprendre leur système de pensée, puis situer les mérites respectifs de l'un et l'autre monde afin de me construire un nouveau mode de pensée, de travail et d'existence.

Mes idées sont claires quant au monde hospitalier. Aussi longtemps qu'il m'a semblé œuvrer dans de bonnes conditions, j'y ai appartenu ; mais en dépit des progrès dit scientifiques, la pratique médicale parvenue dans l'ensemble à son maximum d'efficacité thérapeutique se perd maintenant dans les dédales du diagnostic, conservant un mode de pensée sans ouverture. Ce qui est préjudiciable a la fois à l'avenir de la profession, au progrès thérapeutique et à la qualité des soins. Et j'enrage de voir les médecines douces s'organiser en parallèle, grâce à de bonnes volontés la plupart non médicales.

Il faut être enfermé dans sa tour d'ivoire pour ignorer tout ce qui se fait en dehors de la médecine majoritaire. On peut voir des congrès de plusieurs jours s'organiser dans les plus grandes salles parisiennes et dans lesquels les quatre cinquième des enseignants ne sont pas médecins ! En dépit de cela, certains membres du monde hospitalier continuent de penser que les médecines différentes n'ont aucune existence et se vantent de les ignorer !

Cela s'appelle l'esprit scientifique, dit-on. N'y a-t-il pas méprise ? Il faut féliciter ceux qui savent conserver la tradition que crée l'usage des plantes, l'alimentation saine, qui savent propager l'homéopathie, l'acupuncture, la bioénergie, la sophrologie, l'ostéopathie, tous ceux qui, à l'insu de l'autorité régnante, ont conservé ce potentiel de savoir...

Pourtant le monde magique dans lequel je vis près d'Agpaoa diffère de l'ambiance des médecines douces, bien qu'on y utilise les plantes de la pharmacopée chinoise et celles de la montagne, que l'on présente sous forme de mixtures aux couleurs étranges.

On fait ici appel à des forces peu étudiées par le monde occidental. Ce monde m'intrigue. Non seulement par son action sur l'énergie humaine, mais aussi sur le monde inanimé !

Un ami, dentiste-guérisseur de Nantes, accepté par Tony, va faire un stage de quelques semaines à Baguio, muni d'un magnétoscope. Permission lui est donnée de l'utiliser. Mais... l'appareil ne fonctionne pas en salle de soins. Quand il m'explique cela au téléphone, il m'est impossible d'admettre que son appareil n'en ait pas été la cause. Lui prétend qu'il s'agit du magnétisme ambiant. Pourtant, quand, à Baguio, mon magnétophone se trouve pris d'accès de paralysie plus qu'il n'est normal, je rejoins son idée, pour être convaincue de la justesse de son diagnostic le jour où j'entends sur une bande vierge, par ailleurs, le lieu, la date et l'heure de naissance d'Agpaoa, alors que je souhaitais dresser son thème.

J'ai relaté l'expérience malheureuse que nous fîmes en compagnie de deux cinéastes munis de caméras qui n'ont jamais fonctionné. Celles qui ont été louées sur place devenaient inopérantes une fois entre nos mains. Moi-même y avais perdu mon *feeling*. Ce qui m'incline à penser que Tony connaît et domine nombre de lois du monde invisible. J'en constate la puissance, mais je les ignore.

Pourtant, il me fournit quelques clés essentielles que je vais tenter de respecter en avançant dans ce monde inconnu.

Il faut être positif, se brancher sur la Lumière, méditer en accord avec la Nature, être à l'écoute de ses propres vibrations.

Connaître ses vibrations suppose l'exercice de la solitude et du silence, seule façon de devenir familière de ses propres vibrations, de savoir comment elles se modifient en fonction du temps, de l'heure, du jour, et des transits des astres. Il faut apprendre à connaître son propre corps électromagnétique, et pour cela les livres ne servent à rien... Alors se développent les sens supra-normaux, dans un contexte normal. Frustrée de ma sensibilité subtile par une éducation de type pavlovien hyperintellectualisée, élevée dans une ambiance trop distante de la nature, il me faut reconquérir ce royaume.

C'est en rompant avec notre société qu'il est possible de se retrouver soi-même et d'échapper au conditionnement outrancier auquel nous sommes soumis. (Il est plaisant d'entendre parler de la nécessité de « déconditionner » ceux qui seraient « conditionnés » par des sectes. Oublie-t-on que ceux-là cherchent précisément autre chose que le conditionnement « normalisé » d'une société agonisante ?)

A partir de l'instant où l'on cherche à être en accord avec la logique, la religion elle-même est à remettre en question.

Jung a finement décrit ses propres doutes :

« Il me semblait aussi parfois qu'on allait jusqu'à mettre les préceptes religieux à la place de la volonté divine (volonté qui pouvait être si imprévue et si redoutable), cela afin de ne pas être contraints de comprendre cette volonté. Mon scepticisme grandissait de plus en plus, et les sermons de mon père (ainsi que ceux d'autres pasteurs) me remplissaient de gêne. Tous les gens de l'entourage semblaient considérer leur jargon et l'épaisse obscurité qui s'en dégageait comme allant de soi... Il avait créé les hommes de telle sorte qu'ils soient obligés de pécher et, cependant, Il avait interdit le péché qu'Il punissait même de la damnation éternelle dans le feu de l'enfer[1]. »

Quant à moi, petite fille, je m'interrogeais sur le fait que l'on voulait me faire croire que l'hostie était le corps de Jésus-Christ, et que le vin était du sang. Ne pas croire cela était pécher ! Étaient-ils tous fous ? En admettant que ce fût vrai, voulait-on

1. C. G. Jung, *Ma Vie*, éd. Gallimard.

que je devienne anthropophage ? On avait omis de m'expliquer certaines choses, je commence à les comprendre en lisant les textes de Michaël Aïvanhof :

« Je vous ai souvent parlé de la personnalité (notre nature inférieure, humaine, ou même animale) et de l'individualité (notre nature supérieure, divine). Cette distinction permet de comprendre les différents états par lesquels un être humain peut passer. En général on confond tout, et on dit " Jésus "... le " Christ "... sans faire absolument aucune différence. Jésus, c'était l'homme, l'homme qui a vécu en Palestine à une certaine époque [1] ; et le Christ, c'est le principe divin que Jésus a reçu en lui et qui se manifestait à travers lui.

« Malheureusement, même le plus grand Initié ne peut manifester toujours sa nature divine. Alors quand Jésus était là, c'était l'homme, la personnalité, si vous voulez, qui parlait en lui... Il arrivait à Jésus d'être fatigué, il pouvait avoir faim, soif, sommeil, et c'est normal. Mais quand le Christ parlait à travers lui, il disait : " Mon père et moi nous sommes un ", " Je suis le pain descendu du Ciel ", " Je suis la lumière du monde ", " Je suis la résurrection et la vie ", " Je suis le cep et vous êtes les sarments ", " Je suis le chemin, la vérité et la vie ". Voilà, c'est clair, n'est-ce pas ?

« Pour le côté humain, il peut y avoir de temps en temps des

---

1. Andréas Faber Kaiser, licencié en philosophie et en lettres, est l'auteur de *Jésus est mort au Cachemire* (éditions de Vecchi), livre dans lequel il présente ses recherches, documents à l'appui bien souvent, concernant la vie de Jésus. Jésus a passé, semble-t-il, les dix-huit années silencieuses de sa jeunesse au nord de l'Inde. A la lamasserie de Hemis, dans le Ladakh, à la frontière du Cachemire, existeraient des copies de textes historiques, conservés de siècle en siècle, racontant le premier voyage de Jésus aux Indes. Après la crucifixion grâce à certaines complicités, dont celle de Ponce Pilate qui éprouvait de la sympathie pour le prophète, Jésus est crucifié un vendredi, juste avant la nuit du grand Sabbat, peu d'heures avant le coucher du soleil. Suivant la loi juive, il ne peut demeurer ce jour-là de crucifié sur la croix après le crépuscule. Jésus descendu de la croix est mis dans une tombe spacieuse, fermée par une grosse pierre, et non comblée de terre ainsi que le veut la tradition. Puisque la pierre a été écartée, c'est donc un corps physique qui sort du tombeau. Soigné, il se déguise durant le temps qu'il demeure sur ce territoire, puis retourne au Cachemire en compagnie de Marie où l'un et l'autre furent enterrés et où demeurent leurs tombes et les documents. La relecture des Évangiles prend une autre signification après cela. Pour moi, tout devient plus clair.

lacunes, des déficiences, des assombrissements. Mais quand le principe divin se manifeste, quand le principe divin parle, il n'y a pas de déficiences, il n'y a pas d'erreurs, il n'y a pas de faiblesse. Il faut avoir cette clé quand on lit les Évangiles ou n'importe quel livre sacré pour savoir si, à tel moment, c'est l'homme ou la divinité qui se manifeste à travers un être. »

Je commence à comprendre la naissance de Jésus-Christ en lisant le Maître : il dit comment au cours d'une année le soleil passe par quatre points cardinaux, et, à ce moment-là, des forces et des énergies se déversent non seulement sur les humains, mais dans toute la nature et jusqu'aux autres planètes... Les Initiés savent que si l'homme est préparé à recevoir ces effluves, de grandes transformations peuvent se produire en lui. Dans la nature, le Christ naît chaque année le 25 décembre, la nuit la plus longue, quand a lieu dans la nature la naissance du principe christique, c'est-à-dire la vie, la lumière et la chaleur qui vont tout transformer...

« Melchior, Balthazar et Gaspard étaient les chefs des grandes religions dans leurs pays respectifs, et ils sont venus. Pourquoi ? Parce qu'ils ont senti cette lumière. Et comme ils étaient aussi astrologues, ils ont fait des recherches et ils ont découvert que telle ou telle planète se trouvait dans telle constellation en conjonction absolument unique avec d'autres planètes, et ils ont compris qu'il avait dû se produire un événement extraordinaire. Ils ont cherché à quel endroit et ils ont trouvé ! Donc, la naissance de Jésus correspond à un phénomène astrologique qui s'est produit il y a 2 000 ans dans le ciel... » Mais cette étoile qui les a guidés correspond à un phénomène réel.

« Et qu'est-ce que l'étoile ? C'est un phénomène qui se produit inévitablement dans la vie d'un véritable mystique, d'un véritable Initié. Au-dessus de sa tête naît une étoile, un pentagramme lumineux. Ce qui est en haut est comme ce qui est en bas et ce qui est en bas est comme ce qui est en haut ; donc ce pentagramme doit exister doublement : d'abord l'homme lui-même est un pentagramme vivant et ensuite, en haut, dans le plan subtil, un autre pentagramme le représente sous forme de lumière... »

Il y avait une crèche, un bœuf et un âne. La creche, c'est le corps physique.

« Quand l'homme commence à travailler pour se perfectionner, il entre en conflit avec les forces de sa personnalité qui est butée, bornée, entêtée, capricieuse comme l'âne et avec les forces de la sensualité qui le poussent à mettre au monde beaucoup d'enfants et le rend souvent furieux comme un taureau.

« L'Initié est celui qui arrive à maîtriser ces deux forces et, à ce moment-là, elles sont à son service. Vous voyez, il n'anéantit pas en lui la personnalité et la sensualité... elles deviennent des forces vivifiantes. Le souffle (des deux animaux), c'est déjà la vie...

« Ensuite un ange est apparu aux bergers qui possédaient cette étable. Ils gardaient leurs troupeaux, et quand l'ange leur a annoncé la nouvelle de la naissance de Jésus, ils ont été émerveillés, ils ont pris des agneaux et ils les ont apportés à Jésus. Cela signifie que tous ceux qui possèdent des actions sur le corps physique... et qui ont des richesses (symboliquement ces richesses sont les brebis, les agneaux et les chiens) sont avertis... Donc le monde entier se met au service de l'Enfant. Mais tant que vous n'avez pas l'Enfant, ne comptez pas qu'on vienne vous servir. Les anges ne viennent servir que celui chez qui l'Enfant Jésus est déjà né, car ce n'est pas pour vous qu'ils viennent, c'est pour ce principe divin, le Christ, le Fils de Dieu.

« Il n'y a rien de plus important que de faire tous ses efforts pour qu'un jour naisse l'Enfant Jésus. A ce moment-là la terre et le ciel viendront ; des quatre coins du monde des êtres comprendront qu'une nouvelle lumière est née, et ils viendront vous voir et vous apporter des présents... »

Mais « qui étaient Marie et Joseph ? S'ils ont eu Jésus pour enfant, c'est qu'ils étaient déjà préparés : pour être dignes de l'avoir dans leur famille, ils avaient fait un grand travail spirituel, ils s'étaient purifiés et c'est eux qui ont été choisis. »

C'est le Saint-Esprit qui sur le plan divin a donné naissance à Jésus. Mais pour que le corps soit durable, il ne suffisait pas de prendre un peu de matière de l'espace, « un corps éthérique ne dure pas longtemps : à peine quelques heures, une journée... pour que le corps soit durable, il faut qu'il soit formé par des particules apportées par la mère. C'est pourquoi le Saint-Esprit a besoin d'une femme pure pour former un corps dans son sein... La virginité est une qualité plus spirituelle que physique.

Combien il y a de femmes qui sont vierges extérieurement. mais intérieurement pires que des prostituées !

« Donc j'insiste là-dessus, la naissance de Jésus doit être comprise dans les trois mondes, c'est-à-dire comme un phénomène historique, comme un phénomène psychique, mystique et enfin comme un phénomène cosmique[1]. »

Et « cet enfant divin, qui est déjà conçu en vous comme une lumière, cela peut être un idéal, une idée que vous nourrissez, que vous chérissez ».

Puis je me réconcilie à Baguio avec l'idée de Dieu, d'un Dieu absolu, partout présent, parcelle divine présente en chaque création que nous devons apprendre à reconnaître aussi bien en nous qu'en l'autre.

Et la clôture du temps de prière par un acte d'amour, c'est-à-dire de soin, me semble être le plus beau symbole et la plus belle conclusion de ces réunions. Mais l'aspect médical de la question est mon principal centre d'intérêt. Il est important de découvrir les lois de ce qu'ils appellent un « scanning », c'est-à-dire l'interrogation du champ vibratoire qui émane du malade quand ils passent leurs mains au-dessus du corps du patient pour y choisir un point d'action. Inutile de poser des questions. Il me sera répondu : « *You have to observe, to meditate, to pray...* » La recherche est solitaire et intuitive. (Quand je pense que, en France, on exige des bibliographies, des références, qui stérilisent l'imagination[2] !) A force de recherche, de volonté, d'initiative, sans doute trouverai-je des solutions, je me serai ainsi construite mieux qu'à l'aide de livres et de recettes. J'organise donc en pensée l'allure que doit prendre cette recherche :

1. Le diagnostic par les méthodes classiques doit être réduit au minimum.
2. Je me refuse à utiliser ce que l'on veut appeler le pouvoir, jusqu'à nouvel ordre, je ne crois pas vraiment le posséder.
3. Le *feeling*, longuement pratiqué chez Agpaoa, me permet de pratiquer le « scanning » du corps en percevant les points d'émergence des perturbations de l'énergie.

---

1. Michaël Aïvanhof, *Au commencement était le verbe*, éd. Prosveta.
2. Je suis étonnée du nombre de lettres reçues me demandant des références et des recettes !

4. L'examen de l'oreille précise les désordres énergétiques des couleurs de la lumière.

5. La carte du ciel « situe » le patient, et explique les perturbations énergétiques. La situation des planètes lourdes et les transits désignent les problèmes profonds et durables, et les transits rapides les problèmes passagers. L'étude de « depuis quand », à l'aide des éphémérides[2], situe l'origine de l'affection et fait deviner le transit coupable. Les rétrogradations sont facteurs de gravité et de récidive.

Toutes ces informations rassemblées m'offrent une vue panoramique de la maladie, de ses causes ou de l'attitude à prendre. Le passé, le présent, le futur se profilent, en quelques instants.

Reste le plus important qui est l'attitude thérapeutique.

La première consultation est une régulation générale de l'énergie. Si tout ne rentre pas dans l'ordre, la seconde attaque le trouble persistant alors que l'énergie est en mesure de circuler librement et que les défenses de l'organisme sont en place.

Ce principe est destiné à réduire les pathologies de transfert, c'est-à-dire le report d'une pathologie sur un autre organe.

Les problèmes psychologiques sont à rejeter à la consultation suivante car une modification du champ de conscience sous le seul effet du traitement énergétique est souvent observée. Il est inutile de s'encombrer de problèmes qui se réduiront seuls.

Un traitement d'entretien sous forme d'oligosols, d'un médicament homéopathique, de vitamines peut être envisagé.

Parfois, il faut songer à l'ostéopathie en dernier recours, pour les problèmes qui n'ont pu céder à ce traitement.

Dans les cas les plus difficiles, un exercice de prise de conscience du corps, enregistré sur cassette, permet un traitement d'entretien.

En cas de récidive, une séance d'imagerie mentale sous auriculomédecine permet aux problèmes les plus profonds d'émerger.

Une image, un symbole peuvent être analysés et résoudre ce problème.

Ce protocole expérimental, parce qu'il fait appel à l'ensem-

---

1. Les éphémérides sont des tableaux qui précisent les positions des planètes dans le ciel, aux différents jours de l'année.

ble de mes connaissances et de mes observations passées, me donne l'impression d'être installée dans ma situation de médecin non orthodoxe et de m'y sentir bien. Mais ai-je ainsi résolu toutes les contradictions de ma vie ?

C'est chose incertaine, et quelques surprises vont émailler les consultations que je vais donner à mes amis.

J'ai la surprise, en essuyant l'oreille d'une patiente à l'aide d'un coton imprégné d'alcool, avant de la soigner, de voir des gouttes de sang perler spontanément. A l'aide d'une grosse loupe, j'examine, intriguée, et observe des pores qui se dilatent et qui crachent activement, semble-t-il, la goutte de sang ! Tout en connaissant les rapports sang-énergie en acupuncture, je n'ai jamais vue chose semblable. Parfois, il est indiqué de faire saigner avec une aiguille lancéolée certains points d'acupuncture, mais je n'ai jamais vu de saignement spontané !

Est-ce à partir de ce phénomène que peut apparaître parfois le sang chez les guérisseurs ?

Est-ce à partir de ce phénomène possible, mais inconstant, que la simulation peut s'installer ?

Consiste-t-elle alors en une amorce du phénomène ?

De toute façon, ce processus, ayant lieu à Paris, me dérange. Certes, je suis en pleine forme, arrivant de Baguio — Agpaoa m'a magnétisée avant de partir —, mais je ne veux endurer la répétition de cela. Mon expérience de la pathologie sanguine est trop récente, dans le domaine de la transfusion, pour que je puisse accepter ce phénomène comme normal. Il faut donc qu'il ne se reproduise plus ! J'écris à Agpaoa qui me dit qu'il s'agit d'une interférence de mon corps électromagnétique sur celui du malade, que tout cela est normal et se maîtrise. Comme ce corps-là est en correspondance avec le corps éthérique et que l'eau est le corps éthérique de la terre..., je supprime l'alcoolisation préalable, et tout s'arrange !

J'ai quitté le soleil de Baguio pour retrouver l'hiver parisien. Les radiateurs fonctionnent et la table d'examen est située tout contre. Mon activité médicale étant limitée par mes voyages et mes recherches, un appartement de fonction ne se justifie pas vraiment. Je ferai donc avec ce qu'il y a.

Mais le courant d'air chaud gêne le « scanning ».

Pourtant une sorte d'adaptation se fait, et je distingue le courant d'air chaud des vibrations du malade.

Je perçois même les caractéristiques propres à chaque planète située à l'ascendant, les piqûres de Mars, les brûlures d'Uranus, la douceur de Vénus, le courant d'air de Mercure, etc.

L'expérience aidant, il est possible d'identifier les conjonctions fortes actualisées par les transits planétaires.

De toute façon, il m'est aisé de constater le parallélisme frappant entre l'examen de l'oreille, celui du « scanning » et les données astrologiques. Les pertes d'énergie peuvent affecter deux formes : les foyers et les plages. Le foyer est punctiforme et la plage beaucoup plus large. L'un et l'autre peuvent être perçus sur la face antérieure ou la face postérieure du corps. Ma solitude est le rempart contre l'académisme qui exigerait des explications de cause à effet ; j'observe, je note et j'attends qu'un renseignement supplémentaire me soit communiqué par l'observation d'un autre cas. J'ignore le possible et l'impossible, le normal et l'anormal. Mon seul critère d'authenticité est la répétitivité des phénomènes et leur correspondance à la fois au « scanning », sur l'oreille et sur la carte du ciel, le tout s'accordant bien entendu avec le vécu du malade.

Le monde est organisé, il obéit à des lois précises. Quelles sont ces lois ?

C'est ainsi que huit ans après mon départ de l'hôpital, solitaire et... sans subventions, sans collaborateur et sans appareil, j'avance...

Tout m'est offert par l'observation et la réflexion simples. Nul besoin de me justifier auprès de quiconque, de faire face aux critiques ou de recueillir des lauriers. J'œuvre seule, délivrée des problèmes relationnels et hiérarchiques. Disposant de mon temps, de ma solitude et de mes possibilités de concentration, d'observation et d'intuition développées par Tony Agpaoa, j'inventorie le monde à ma façon.

Ce nouvel univers est le mien, celui auquel le Maître m'a fait accéder, sans mot dire, cultivant mes possibilités d'interrogation, de curiosité et de volonté tenace.

« Vous ne saurez pas en un jour ni en une semaine. Vous avez besoin d'entraîner vos mains. Vous devez développer le toucher et toute chose concernant vos mains. Il faudra pratiquer avec elles, être maître de vos mouvements. Vous devez, les yeux fermés, apprendre à vous élever et savoir que faire pour chaque cas pris individuellement...

« Vous devez devenir un maître dans la discipline de vous-même.

« Vous devez aussi reconnaître les anciennes voies de l'acupuncture et poser vos doigts et non des aiguilles.

« Il faut apprendre à séparer doucement les cellules les unes des autres sans les déchirer, juste aux points d'acupuncture, grâce au pouvoir magnétique, et quand le " plasma " est sorti éviter d'endommager la peau. »

C'est avec émotion que j'écoute maintenant cette leçon qu'il m'avait permis d'enregistrer, alors qu'il n'est plus de notre monde.

# 9

# Rudolf Steiner et la médecine anthroposophique

Persuadée désormais que nous sommes composés de plusieurs instances et que nous considérer comme un corps physique est trop nous réduire, je me souviens avoir entendu parler du corps éthérique dans un séminaire d'homéopathie intitulé « Biothérapie », sous la direction du Dr Julian, homéopathe ouvert à toute éventualité.

Le Dr Cazé y avait fait un cours, étonnant mais logique, à propos de la médecine anthroposophique.

Je m'inscris donc aux stages du château de l'Ormoy, près de Vierzon. Arrivant de nuit, c'est avec difficulté que je découvre la propriété près d'un minuscule village, véritable château de la Belle au bois dormant à cette heure. J'ai peine à faire savoir qu'une voyageuse est à la recherche de sa chambre, retardée par une panne de voiture.

Une aimable dame apparaît à l'instant où je décide de dormir dans l'auto et m'offre une chambre vieillotte, tendrement décorée.

Éveillée par les premiers bruits du matin, je rejoins une grande pièce ornée d'une belle cheminée. Deux grandes tables y sont installées. Pain frais, confitures maison, lait, café de céréales nous attendent. Petit à petit, les tables se garnissent. Je n'y connais personne, mais découvre que les anthroposophes médecins parlent un langage voisin du mien. C'est une sensation bien réconfortante. Puis nous allons dans une autre salle écouter la première conférence faite par le Dr Bott.

Pour Rudolf Steiner, dont les anthroposophes perpétuent l'enseignement, l'homme en bonne santé apparaît comme un ensemble minéral appelé corps physique. Celui-ci est imbibé d'eau, support du corps végétatif ou corps éthérique. Corps minéral et corps éthérique constituent le complexe inférieur assumant les fonctions motrices automatiques et les fonctions métaboliques : autrement dit, les mouvements et la digestion. Il existe aussi un complexe supérieur composé d'une âme et d'un Moi. L'Âme (qui signifie étymologiquement : capable de se mouvoir) est commune à l'homme et à l'animal, elle s'appelle encore le corps astral.

Le corps astral agit sur l'élément physique au travers du corps éthérique. Le Moi est lié à l'élément feu, le corps éthérique est lié à l'élément eau. Alors que l'homme possède un Moi individuel, l'animal possède un Moi d'espèce. Complexe supérieur et complexe inférieur, unis pendant l'éveil, se séparent durant le sommeil, pas totalement cependant, car persistent la régulation neurovégétative et les rêves.

On retrouve aussi une tripartition dans la pensée steinérienne. L'homme est constitué :

D'un pôle supérieur protégé par une enveloppe osseuse, peu mobile, avec un faible potentiel de régénération, siège de la pensée froide ; c'est la tête.

Le pôle inférieur est structuré à l'inverse du pôle supérieur, son infrastructure osseuse est interne et non plus externe. Il est mobile, c'est un pôle métabolique, siège du dynamisme et de la volonté.

La zone médiane thoracique est rythmique ; expansion et contraction pulmonaire marquent ces rythmes. Le cœur, lui-même, alterne systole et diastole. Tout y est rythme, c'est le pôle des sentiments.

Le Dr Bott développe ces idées tout au long de la matinée. Entre les cours, nous pouvons consulter des livres, nous promener dans la campagne, et... parler. Je suis infiniment réjouie d'entendre le langage qui règne ici ; je me croyais isolée mais les anthroposophes médecins ont des préoccupations identiques aux miennes. Leurs solutions ne sont pas tout à fait semblables, mais cela est sans importance. Ce qui compte est de s'être posé la question. Et si peu de gens se la posent !

Les repas sont chaleureux, bien que végétariens ; c'est une bonne cuisine, faite à partir de produits frais cultivés suivant la méthode agricole de R. Steiner, méthode qui me semble très originale et astucieuse. Elle utilise aussi des principes astrologiques.

La thérapeutique envisagée par Steiner est très originale et découle de sa conception tripartite de l'homme.

On utilise les produits végétaux ou animaux en fonction de leur structure en analogie avec l'organe malade. Et ceci suivant les règles de chronothérapie. On y ajoute l'eurythmie des gestes et de la parole. La danse elle-même devient acte thérapeutique.

Par certains gestes, les forces terrestres négatives sont captées et dans un acte d'offrande présentées à l'Harmonie universelle cosmique.

D'autres gestes captent ensuite les forces positives, également offertes. Captation et offrande à la Puissance universelle sont deux gestes essentiels pour rétablir l'équilibre et l'harmonie de l'homme.

Enfin, l'étude de la diététique nous rappelle qu'on acquiert les qualités de ce que l'on mange.

Steiner voit une analogie entre la plante renversée et l'homme. A la tête correspond la racine. La tige et les feuilles, insérées rythmiquement, ont un rôle respiratoire et s'identifient à la zone thoracique. La fleur assume la reproduction, elle correspond au pôle métabolique de l'homme. Ainsi la plante possède trois pôles thérapeutiques qui coïncident avec les trois pôles de l'homme.

La cueillette, la préparation, la dilution de ces plantes s'apparentent plus aux procédés alchimiques qu'industriels, ce qui leur confère une activité particulière.

L'agriculture, vue par Steiner, est aussi originale.

On y apprend, en fonction des aspects des astres, à planter, à soigner, à cueillir. Une collègue me conte son amusement quand, désherbant à la date indiquée la moitié de son parterre de fleurs, elle vit l'autre, désherbée un autre jour, se recouvrir rapidement de mauvaises herbes et le premier demeurer frais.

On peut aussi avoir un pommier qui donnera des pommes

rouges sur un côté et blanches de l'autre. Tout dépend du traitement appliqué.

Je me promets de m'intéresser un jour à cette agriculture.

Rudolf Steiner admet aussi les processus de réincarnation.

Si on admet les cycles de la réincarnation et la nécessité d'une évolution, on comprend que ceux qui n'ont pas encore le désir de l'Essentiel ne sont qu'au début de leur évolution. Plusieurs vies et de nombreuses épreuves seront peut-être nécessaires à ceux qui n'ont pas compris qu'il était utile un jour ou l'autre d'accéder à des plans différents d'eux-mêmes, dit-il.

Steiner a tenté de suivre les métamorphoses de l'Être vivant et de les concilier. Dans sa conception, l'âme humaine est censée parcourir un cercle spirituel qui contient douze images évolutives. Il s'appuie sur le cercle zodiacal pour fonder sa théorie : « Cette notion des douze signes du zodiaque spirituel nous permet d'étudier la manière dont naissent les conceptions que l'homme se fait de l'univers ; elle nous montre aussi d'une part pourquoi les hommes se disputent à ce sujet et d'autre part pour quelles raisons ils ne devraient pas se disputer, mais bien plutôt reconnaître comment il se fait qu'ils n'aient pas tous la même manière de comprendre l'univers. »

Et Steiner de découvrir douze systèmes : le matérialisme, le sensualisme, le phénoménalisme, le réalisme, le dynamisme, le monadisme, le spiritualisme, le pneumatisme, le psychisme, l'idéalisme, le rationalisme et le mathématisme. Douze conceptions différentes du Cosmos spirituel s'alignant sur les douze signes d'un zodiaque de l'esprit, points fixes de notre horizon spirituel.

Chacun de ces douze systèmes peut lui-même se teinter de sept nuances différentes représentant sept tendances. Chacune de ces tendances pouvant être représentée par une planète qui parcourt les douze signes du zodiaque spirituel, en apportant à chacun un supplément de couleur.

Il distingue la couleur gnostique : la faculté de connaissance qui se trouve dans l'âme est capable de faire vivre en elle des pensées, des idées avec un caractère d'actualité. C'est le cas de Hegel où toutes les notions qu'il peut saisir s'ordonnent dans une vaste conceptualisation.

---

1. Voir les ouvrages de Steiner, des Drs Bott et Cazé, éd. Adyar.

Le volontarisme : l'âme accueille tout ce qui relève de la volonté.

Schopenhauer en est le meilleur exemple : Les forces de la nature, la dureté de la pierre sont pour lui volonté, toute réalité devient chez lui VOLONTÉ.

« L'empirisme suppose qu'on tend à accepter tout simplement l'expérience telle qu'elle se présente. » On compose son système du monde avec ce qu'offre ce monde, ce qui se manifeste extérieurement à soi.

Le mystique a « dans sa propre âme une expérience qu'il ne reçoit pas du dehors, c'est là seulement que l'univers lui révèle ses secrets. » C'est la recherche intérieure, dans le calme de l'âme, de l'illumination divine.

Maître Eckhart serait le type même de l'idéaliste teinté de mysticisme.

Voyons la tendance transcendantale : pour cet homme, l'essence des choses ne peut se déverser en lui-même, elle ne peut pénétrer son âme. Il a le « sentiment que l'essence des choses s'approche de lui quand il les perçoit, mais n'est pas contenue dans la perception même. Elle reste par-derrière les phénomènes », mais ne se donne pas. (Le mystique pense que l'essence des choses pénètre en son âme.)

La tendance à l'occultisme définit l'homme qui repousse l' « Être » des choses plus loin encore que ne le fait le transcendantalisme... elle est « hors de portée de toute faculté de connaissance extérieure ». Elle est cachée au-delà, et là où on le perçoit, il n'affleure même pas.

Si le transcendantaliste dit : « L'Univers s'étend autour de nous et cet univers proclame partout l'Être », l'occultiste dit : « Ce monde est maya, et c'est par un tout autre chemin que les perceptions extérieures et les moyens ordinaires de la connaissance qu'il faut chercher l'essence des choses. »

Ainsi, il existe douze systèmes teintés par sept tendances pour concevoir le monde. Steiner enrichit encore le tableau par trois tonalités générales qui appartiennent au soleil, à la lune et à la terre.

Au soleil correspond le déisme, à la lune l'intuition, à la terre le naturalisme. J'aime à décrire cette conception de Steiner car elle démontre pourquoi l'attitude de chacun devant un même fait peut être différente et combien chacun a le droit, sans rougir, à la différence.

Elle dénonce l'état de normose dans lequel nous vivons.

Elle se différencie de l'attitude religieuse trop souvent conquérante et vindicative, toujours orgueilleuse et avide.

Elle invite au respect et à la compréhension de l'autre.

J'entends encore parler d'une méthode qui me séduit infiniment : celle des cristallisations sensibles.

En respectant un ensemble de principes indispensables à la fiabilité du test, on laisse évaporer sur une plaque de verre circulaire une solution aqueuse de chlorure de cuivre combiné à un substrat d'origine végétale : suc, sève..., synthétique ou animale : sang, broyat d'organe et de l'eau bidistillée. Suivant le type d'extrait ou de produit testé, nous allons voir se matérialiser différentes formes caractéristiques en trigones, en polygones, en rosettes. Cette méthode, mise au point par Pfeffer en 1936, permet de visualiser diverses formes d'énergie primordiales. On reconnaît la loi de « Tout est dans le Tout ». Comment expliquer ce phénomène[1] ?

« Pour prendre une image analogique en regardant le sable au bord de la mer, à marée basse, nous voyons apparaître des creux, des bosses, des rainures et même des formes plus subtiles telles que des spirales, des volutes, etc. » Ces formes rendent compte des courants ayant existé dans la mer, donc, d'un système de forces matérialisé par le support offert c'est-à-dire le sable. Des physiciens, Ernst Chladni et, plus récemment, Hans Jennyont, ont montré comment le sable pouvait vibrer sous l'influence de *sons* de fréquences différentes et reproduire, en fonction des fréquences utilisées, diverses formes observées dans la nature.

Ici, dans le cas des cristallisations sensibles, la situation est sensiblement inversée, dans la mesure où l'eau est retirée par évaporation. La forme qu'affectent les cristaux devient le souvenir des énergies mises en jeu quand l'eau était encore retenue par les corps présents dans la solution, mais cela revient au même.

Les figures géométriques des cristallisations sont le trigone rénal, l'hexagone cardiaque, le polygone hépatique ; les figures

1. Huguette Bercy, Étienne Guillé.

ellipsoïdales sont les rosettes gastriques, intestinales, génitales...

Tout comme la mer « animait le sable », les vibrations des produits dilués animent le support vibratoire de la cristallisation sensible colloïdale. Remarquons que la solution doit contenir obligatoirement un colloïde pour que le phénomène se produise ; sans ce support vibratoire, les énergies potentielles ne sont pas visualisées.

Ces expériences sont lourdes de conséquences : elles sont la preuve tangible de l'action organisatrice du monde vibratoire invisible, mais opérationnel. « Dans le sang d'un individu en équilibre, la cristallisation aura une structure tout à fait rayonnante, sans forme spéciale d'organe ou de système d'organe. Dans le monde végétal, un extrait de plantes ou un substrat utilisé en homéopathie ou en phytothérapie donnera des formes de cristallisation homologues en fréquence et en amplitude à celles du sang de l'individu dont elles sont capables de contrecarrer les troubles ou les carences [1].

« Dans les cristallisations sensibles, nous détectons aussi les *vibrations* " exogènes " telles que celles liées aux virus, aux bactéries (bacille de Koch) et à toutes les infections classiques. Elles sont caractérisées par des vecteurs de direction et d'amplitude déterminées. »

Ainsi décrit-on en cas de cancer des « barres transversales » qui interrompent la striation rayonnante de la plaque. Au début, l'aspect rayonnant persiste malgré quelques anomalies qui objectivent la dégradation du terrain. Puis, les barres transversales caractéristiques des états malins se multiplient en même temps que les métastases se manifestent, dissémination osseuse ou hépatique par exemple. Enfin on assiste à la déconstruction de l'image qui perd son aspect rayonnant. Des « lâchages » de la trame apparaissent, puis des « vides ».

Pour le Dr Huguette Bercy et le Pr Étienne Guillé, les éléments transverses peuvent être détectés plusieurs années avant que l'on puisse caractériser un cancer par les techniques classiques de la médecine actuelle... (Fort heureusement, quelques chercheurs non rationalistes ont pu accéder à la force du

1. Huguette Bercy, Étienne Guillé, *Environnement et Nouvelle Médecine*. Cahier SIRES, n° 3.

poignet à des postes officiels et font ouvertement ou dans la discrétion la plus totale des recherches de base destinées à étayer leurs convictions profondes.)

Ainsi le monde vibratoire invisible commande au monde matériel les formes que ce dernier adopte.

# 10

# Le cinquième voyage

Dès la sortie de l'ouvrage *Médecin des Trois Corps,* mon plus cher désir est de retrouver Baguio. Mais je suis retenue en France par un certain nombre de contraintes inhérentes à la sortie de l'ouvrage.

J'aurais aimé répondre à tous ceux qui m'écrivent, rencontrer tous ceux que le texte touche et qui en souhaitent un commentaire, accepter toutes les conférences que l'on me propose, mais c'est chose impossible et cela me peine infiniment. Il existe un conflit entre mes possibilités et mon désir de politesse élémentaire : répondre au courrier. Aussi le départ pour Baguio prend l'aspect d'une fuite. J'y retrouve Tony, un an avant sa mort.

Nous déjeunons ensemble le premier jour. Le livre est en français, mais sans doute l'a-t-il perçu « vibratoirement ». Il m'en donne son opinion : « Tout juste bon pour faire se poser quelques questions aux matérialistes occidentaux. » Jugement qui me permet d'avoir une idée de la distance qui sépare notre monde du sien et d'apprécier le chemin qui me reste à parcourir...

Il m'éclaire sur la signification de certains phénomènes d'ordre parapsychologique qui ont pu entourer la présentation du livre, je les évoquerai ultérieurement. J'apprends aussi que, pour avoir été entourée de trop de négativité, mon travail est à reprendre à zéro ! Mais je pense que ce n'est pas vrai, qu'il veut simplement, une fois de plus, écraser mon ego. L'isolement, le repos, le ciel bleu, le soleil, l'ambiance positive et son appui me permettront de récupérer santé, joie de vivre et d'avancer dans le travail sur moi-même.

C'est en pénétrant dans la salle de *healing* et en imposant les mains pour la première fois que la remarque de Tony prend toute sa réalité. Je me sens dans mes pieds !...

Pour comprendre ce qui m'arrive, je dois faire un retour en arrière et me souvenir de mes expériences précédentes. Dès mon second voyage, j'ai éprouvé, en une dizaine de jours de travail, des sensations étranges : l'impression de vivre entre ciel et terre, délivrée de tout ce qui pouvait m'étreindre, délivrée, même, du poids de mon corps.

Quelque chose, tout d'abord, s'élève en moi. C'est une sensation physique qui s'exprime insensiblement, sans qu'il me soit possible, dans les premiers temps, de cerner l'instant de son apparition. Si je me distrais de cet état pour m'adresser au guérisseur, j'éprouve une sensation de chute brutale ! celle que l'on peut vivre dans son sommeil et qui éveille douloureusement. Mais si j'adresse quelques mots au malade, cette sensation de chute ne se produit pas ! Il me semble être portée, installée dans une nacelle tissée dans des fils invisibles émanant des trois guérisseurs présents. Si je me distrais de mon travail, tout se passe comme si la nacelle était brutalement lâchée !

Puis, avec le temps et l'expérience, j'apprends à contrôler l'instant exact du passage à l'état léger, c'est-à-dire l'instant de l'individualisation d'un autre corps fait d'une substance souple, mobile, capable d'effectuer des mouvements d'aller et retour plus ou moins rapides selon un axe vertical.

Plus encore, il me semble, au long des jours, identifier ce qui pourrait être considéré comme un centre de gravité mobile, lequel exprime assez bien un niveau vibratoire différent selon l'instant de ce corps léger. Il avait atteint, à la fin du voyage précédent, le sommet de mon crâne.

Il est aujourd'hui dans la semelle de mes souliers ! Voilà pourquoi Agpaoa dit que tout doit être repris à zéro. Je n'en prends conscience que par une référence au souvenir d'un état antérieur.

J'espère « ascensionner » bientôt. Mais le phénomène de la nacelle ne se produit pas ! Agpaoa me laisse seule ! Je dois donc apprendre seule à m'élever... Ayant compris cela, suivant mon intuition, j'apprends à modifier, par divers essais techniques de mon invention, mon centre de gravité vibratoire. Le mieux est de faire de petites inspirations saccadées dont l'ensemble se confond en une grande inspiration.

Alors le centre de gravité décroche des pieds, c'est un soulagement que de le sentir dans mes mollets !

Solitude et travail font leur œuvre : levée vers 5 h 30, j'aide toute la matinée l'équipe qui s'est agrandie de Mélie et Linda. Tant de groupes viennent du monde entier ! Vers 16 heures, je rejoins ma chambre, à moins que je n'assiste à l'entretien du frère Sunny vers 17 heures.

En quelques jours, le niveau vibratoire s'élève et le centre de gravité atteint les genoux. Puis, suivant un axe vertical, il atteint la hauteur des hanches, du plexus solaire, des épaules, de la tête. Il traverse celle-ci en un point situé à l'union de la portion verticale et de la portion horizontale et postérieure du crâne. Je suis maintenant au-dessus de moi, et c'est là qu'on est le mieux !

Pour me mettre en accord avec mes sensations, j'ai décidé d'admettre que je possédais deux centres de gravité : un premier centre appartient au corps physique, il est travaillé par la danse et l'acrobatie ; le deuxième centre appartient au corps fluide, celui-là ascensionne ou descend en fonction de ma qualité vibratoire. En ce jour, je « monte » sans être assujettie à la nacelle vibratoire des guérisseurs. Je m'appartiens !... Enfin... je l'imagine.

Les phénomènes nocturnes qui s'étaient manifestés au cours des voyages précédents et qui m'inquiétaient alors (succédaient-ils à l'accident ?) réapparaissent. Ils sont faits de mouvements respiratoires très particuliers par leur rythme, leur intensité et les muscles qu'ils mettent en jeu. Ils peuvent être accompagnés de secousses musculaires très vives et très amples. Ma compagne de travail, Francis, ayant fait une allusion à ces mouvements qu'elle vivait aussi, j'avais été légèrement rassurée. L'hypothèse de phénomènes d'accompagnement d'un travail initiatique pouvait être envisagée. C'est la lecture d'un livre écrit par un médecin hospitalier américain abandonnant son milieu pour faire une recherche voisine de la mienne qui me donne la clé nécessaire à la compréhension du phénomène[1].

Il décrit, sur lui-même, l'apparition de ces secousses dont il souligne le caractère parfois effrayant... Il les attribue également à un phénomène d'induction initiatique en rapport avec des mouvements naturels de l'énergie quand se fait une évolution spirituelle et sans rapport avec des lésions neurologiques. Les quakers sont ainsi appelés parce qu'ils entrent dans l'extase spirituelle en tremblant ; il en est de même pour les shakers.

Les neurologues ont la permission d'élargir leur angle de vue afin d'éviter de déclarer malades des sujets en pleine évolution spirituelle. Les droguer reviendrait à les amputer peut-être de cette expérience et de la dimension d'eux-mêmes qu'ils sont en train d'acquérir.

Ayant conquis mon centre de gravité numéro deux, de nouvelles raisons d'étonnement, d'interrogation vont survenir. Si je connais mon corps lourd de longue date et si j'ai identifié mon corps léger, l'ensemble me donnant la sensation d'être moi, Agpaoa va intervenir pour me faire perdre cette conquête.

La reconnaissance de soi comme entité vibratoire est une notion importante, car c'est par elle que l'on peut distinguer les informations vibratoires venant de l'extérieur et les attribuer à ce qui n'est pas soi. En pathologie, on attribue à soi ce qui provient des autres, c'est tout le problème des médiums ; on peut attribuer à d'autres ce qui n'appartient qu'à soi, ce sont des hallucinations.

Le travail quotidien et prolongé (jamais il n'y a eu autant de malades) au contact d'Agpaoa, peut-être aussi une meilleure capacité de réception font que j'entre en résonance avec le champ vibratoire d'Agpaoa. Ses vibrations modifient les miennes. Le processus se fait suivant une courbe ascendante assez forte, assez rapide, pour que je n'aie pas le temps de les « absorber » de les intégrer. Si bien que je ne me reconnais plus vibratoirement. Lorsque je me retrouve seule, au terme de la séance de travail, quand le vent, la lumière vive, les vibrations de l'entourage ne forment plus de tourbillon vibratoire, j'éprouve l'étonnement de ne plus me reconnaître. Tout se passe comme si mon propre corps avait modifié sa résonance. Je me regarde dans

1. J. P. Tarcer, *Joy's Way*, Los Angeles.

la glace, je suis bien moi, semblable à hier, mais je vibre différemment. Je me souviens alors d'une phrase qui autrefois m'avait frappée dans *Les Hauts de Hurlevent;* la jeune fille disait : « Suis-je moi, suis-je Heathcliff ? » Une telle interrogation me semblait impossible. Aujourd'hui, je me demande : « Suis-je moi, suis-je le reflet vibratoire d'Agpaoa ? » Et chaque après-midi, je fais le point et tente de m'habituer à cette nouvelle résonance. Fort heureusement, le matin, au réveil, j'ai retrouvé mes repères.

J'ai vécu ici tant et tant de phénomènes étranges que j'accepte celui-là, au risque de perdre momentanément mon identité profonde. J'accepte l'expérience avec sérénité ; sachant que la « fréquence » émise par Agpaoa est supérieure à la mienne, l'expérience ne peut m'apporter qu'un gain fréquentiel.

Cependant, je suis un peu agacée par cette dépendance, aussi, le jour où il me propose de faire traduire le livre en anglais et de le faire imprimer en Orient, je refuse net. Mon seul éditeur est Robert Laffont ! Insoumise, indomptable, je m'accroche à ma décision, me prouvant ainsi ma liberté d'action, mon indépendance de pensée.

Pourtant, face à lui sur le plan de l'invisible, je demeure liée par des fils ténus et subtils. Ainsi, en cette fin de matinée, alors qu'une centaine de patients sont déjà passés, je me sens faiblir. Tout à coup, j'ai l'impression que l'on pose sur mon dos et mes épaules une couverture légère, douce, chaude qui apaise mon corps douloureux, éloigne ma fatigue. La sensation est si nette, si précise... et si étonnante que je tourne la tête pour inspecter mes épaules. Ce faisant, je rencontre le regard d'Agpaoa qui à cet instant travaille à la table voisine et auquel je tournais le dos. Et lui me fait un clin d'œil amical, entendu, qui signifie : « Je sais ce qui vous étonne, c'est moi qui vous aide. »

Ce dimanche, délaissant le *healing,* je décide de passer la journée au bord de la mer à Bauang et de prendre le car de 7 h 30. Je ne sais pourquoi, achetant mon billet, je vois qu'il n'est que 6 h 30 ! Comment ai-je pu me tromper d'une heure sans m'en apercevoir plus tôt ?

Le car prend la jolie route qui descend de la montagne vers Bauang. A la fraîcheur du matin et de la montagne succède la chaleur moite de la plaine, et bientôt nous longeons la mer. Quelque chose me pousse à ne pas m'arrêter à Sun Valley où je descends habituellement, et je fais stopper le car beaucoup plus loin. Prenant alors le premier chemin de traverse, j'arrive sur la plage. Plutôt que de laisser comme à l'habitude mon sac à la garde d'une marchande de coquillages, je me surprends à monter d'un pas décidé les quelques marches de la terrasse d'un hôtel inconnu, l'Albatros. M'approchant alors d'une petite table, j'y dépose le sac, commande un café et m'apprête à me baigner.

Une voix derrière moi dit mon nom, c'est Agpaoa !

Que fait-il ici à cette heure ? Il vient, dit-il plusieurs fois par semaine surveiller sa « place » et les travaux qui sont en cours. Ce sera un hôtel, *Acapulco Beach,* où les malades viendront se reposer entre deux séries de traitement et profiter de la mer, de la chaleur et du soleil. Ceux qui ne seront pas en état d'affronter la mer bénéficieront d'une piscine. Ironiquement, il ajoute que je pourrai venir y pratiquer le *magnetic healing...* allusion discrète à mes crises de désespoir d'autrefois, quand on me contraignait à le pratiquer, alors que je voulais demeurer dans la salle des guérisseurs. Tout sera prévu pour assurer détente, calme et joie aux malades.

Il me conseille d'aller me baigner puis de rejoindre son petit groupe de collaborateurs pour partager leur petit déjeuner.

Hormis une conversation le jour de mon arrivée, nous n'avions guère eu de contacts, en dehors de quelques mots concernant une éventuelle traduction du livre. C'est une succession de heureux hasards qui me mène jusqu'ici, dans un moment de détente dont nous bénéficions l'un et l'autre.

A la sortie du bain, il m'installe près de lui, me sert café, jus de fruits, emplit pour moi plusieurs assiettes de viande, poisson, œufs, gâteaux, papayes, mangues, ananas et, malgré mes efforts pour l'en empêcher, il dit : « *Eat, Janine, eat.* »

Je ne sais où donner de la tête.

Il explique à ses collaborateurs qui je suis, ce que je fais, et me présente. Il vient, certes, surveiller le progrès des travaux, mais aussi méditer dans la mer, seul endroit, dit-il, où l'on soit vraiment à l'abri des influences négatives en méditation profonde. Il m'invite à en faire autant. Puis, dans une boutade, dit que mon mari est chirurgien, ne comprend pas le beau travail que je fais ; il ajoute que si je demeurais au sein de l'équipe, il se mettrait à la recherche d'un nouveau mari !...

Enfin, m'invitant à terminer tranquillement mon repas, il

annonce son départ pour Baguio où il doit soigner le groupe de Canadiens à 10 heures ; beaucoup sont trop gros, leur graisse déborde des tables de traitement, il déteste cela et fait la grimace.

Le voyant s'éloigner, je ne peux m'empêcher de m'interroger : est-ce parce qu'il était ici que je m'y trouve aussi ?

Une des règles essentielles à observer en salle de *healing* est l'attitude positive mais aussi la pensée positive. On peut, dans la vie courante, dissimuler ses pensées, sa compassion triste pour un malade derrière quelques sourires, ici, rien de cela n'est possible. Une jeune femme aveugle vient d'entrer, je la considère avec tristesse, sachant qu'elle ne saurait « voir » à l'issue du traitement. Peut-être se sentira-t-elle différente dans son âme si elle sait s'ouvrir, mais elle ne saurait « voir », sa maladie était là dès la naissance, elle n'a jamais vu ! C'est une maladie karmique. Et je m'entends dire : « Si vous n'avez que des pensées négatives à offrir à cette femme, vous pouvez sortir. » Pour celui qui a une réceptivité aiguë des vibrations... je suis transparente.

J'observe ce matin Agpaoa qui travaille. Agenouillé à la tête d'un homme, il élève les bras, joint ensuite les mains, pouce l'un contre l'autre, devant son troisième œil, puis abaisse doucement les mains au-dessus de la tête du patient, s'apprête à travailler et... bâille ! Laisser-aller déplacé, me semble-t-il, dans ce lieu et je me permets de critiquer son geste en moi-même. Tout à coup, je bâille et m'en sens gênée, tout en pensant qu'il s'agit des vertus communicatives du bâillement ; mais celui-ci recommence une autre fois, et encore une autre fois... En même temps, il prend une saveur particulière car il éveille toutes les voies de l'énergie à cet instant sollicitées. Je fais des remarques intéressantes, en particulier en ce qui concerne l'ouverture des voies du méridien de la vessie le long de la colonne vertébrale. En même temps, une merveilleuse sensation de détente m'envahit... Mais à ce sentiment de satisfaction va succéder une inquiétude grandissante, car le bâillement se répète d'une façon tout à fait anormale. J'essaie de le dissimuler, autant que cela m'est possible, à l'assistance. Je n'ose regarder Agpaoa, sachant que je vais lire dans son regard... une certaine moquerie. Je bâillerai anormalement trois jours ! Tout s'arrangera avec le week-end complet que je m'accorde à Bauang. Mais le lundi matin me voit fermement décidée à contrôler mes pensées avec encore plus de soin.

Revenue à Paris et voulant noter sur un atlas d'acupuncture les circuits et relais des énergies mises en jeu par le bâillement, je le provoque, certes, avec facilité, mais il m'est impossible de ressentir les vibrations le long des circuits énergétiques telles qu'elles s'étaient manifestées à Baguio. Seul Tony pouvait m'offrir le privilège d'une telle perception.

C'est au cours de ce cinquième voyage que je découvre avec étonnement ceux qui transitent par Baguio dans l'espoir de devenir guérisseurs. Ils viennent là, s'incrustent dans un lieu ou errent de guérisseur en guérisseur en espérant que l'un d'entre eux leur communiquera le « pouvoir », le *power* qui hantait Francis rencontrée lors du second voyage.

Je me considérais comme une personne bien audacieuse en venant travailler avec Tony Agpaoa qui m'avait dit que j'étais guérisseur et invitée à développer cette qualité. Mais je demeure médusée par tous ceux qui, sans invite et sans don contrôlé, viennent, au prix de grands sacrifices, décidant d'être guérisseur tout comme on devient contrôleur de wagons-lits !

Les aspirants se divisent en deux catégories. On reconnaît rapidement ceux qui viennent en quête d'un truc à l'aide duquel ils pourront « faire de l'argent ». Ils partiront furieux, haineux... Ils n'auront pas compris que le « truc » n'était destiné qu'à provoquer une interrogation qui aboutirait à une quête intérieure, à une réconciliation entre les diverses instances de soi-même. Ils ne savent la puissance du symbole quand il est manipulé par ceux qui sont en relation avec les forces cosmiques.

Et puis, il y a les vrais, les sincères, motivés par le désir d'aider les autres. Là encore, je les considère comme des intrépides s'ils n'ont pas pris la précaution élémentaire d'écrire, d'envoyer une photographie en demandant s'ils sont susceptibles de bénéficier d'un enseignement.

Mais j'ai vu pis encore : ceux qui viennent, regardent et décident, toujours sans interroger le guérisseur (de peur sans doute d'un refus), de revenir travailler, cédant au besoin leur clientèle, emmenant femme et enfants, sans avoir le « don » ! Que veulent-ils, que fuient-ils ? Sur quelles épaules vont-ils se décharger de leur échec ? Celles des guérisseurs ? Celles des patients ? Triste perspective. N'ont-ils pas compris que l'Initiation passait par l'épreuve et l'écrasement de l'ego, par l'interrogation permanente et le doute sans cesse effacé puis recréé ? Je considère avec inquiétude chacun des nouveaux venus qui ne seront sans doute que des passants et qui s'étonnent que Tony Agpaoa ne leur fasse pas fête, tant ils sont persuadés de leur pouvoir caché. Occidentaux, ils s'imaginent que leur progression va se faire à l'aide de quelques cours magistraux... Non, c'est à la dure école de l'expérience vécue, des épreuves surmontées, d'un esprit positif qui recherche patiemment la face positive de chaque déception.

Andy nous arrive en même temps qu'un congrès organisé par Rosita (psychologue américaine) et Tony. Il vendait des journaux, mais toujours il eut envie de soigner, nous dit-il. Ses parents pratiquaient l'assistance sociale. Son grand-père, mort, lui a laissé une petite maison qu'il loue. Avec cet argent, il vivra ici. Il a vendu son petit commerce de marchand de journaux ambulant pour payer son voyage.

Je l'écoute, ahurie par cette histoire. A-t-il été testé ? Non, il ne sait qu'une chose, il veut être guérisseur, guérisseur philippin.

Son regard est si doux, si angélique, sa bonne volonté si grande !

Voici justement Tony. Andy l'accroche au passage et en deux mots lui dit la raison de sa présence.

« Seul le temps dira comment vous évoluez, répond Agpaoa. Assistez à l'enseignement, aux cérémonies, restez dans le jardin pour l'instant. »

Cet accord tout relatif le rend heureux. J'admire sa tranquillité, sa foi, son désir de servir, son inconséquence face aux responsabilités futures, et le sens du temps qu'il possède, à sa façon !

Il déniche une petite chambre pour un prix modique dans une famille, assez loin de Lucnab, aussi se lève-t-il à 4 h 30 le matin si nous commençons de bonne heure. Il marche dans la nuit, une heure et demie, simplement pour avoir le bonheur d'être là, à la place où Tony pose sa voiture et être ainsi vu chaque jour, fidèle au poste. Puis il va assister aux conférences et aux prières, en compagnie des patients.

Ses yeux bleus, son visage doux et paisible, son teint transparent de jeune Anglais, son regard illuminé par un sourire empreint de béatitude et de bonheur émeut, conquiert les malades. Déjà, il les connaît, sait leur parler affectueusement, les réconforter, tenir un langage positif et véhiculer l'espoir.

Il devient un visage familier et aimable des jardins de Lucnab. Souvent, il y demeure la journée entière. Si Tony entre dans le restaurant l'après-midi pour y converser avec ses collaborateurs, il entre, lui aussi, s'offre un café en s'installant juste sous le regard du Maître. Il attend un mot, un verdict. Rien ne vient. Comme j'ai depuis longtemps appris à accepter de sembler invisible aux yeux de Tony, je le tranquillise. Mais il n'a nul besoin de mes encouragements ! Le temps qui passe ne compte pas ! Il attend, confiant. Son impassibilité m'ébranle. Je la compare à mes révoltes, à mes demandes impérieuses, aux drames intérieurs vécus. Lui, avec ses certitudes et son calme, est à l'opposé de ce que j'étais au temps des premiers voyages. Il est beaucoup plus mûr. Nous ne sommes pas faits du même tissu.

Si parfois nous remontons ensemble la côte de Lucnab sous l'ardent soleil, il me dit combien son endurance s'accroît et sa santé s'améliore. Tout réjoui à l'idée qu'ainsi il transmettra mieux l'énergie le moment venu, il accélère encore l'allure sur cette côte raide et superbe. Un pas derrière lui, je tente de lui suggérer d'apprendre un peu d'acupuncture pendant ses longues heures de liberté. Je parviens même à l'entraîner vers la librairie pour lui indiquer les meilleurs livres... Non, il n'est pas là pour vivre à l'occidentale et apprendre dans les livres, mais pour développer ses qualités intérieures, méditer, accroître son magnétisme, sa médiumnité, développer sa spiritualité. D'ailleurs il travaillera, tout comme Tony le fait, avec une équipe médicale quand il retournera en Angleterre.

Je demeure confondue devant un tel esprit de décision.

Comment se fait-il que je ne sois pas persuadée d'être guérisseur, malgré les avertissements de Tony et son invite à travailler avec lui ? Comment se fait-il qu'Andy soit si sûr de son *power,* alors qu'il n'est qu'en observation ? Cela tient-il à la réalité, à l'espoir, aux sentiments, aux convictions secrètes et inexplicables ? Suis-je trop sceptique, est-il trop sûr de lui ? Toute connaissance médicale est-elle inutile ?

Pourtant les assistants de Tony sont assez bien informes : une malade se plaint d'une douleur dans la fosse iliaque droite, et, avant d'agir sur la douleur, Linda part à la recherche du chirurgien, le Dr Ramos qui vérifie qu'il ne s'agit pas d'une appendicite. Tony Agpaoa, devant un malade porteur de problèmes respiratoires, lui conseille de s'installer à Lucnab plutôt qu'au Diplomat situé à plus haute altitude et lui explique les raisons médicales de ce choix.

Si je ne suis pas guérisseur, j'aurai fait un chemin, développé des facultés nouvelles, et je possède un métier. Mais si Andy n'est pas guérisseur, sera-t-il armé pour la vie occidentale en sortant d'ici ? Je me rassure en considérant le fait qu'il aura vécu une période intéressante et fait lui aussi un bout du chemin

Un mois environ après son arrivée, Andy s'approche, plus heureux et réjoui que jamais, alors que le *healing* s'achève. Tony, ce matin, en sortant de sa voiture, lui a fait signe d'entrer dans la salle d'attente, en disant : « *Only that.* » Il a donc passé la matinée dans la salle d'attente, apprenant des chants en compagnie de Lita, la chanteuse, et du guitariste, l'un et l'autre affectés aux offices. Ils viennent ensuite entonner des mantras spirituels en compagnie des malades qui attendent.

Andy est aujourd'hui le garçon le plus heureux du monde, il a vaincu l'épreuve du temps avec simplicité, oubliant aisément le rythme de vie accéléré des Occidentaux pour lesquels le temps est de l'argent.

Huit jours plus tard, il pénètre en salle de *healing*, et c'est un grand bonheur. Je le quitte quelques semaines plus tard en l'avertissant que bien des épreuves vont se présenter, mais que chacune supportée et dépassée lui fera connaître une nouvelle vérité.

Je n'ai rencontré que peu d'expériences réussies par des élèves guérisseurs, que les Maîtres en soient Tony, Placido, Joséphine, en regard du nombre de postulants. Alors que l'opinion publique et le sujet en quête de « pouvoir » s'obnubilent sur la matière et le sang qui surgissent sous les doigts du guérisseur, (en en donnant les versions les plus extrêmes), très vite l'élève doué fait passer cela au second plan et ne s'y attarde plus guère, tant sont fortes les autres impressions : celles de nouvelles dimensions de soi-même qui s'éveillent, un changement des notions de la vie, de la mort, de l'éternité, de la renaissance, une prise de conscience de l'Unité cosmique.

Nous apprenons à vivre nos difficultés avec un nouvel état d'esprit. Beaucoup plus souvent qu'autrefois, nous en faisons quelque chose d'utile et de positif. Car en même temps que l'épreuve nous arrive l'aide sous la forme d'un signe d'Ailleurs. Ce signe d'Ailleurs pourrait être nommé par certains « phénomènes parapsychologiques spontanés et personnalisés ». Ces phénomènes appartiennent à l'invisible et peut-être à l'indicible. Ce sont des clins d'œil de l'Ailleurs. Et si nous nous rencontrons, c'est de cela dont nous parlons et seulement de cela, entre gens qui ont un vécu commun.

Ce phénomène est connu de quelques-uns de mes patients, ceux qui sont « éveillés », il est bien distinct des hallucinations et des changements de plans de conscience non maîtrisés. Et tous s'extasient sur la merveilleuse impression que laisse ce « signe d'Ailleurs », cette main qui guide et qui « fait » pour vous ce que l'on n'aurait osé rêver faire.

Pour définir le phénomène en termes connus, il faut intégrer l'inconscient au conscient.

Mais revenons au cinquième voyage.

J'avais signalé à Tony, dès mon arrivée, les oppositions médicales secondaires à la parution du livre *Médecin des Trois Corps* — oppositions strictement françaises et non francophones —, et lui disais combien cette atteinte à la liberté de penser m'avait choquée.

« Laissez faire le temps, vous êtes trop pressée, vous ne comptez pas assez avec le temps, il est avec vous. La force du temps est plus grande que vous ne le croyez. Et puis, respectez les croyances de chacun, ne tentez pas de prouver que vous avez raison à des esprits qui ne sont pas préparés à recevoir la vérité ; vous les agressez. N'oubliez pas que vous êtes guérisseur. Un guérisseur ne doit pas agresser les esprits. Il doit savoir reconnaître le niveau de chacun et s'adresser à lui selon son développement. Un guérisseur doit savoir donner à chacun ce qu'il est en mesure de recevoir. Il faut adapter votre langage au niveau d'évolution de chacun, et chacun est différent. Respectez les croyances et les opinions d'autrui et gardez surtout votre calme intérieur dans toutes les circonstances, car le temps est votre allié. »

C'est une invite à la remise en question non seulement de tout thérapeute mais aussi de tout chercheur, de tous ceux qui publient des travaux. Dans le domaine religieux, cette attitude suppose l'abandon du système de conversion si longtemps pratiqué au détriment des petits Chinois et des Africains. Cela suppose l'apprentissage d'une tolérance qui ne nous a pas été inculquée. Les guerres de religion deviennent puériles...

Durant les nombreuses heures de marche qui mènent du Diplomat à la ville, de la ville à l'ashram, j'ai beaucoup réfléchi...

Pour quelles raisons l'égalité n'existe-t-elle pas ?

Le courrier reçu après la publication de l'ouvrage précédent m'a bien montré que des lecteurs de milieux très différents m'ont comprise. Cela est sans rapport avec le niveau d'instruction ou de culture, mais plutôt lié au degré d'ouverture sur un monde indépendant des idées apprises et toutes faites...

Le développement de l'individu est distinct de l'intellect. L'intellect se développe à l'école et à la faculté où l'on ingurgite ce que des instructeurs nous restituent après l'avoir ingurgité eux-mêmes. Mais le développement personnel est le résultat d'une prise en charge de soi par Soi, d'un travail personnel par la seule réalité vécue. Au cours de mes marches solitaires, je commence à faire la part de l'Être et de l'avoir, de l'Être et du paraître, de la Connaissance et du savoir.

Les *media* voudraient nous faire croire que le summum de l'évolution est fonction de la beauté et du vedettariat, de l'honorabilité et du compte en banque, des décorations politiques et du pouvoir qui en découle, des titres hospitaliers et de la direction d'un grand service... Mais, bien que peu portée vers la philosophie, quelques grippages me sont apparus dans ce système-là.

L'idée de la réincarnation me paraît résoudre toutes les incongruités apparentes de l'existence. Suivant le nombre d'incarnations vécues, le sujet considéré possède un acquis porté par les corps subtils qui est capable de réapparaître sous la forme de « facilitations ». Les qualités les plus subtiles se développent en dernier. L'éducation agit sur l'intellect et nous transforme en animaux conditionnés mais pas évolués.

Les surdoués, les génies pourraient être des êtres ayant un long passé. Les « ratages » correspondraient aux premiers essais, l'épanouissement surviendrait après une succession d'essais.

Tout cela était déjà connu de moi, mais n'était pas énoncé, pas analysé. Agpaoa me le révèle à partir de son point de vue de guérisseur. Mais il faut plusieurs vies pour comprendre ce qu'est la vie, et bien des évidences n'ont pas encore émergé à la surface de mon conscient.

L'expérience de la vie consiste à intégrer l'inconscient dans le conscient, à se défaire de solides contresens bien ancrés dans nos têtes par l'éducation, à trouver la voie de la réalisation de son unité.

A cet égard, notre religion judéo-chrétienne s'oppose à la conception orientale qui prône le retour vers l'Unité par toutes les techniques, y compris l'acte sexuel qui, loin d'être considéré comme d'inspiration satanique, voit, dans l'action de s'unir en s'aimant, le symbole de l'union de nos principes féminin et masculin. Mais cette union doit porter sur les plans subtils, ce qui lui confère un caractère sacré. C'est l'union de Śiva et de sa Shakti, de l'aspect manifesté à l'aspect non manifesté de l'univers qui confère à l'acte sexuel sa valeur, l'oppose à l'ascétisme et vaut à la femme un rôle important sur le plan du mythe, de la piété (la vierge est vénérée dans les temples aussi bien que la déesse mère).

Le principe tantrique est que l'homme fait de réels progrès non en s'astreignant à la frustration, en refoulant ses instincts naturels, mais en les sublimant. Ainsi l'homme passe de l'empire des sens à celui du divin. Il est sur terre pour surmonter les oppositions qui se présentent entre ses devoirs terrestres et son aspiration à la libération.

Chaque vie nous contraint, au travers des épreuves, à une remise en question qui nous mène vers la réalisation de nous-même.

Qu'advient-il à l'intellectuel qui ne s'accroche qu'au savoir appris pour résoudre ses difficultés ? Ce qui m'est arrivé ! Quand le destin frappe, il faut s'extraire péniblement de ce corps de glaise, dans l'effort et la douleur, pour s'éveiller. A moins que, ratant dans cette vie le départ, on s'embourbe, définitivement englué par l'effet de drogues... légales. L'usage exagéré des drogues durant les périodes de crise nous fait passer dans une indifférence artificielle ce temps de la sensibilisation. Éveillés par les excitants, défaits de l'angoisse par les tranquillisants, menés vers le sommeil grâce aux hypnotiques, l'individu ne se connaît plus, ne s'appartient plus. Et pourtant ces masques de l'âme qui lui sont offerts sont présentés comme des progrès de la science... science sans conscience... Et si l'on ne peut nier l'intérêt de certains médicaments attribués avec parcimonie et à propos, ne faut-il pas croire à l'homme avant de croire à la science ? Car « science sans conscience n'est que ruine de l'âme ».

# 11

# Le vécu des corps subtils

C'est au cours du cinquième voyage que j'ai réellement authentifié mon second corps. Lequel, fluide, mobile, capable de vibrer sur des registres différents, reconnaît un centre de gravité qui varie en fonction de la hauteur de résonance vibratoire. Ce centre de gravité reflète en quelque sorte un niveau de sonorité.

Le travail sur moi-même, pratiqué dans de bonnes conditions climatiques, au cours de longues marches au soleil, en altitude, l'ambiance amicale, positive me permet de concevoir cette entité comme un tout équilibré et harmonieux. L'étude du corps subtil des patients m'en fera découvrir les dysharmonies.

Si cette prise de conscience me donne l'impression d'avoir une existence pleine, cohérente, Tony Agpaoa sait m'en faire découvrir la face négative, le revers de la médaille : l'état de transparence.

Sensation opposée à la précédente mais sans doute complémentaire, elle présuppose l'acquisition de la sensation de non-existence de soi, d'appartenance à l'ambiance vibratoire. Cet état de transparence nous met en communication avec ce qui est proche. Ce vécu est agréable dans la solitude de la nature : je suis dans la mer et je suis la mer, confondue avec elle ; je suis contre l'arbre et ses vibrations deviennent miennes ; yeux fermés, je le vois assumant la respiration de la terre ; la relation peut être encore plus lointaine, avec l'ambiance lumineuse dont on capte les forces.

Mais cet état me laisse aussi sur un goût de frustration, de non-existence, de vulnérabilité face aux agressions vibratoires externes en rentrant de Baguio. Comment conserver ces deux acquisitions, comment les laisser évoluer parallèlement et sans risque ?

M'éveillant un matin, j'éprouve une sensation de joie intense. Chose inhabituelle dans le cadre parisien... mais quotidienne à Baguio !

Goûtant cette délicieuse sensation... l'apprenant par cœur... espérant savoir la faire renaître à volonté, je pars à la recherche de souvenirs pouvant la faire revivre... et me retrouve bien des années plus tôt petite fille, en compagnie d'une cousine, de sept ans mon aînée, m'enseignant toutes les chansons qu'elle connaît. Chanter est donc synonyme de bonheur. Peut-on retrouver cette sensation en chantant ? Convenons-en, je n'ai pas chanté depuis des années. Une tentative me permet de sentir que les vibrations vocales entraînent une répartition nouvelle de l'énergie.

Le phénomène est suffisamment fort pour que je souhaite l'explorer sérieusement. Une visite à Henri Legay (nom prédestiné), chanteur d'opéra qui fut vedette du théâtre de la Monnaie de Bruxelles... Je lui explique mon problème, ajoutant que je serai certainement chanteuse d'opéra dans ma prochaine vie et qu'il me semble nécessaire de commencer à travailler dès maintenant...

Nous débutons un travail de physiologie vocale et de technique d'émission des sons. Une sensation de reconquête de moi-même accompagne ces exercices. Par un travail musculaire, respiratoire, un travail de maîtrise de soi, j'apprends à choisir un niveau vibratoire, à le tenir, à le modifier. C'est un travail sur le second corps par le truchement de résonances vocales. Ces leçons m'apportent la joie.

Faisant alors le point, je conçois les hypothèses suivantes :

— Je suis composée d'un corps physique que j'entretiens par l'exercice.

— Mais aussi d'un corps énergétique me donnant cette impression de corps fluide. Porteur d'un centre de gravité mobile, le chant m'apprend à en repérer le niveau vibratoire.

— Enfin je sais entrer dans cet état de « transparence » permettant de se fondre avec le milieu ambiant et qui est peut-être un avant-goût de l'appartenance à l'Unité.

Mais demeure le problème du yoga !

Inscrite à mon premier séminaire de yoga en 1980, je fus éveillée quelques jours avant la date prévue, en pleine nuit, par une main invisible qui secouait violemment mon épaule et j'entendis la voix d'Agpaoa qui m'intimait l'ordre de ne pas faire de yoga : « *No yoga...* »

Je voulus récidiver l'année suivante, mais un guérisseur philippin de passage à Paris me demanda l'hospitalité de ma maison de campagne, et je fus contrainte encore une fois, d'annuler cette participation au séminaire. Un peu avant la disparition d'Agpaoa, il me fut possible de pratiquer le yoga. Et je m'interrogeais alors sur le pourquoi de l'interdiction.

Le mot yoga est dérivé de la racine sanskrite *yuj* qui signifie joindre, unir. Ainsi, yoga signifie l'union de l'âme individuelle avec l'âme universelle ou, dans le langage des upanishads, avec l'incréé. Au niveau « supérieur » de la technique, on doit donc retrouver cet état de « transparence » qui permet la mise en communication avec toute vibration ambiante. Pourtant dans la pratique *élémentaire* intervient tout d'abord le contrôle des mouvements, attitude opposée à la transparence. Dans la mesure où tout m'avait contrainte dans la vie passée à me dominer, à combattre mes désirs profonds, à dompter mes impulsions sous la pression du métier autant que des responsabilités familiales, le yoga dans sa pratique élémentaire comportait peut-être un risque. J'étais, par rapport au symbolisme du char, fixée au niveau des rênes depuis trop longtemps... Il avait donc été nécessaire de passer par une autre voie pour évoluer, pour lâcher prise.

J'ai eu conscience, au cours des premières leçons, d'intellectualiser et de reconnaître dans chaque mouvement le courant énergétique correspondant à chaque méridien d'acupuncture mis en cause. Ce qui est bien quand on débute dans l'art de percevoir l'énergie, mais qui ne l'était pas pour moi ; je risquais de me trouver immobilisée dans des considérations intellectuelles.

Tony Agpaoa a toujours œuvré pour que je puisse acquérir un « lâcher prise », bien difficile à conquérir pour une intellectuelle occidentale, imprégnée trop longtemps de nos coutumes et de nos contraintes.

« *You'll find your way* », m'avait-il dit. J'avais, au retour du second voyage, établi un protocole de travail destiné à trouver mon chemin au milieu de toutes les contradictions représentées par ma double formation de médecin hospitalier et de guérisseur ! Je m'y étais tenue en tout point. Le plus inattendu était le soin que je devais prendre de ma santé.

Si l'écriture permet de partager des idées avec des milliers de lecteurs et de participer à leur éveil, soigner est tout autre chose. C'est partager ses énergies avec le patient, inventer pour chacun une conception nouvelle de la maladie (car je ne vois que les échecs thérapeutiques). L'efficacité tient à la « forme », car l'attitude intérieure est bien différente de celle de la médecine « apprise » dans laquelle on est seulement invité à savoir tirer le « bon tiroir », technique à laquelle les étudiants sont brillamment entraînés par la forme qu'ont pris les examens de médecine.

Les chapitres qui vont suivre vont permettre au lecteur de se faire une idée de ce qu'il est possible de constater au cours de l'examen du corps subtil et de découvrir son organisation autant que les processus de désorganisation. On pourra également apprécier sous un jour nouveau l'effet thérapeutique du guérisseur, personnage incompris, contesté par les gens dits sérieux mais farcis d'opinions toutes faites, sans fondement vérifié.

Je crains que le corps médical et paramédical classique ne puisse immédiatement assimiler, donc accepter, ces données qui remettent trop d'idées conventionnelles en question. Dans dix ou vingt ans, sans doute, cela sera possible et deviendra une évidence. Aujourd'hui, les acupuncteurs, certains homéopathes, tous les auriculothérapeutes, les ostéopathes[1] mais aussi les professeurs de yoga, les esthéticiennes et bien entendu les guérisseurs et radiesthésistes sauront me suivre. Nous accepterons donc l'idée que le corps énergétique peut être conçu comme une entité vivante, mobile, porteuse de sensations, capable d'être agressée, susceptible de se fracturer, de se déplacer.

Physiologiquement adhérent au corps physique, il peut s'en trouver détaché, expulsé, ne tenant plus alors que par un ancrage... ou plusieurs... qui seront des zones de souffrance. Les occultistes parlent de la « corde d'argent » qui est un

1. Andréa Duval, *Introduction aux techniques ostéopathiques,* Maloine éd.

lien; sans doute y a-t-il une relation entre cette « corde d'argent » et mes points d'ancrage.

Les occultistes pensent que la corde d'argent relie le corps dit astral au corps physique lors du « voyage astral », lequel permet, après bilocation, de s'éloigner du corps « ordinaire » pour voyager à distance. Les marabouts d'Afrique du Nord sont célèbres et experts en la matière. Si pour une raison quelconque la corde d'argent se trouve endommagée, la mort s'ensuit.

Lors de mes premières perceptions suprasensibles, ce que j'appelais « lieu de perte d'énergie » était en fait le lieu d'adhérence du corps énergétique au corps physique, je percevais ce lieu d'échanges intenses sous mes mains à la façon dont on peut percevoir des bulles de champagne. Mais, à cette époque, il ne m'avait pas été donné de prendre le recul suffisant pour explorer dans son ensemble notre double. Lequel peut se trouver spontanément à une distance variable du corps visible. L'expression courante « être mal dans sa peau » (ou encore « être à côté de ses pompes », « être à plat ») est bien le reflet d'un éloignement de ce corps énergétique exprimé d'une façon imagée dans la vie quotidienne. Le guérisseur, nous le verrons, est capable, simplement par sa force électromagnétique, en imposant les mains, de ramener ce corps énergétique vagabond au contact du corps physique. Le patient vit cela intensément : dans la plupart des cas, il sent qu'une chaleur l'habite, souvent qu'un bonheur intérieur fait place à l'angoisse qu'il vivait. Ceci explique la bonne fortune des guérisseurs auprès des gens simples qui s'en tiennent au vécu plus qu'aux théories. « Qu'importe ce qu'il est dit des guérisseurs, ils me font du bien. » L'éloignement du corps énergétique correspond à une petite mort et son rapprochement à une petite résurrection, et c'est bien ainsi que la chose est souvent vécue : les forces reviennent, l'impression d'être « regonflé » par cette présence à soi-même est ressentie

Ce corps subtil est certes fait du *prana* qui est l'énergie cosmique ambiante, mais aussi des vibrations de l'entourage proche ou moins proche, des pensées du patient, des pensées de son entourage. Cette notion explique l'importance que Tony Agpaoa attachait aux pensées positives, et les inconvénients des pensées négatives qui nous assaillent et nous détruisent un peu plus chaque jour par la voie de la presse et de la télévision. Fort heureusement la vulgarisation du magnétoscope permettra sans doute à chacun de se construire des programmes heureux...

Le corps subtil peut être décollé uniformément de sa base physique sur toute une surface : une moitié, droite ou gauche, a rompu ses amarres (1). La section est sagittale. On se trouve en face de perturbations qui ont pour origine des troubles de latéralité. Ils ne sont pas encore identifiés d'une façon convenable par la médecine classique, mais l'inventeur de l'homéopathie, le génial Hahnemann, les connaissait. Il avait décrit l'action de certains médicaments en fonction de la latéralité.

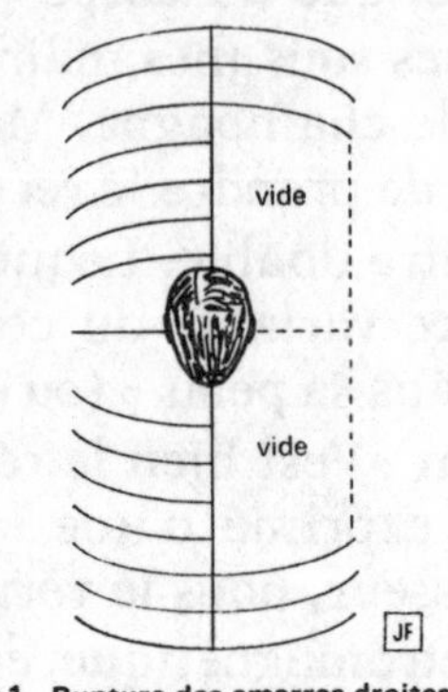


**N° 1 Rupture des amarres droites.**

La section peut être horizontale (2) et diviser en deux l'individu. Le haut et le bas du corps énergétique sont à distances variables, dans l'invisible, du corps physique.

La section peut être frontale (3). Alors, les parties antérieures et postérieures sont à des distances variables du corps physique qui est le point de référence.

Les divers types de section peuvent s'associer, le corps énergétique est alors divisé en autant de parties (4).

On imagine aisément le mal à vivre qui peut en découler.

Ces deux corps glissant l'un sur l'autre, des phénomènes de translation latérale (5) peuvent apparaître, le corps énergétique se trouvant à côté du corps physique et « le regardant comme un frère ».

On assiste parfois à des phénomènes de rotation, la tête de l'un se trouvant aux pieds de l'autre (6).

J'ai observé le phénomène de la « bulle ». Le corps énergétique se trouve en quelque sorte condensé en une bulle à distance

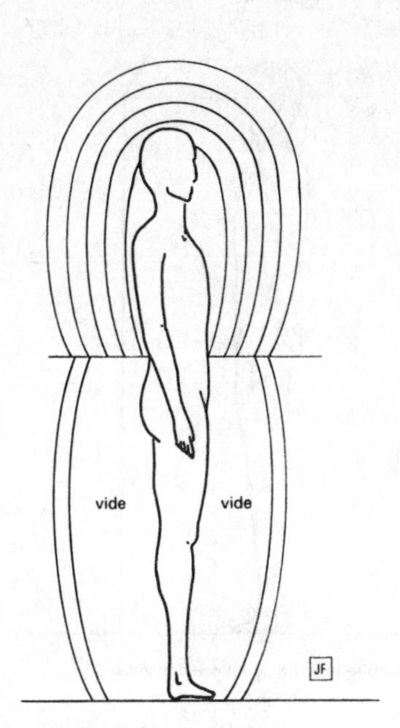


**N° 2 Section horizontale.**

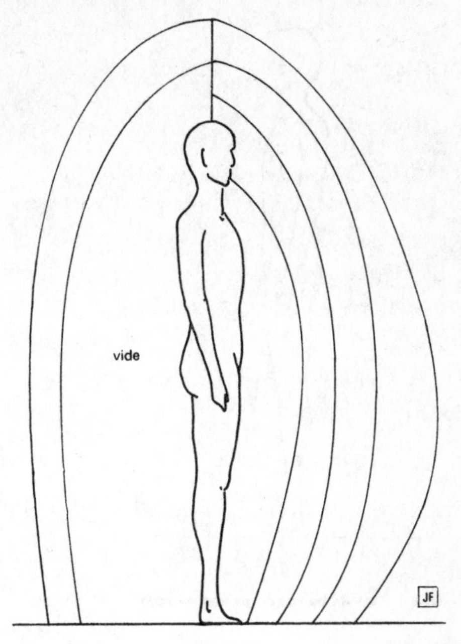


**N° 3**

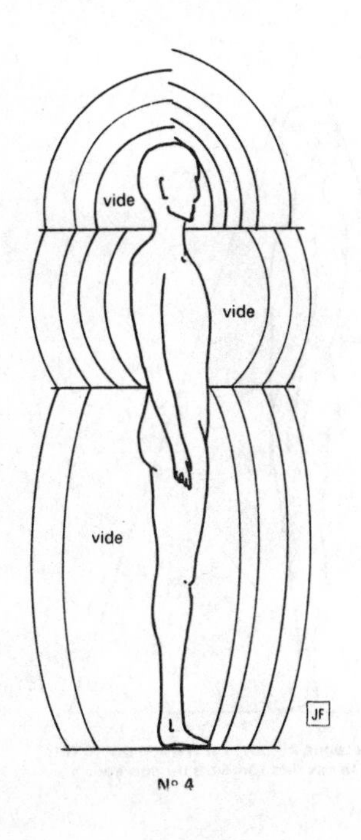


**N° 4**

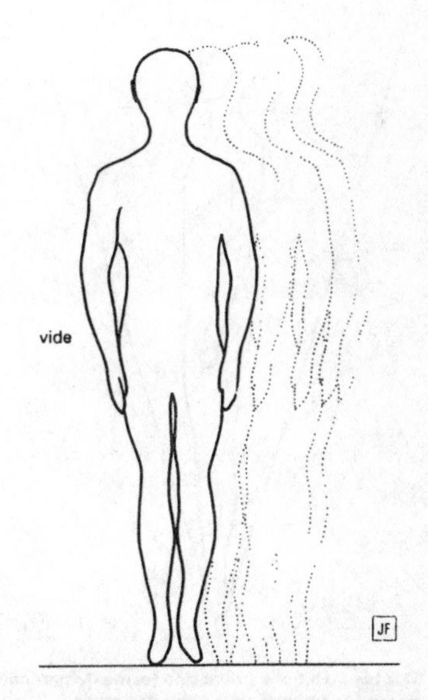


**N° 5 Translation latérale du corps énergétique**

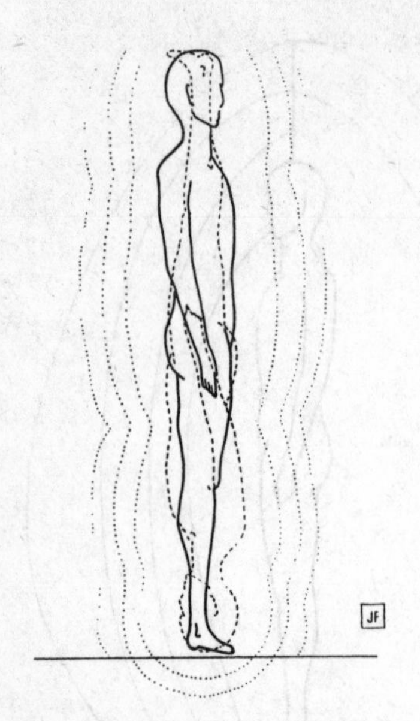


N° 6 Tête en bas du corps énergétique.

N° 7 La bulle retenue au niveau des yeux.

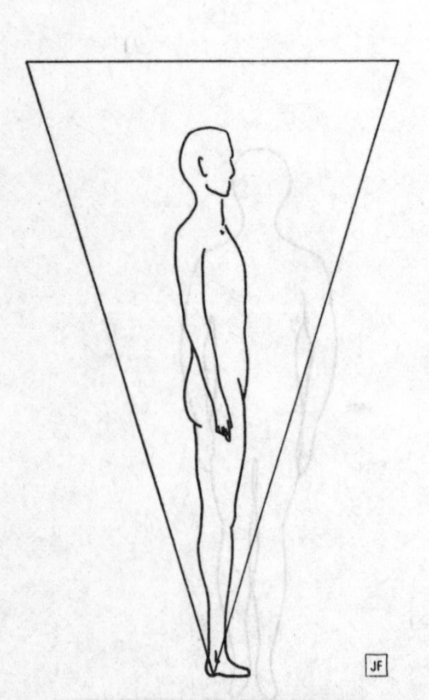


N° 7 bis La bulle prend une forme de pyramide, retenue au niveau des pieds.

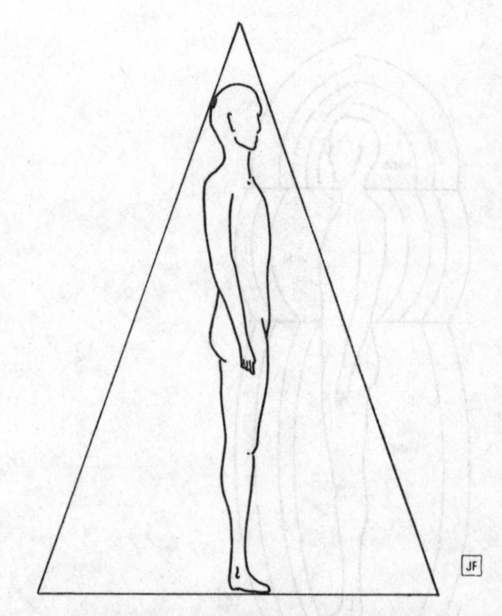


N° 7 ter La pyramide retenue au corps physique par la tête. C'est souvent le cas des tumeurs du cerveau.

du physique. Cette distance peut atteindre jusqu'à un mètre. Gare à la région par laquelle le lien persiste ! (7, 7 *bis*, 7 *ter*). S'il s'agit des yeux, on se trouve devant des affections irrécupérables par l'ophtalmologie classique. Mais en réunissant corps énergétique et corps physique avant que les dégâts ne soient irrémédiables, on assiste à des récupérations impressionnantes. Corps énergétique et corps physique étant coaptés l'un à l'autre, le travail est-il terminé ? Non, il faut maintenant régulariser les couleurs de la lumière.

En feuilletant certains livres d'occultisme que m'ont envoyés des lecteurs, je peux observer que ce que l'on décrit comme « aura » est un ensemble de couleurs perçues visuellement par les médiums. Ces couleurs sont à réorganiser. Mon approche personnelle n'est pas visuelle mais bien tactile et symbolique.

Ainsi tout se passe comme si chaque couleur (chaque niveau vibratoire) occupait d'une façon privilégiée une région particulière du corps : la couleur 1, par exemple, occupe le volume des pommettes, la couleur 2 celle du front, la 3 la région du tronc, etc. (8). Il faut reconstituer ce puzzle de la lumière.

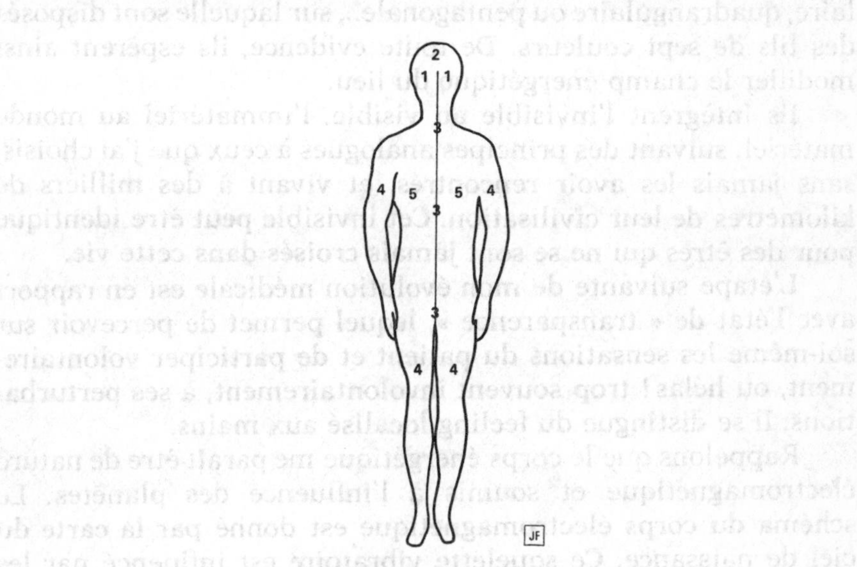


N° 8 Une couleur de l'arc en ciel occupe une zone déterminée du corps.

En outre, chaque couleur correspond à une fonction particulière. L'idée n'est pas neuve puisque les Chinois savaient que leurs méridiens d'acupuncture avaient une équivalence plus au niveau de la fonction que de l'organe. Ils avaient dépassé la notion anatomique du corps et la conception analytique de la médecine. L'homme était un tout.

Le corps physique étant entré en coaptation avec le corps énergétique, ce dernier, véritable corps de lumière, doit être maintenant réorganisé dans son intimité, soit dans les sept couleurs, puis mis en harmonie par rapport aux saisons, c'est-à-dire en accord avec le temps qui passe : les 5 saisons chinoises.

Ces repères me semblaient logiques, mais peut-être n'étaient-ils que les témoins d'une convention personnelle entre l'invisible et moi-même... Cependant, en visitant les monastères tibétains, j'ai constaté avec émotion qu'ils étaient toujours construits de cinq étages et que les artistes entouraient les reproductions précisément d'un arc-en-ciel fait des sept couleurs. De plus, les lamas médecins placent sur le toit de la maison du malade des objets qui ressemblent à des antennes de formes variables construits à l'aide d'une armature de forme triangulaire, quadrangulaire ou pentagonale... sur laquelle sont disposés des fils de sept couleurs. De toute évidence, ils espèrent ainsi modifier le champ énergétique du lieu.

Ils intègrent l'invisible au visible, l'immatériel au monde matériel, suivant des principes analogues à ceux que j'ai choisis, sans jamais les avoir rencontrés, et vivant à des milliers de kilomètres de leur civilisation. Cet invisible peut être identique pour des êtres qui ne se sont jamais croisés dans cette vie.

L'étape suivante de mon évolution médicale est en rapport avec l'état de « transparence », lequel permet de percevoir sur soi-même les sensations du patient et de participer volontairement, ou hélas ! trop souvent involontairement, à ses perturbations. Il se distingue du feeling localisé aux mains.

Rappelons que le corps énergétique me paraît être de nature électromagnétique et soumis à l'influence des planètes. Le schéma du corps électromagnétique est donné par la carte du ciel de naissance. Ce squelette vibratoire est influencé par les transits planétaires, et tout particulièrement au moment où ceux-ci transitent la position des planètes de naissance.

Rappelons aussi que, pour Agpaoa, le guérisseur est l'intermédiaire entre le ciel et la terre et qu'il est transmetteur d'énergie. Il est ce ruban qui unit l'étage supérieur du temple tibétain à l'étage inférieur, après avoir transité à chacun des cinq niveaux.

Pour avancer dans mes recherches, il m'a fallu me dépouiller de la fausse honte du médecin pratiquant à la façon du guérisseur et accepter de balayer l'espace entourant le corps du patient de la main.

Alors je découvre le corps énergétique, et je vis des moments étonnants.

Une de mes premières expériences fut la suivante :

Une jeune femme de vingt-six ans, professeur, dépressive depuis deux ans, souffre de maux variés, fréquemment rencontrés dans les états dépressifs : vertiges, oppressions, nausées, douleurs précordiales, douleurs d'estomac, entérocolite, douleurs vertébrales, fatigue intense, tristesse infinie, absence de concentration...

A l'examen, les constantes énergétiques auxquelles je me réfère sont totalement en désordre. La fragilité de cette jeune femme m'incite à pratiquer un simple massage manuel de l'oreille et à poser une seule aiguille. Quand je perçois, sur moi, qu'il se passe quelque chose d'anormal. Toutes mes énergies se bousculent ! J'enlève l'aiguille, prends ses mains, masse son plexus solaire. A cet instant, une étrange lourdeur m'envahit, mes mains se trouvent plaquées sur son plexus solaire et mes pieds fixés au sol, comme si je reposais sur des semelles de plomb ! En même temps, la malade annonce péniblement qu'elle a bien des difficultés à parler, qu'elle devient lourde, se sent plaquée sur la table d'examen et ne peut même pas soulever les bras !

Aussi interdites l'une que l'autre par la brutalité d'apparition et par le caractère peu ordinaire du phénomène, nous échangeons, par bribes de phrases, nos impressions. Elle récupère, morceau par morceau, segment par segment, son poids normal apparent. Parallèlement, je perçois ses propres sensations sur moi-même. Quand elle a récupéré, je peux enfin, à mon tour, soulever mes pieds du sol.

Elle se sent libre, heureuse, délivrée de ses angoisses.

Très impressionnée par ce phénomène (je n'avais pas encore l'expérience des phénomènes médiumniques), j'ai tenté pendant longtemps de comprendre ce qui s'était passé. J'ai probablement participé à la récupération brutale de son corps énergétique par son corps physique, car, souvent, les malades annoncent une sensation de lourdeur qui s'installe passagèrement au cours des soins.

Mon magnétisme personnel est probablement à la base de cet appel des énergies. J'imagine qu'une « coiffe énergétique » suspendue au-dessus de nous s'est brutalement abattue sur nous, nous donnant cette sensation de pesanteur étrange.

Une solution, pour comprendre : attendre la répétition des phénomènes pour les analyser et les expliquer, car je me refuse à prendre connaissance de la littérature ésotérique afin d'être neuve, sans idée préconçue. Seule l'expérience vécue devient mon guide, tout ce qui traîne dans la littérature à ce sujet me semble suspect.

La rencontre d'un enfant de dix ans qui se tape la tête contre les murs, qui veut se tuer tant il a peur des visages hideux qui apparaissent devant ses yeux va pourtant me contraindre à faire appel à ce que je considère alors comme des histoires à dormir debout... le bas-astral dans lequel se traîneraient des âmes non évoluées.

Cet enfant s'empêche de s'endormir, car les visages hideux et déformés apparaissent essentiellement le soir au coucher, parfois aussi dans la journée. Aucune thérapeutique ne l'a jusque-là aidé. Je sais déjà, à ce moment, que la réincarnation existe, que nous ne descendons pas du singe, mais des cieux. Peut-être que les corps subtils de cet enfant ne sont pas encore bien descendus, peut-être traînent-ils encore dans le bas-astral. Cherchant à percevoir son corps énergétique, je le retrouve, très haut, à bout de bras, mes mains le rencontrent. Alors, n'ayant rien à faire perdre à ce pauvre enfant, j'empoigne ce que je sens mais ne vois pas et souhaite le faire redescendre jusqu'au physique (9). Je sens qu'il est descendu, pose deux aiguilles et attends.

Alors que les diverses thérapeutiques psychiatriques ou la psychothérapie étaient demeurées sans effet, je constate, huit jours plus tard, que tout va bien. Les hallucinations ont disparu.

Cette observation me conforte dans l'idée que ce corps subtil est une individualité bien vivante. Ce corps-là est mobile, manipulable par la main d'un guérisseur (à cet instant je m'accepte provisoirement guérisseur), ce qui nous confère une aisance thérapeutique inattendue.

Les chamans, dit-on, vont chercher les âmes de ceux qui les ont perdues, leur apportant ainsi la guérison.

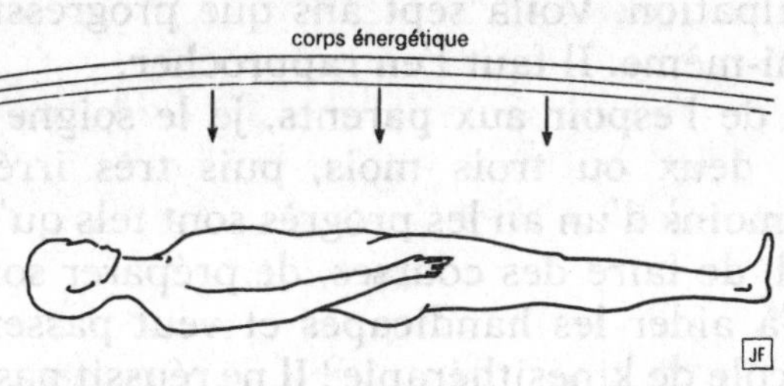


N° 9 Comment se présente le corps énergétique qu'il faut abaisser.

Les troubles de ce petit garçon remontent à sa plus tendre enfance. Peut-être n'avait-il donc pas terminé son incarnation.

A l'inverse, au cours des souffrances fœtales, on peut imaginer que le processus d'incarnation s'interrompt et que s'amorce même un processus de désincarnation. Ce qui explique la difficulté de récupération de ces enfants qui ne sont ni tout à fait morts ni tout à fait vivants. J'en examine quelques-uns, et toujours dans leur thème se retrouve un aspect de destruction affectant la maison I qui symbolise le corps physique.

Mes suppositions, mes hypothèses de travail me semblent à moi-même relever de la plus haute fantaisie, mais si là était l'explication de l'inexplicable ?

Le corps énergétique du petit garçon n'était jamais vraiment descendu, il était demeuré dans le second monde, dans le monde où règne la puissance du symbole.

Mais on me confie un autre garçon de vingt-huit ans, bouche ouverte, langue pendante, incapable de sortir seul ou d'assumer la moindre activité.

Dans les antécédents, on retrouve une chute au lycée : un saut périlleux mal réceptionné. Les troubles se sont peu à peu constitués depuis cette époque.

Il est soumis à une thérapeutique anti-comitiale.

Il parle... tenant des propos variés ; ses parents, confus de ces propos, lui demandent de se taire, tout paraît incohérent. Mais ce qu'il dit m'intéresse. Il s'exprime en symboles, énonçant des vérités premières.

Ce n'est pas un délire, c'est une conversation sur le mode symbolique. Il est dans mon second monde, happé par la puissance du symbole. La chute a détaché, au niveau de la tête, son corps subtil qui progressivement s'éloigne... ainsi que le montre la palpation. Voilà sept ans que progressivement il se détache de lui-même. Il faut l'en rapprocher.

Donnant de l'espoir aux parents, je le soigne une fois par mois durant deux ou trois mois, puis très irrégulièrement. Pourtant, en moins d'un an les progrès sont tels qu'il est capable de sortir seul, de faire des courses, de préparer son repas, il va même jusqu'à aider les handicapés et veut passer un examen d'entrée à l'école de kinésithérapie ! Il ne réussit pas son examen, mais comme il aime toujours l'exercice physique, il pense devenir professeur de yoga et masseur ! Je suis la première étonnée que mes hypothèses de travail se révèlent si fructueuses. Fort heureusement, je travaille dans la solitude, n'ayant de comptes à rendre à personne ni à me justifier devant autrui, nul ne peut bloquer ma recherche en me disant que mes hypothèses sont folles. Je me dis parfois à moi-même qu'elles sont originales... mais confirmées par l'expérience vécue, et je continue l'exploration de ce second monde.

Mais quel est exactement mon rôle ? Suis-je réellement guérisseur ainsi que l'affirme vigoureusement Tony Agpaoa ?

Le Ciel va m'envoyer la réponse.

Je quitte la région parisienne pendant les trois mois d'été, mais en ce mois d'août 1981 je passe chez moi entre deux voyages et reçois justement un appel d'une jeune femme anesthésiste déjà soignée pour un phéochromocytome (tumeur hypertensive des surrénales). Elle me dit son angoisse, son inquiétude. Jamais elle n'a souffert de ces troubles : une fatigue immense accompagnée d'une sensation étrange car ses pieds deviennent violets et douloureux. Tout cela est très différent des troubles précédents relatifs au phéochromocytome et dont je l'ai soulagée [1]. L'examinant en position debout, je ne sens pas le point d'attache de son corps énergétique, lequel est environ à un mètre du corps physique. Allongée, l'examen me permet de découvrir que l'attache se fait précisément au niveau des pieds, juste à l'endroit

1. Sur mes conseils, elle ira se faire soigner par Tony Agpaoa. A son retour les examens montreront la disparition du phéochromocytome.

où elle perçoit une sensation de striction, où commence le gonflement de la partie distale du pied.

A bout de bras et sur la pointe des pieds, j'accroche (tout comme pour le petit garçon) ce que je sens et l'abaisse doucement. En quelques instants, elle se sent mieux car une chaleur envahit son corps, pousse un soupir de soulagement et signale qu'elle perçoit un goût de métal dans la bouche.

La quittant alors pour consulter sa carte du ciel, tout en lui demandant si elle peut identifier le métal dont elle sent le goût, je l'entends dire : « Ne m'abandonnez pas, le goût disparaît. » Après une nouvelle imposition des mains, le goût réapparaît, elle annonce : « C'est du cuivre. »

La carte du ciel montre un ascendant en Balance dont le maître est Vénus et le symbole métallique de Vénus est le cuivre...

Tout s'est donc passé comme si l'imposition des mains l'avait reliée à sa planète principale, Vénus, dont elle était séparée. En effet, Vénus, dans son thème, est au carré de son ascendant, lequel est transité le jour du traitement par Vénus qui forme un carré avec Vénus de naissance en Cancer.

Donc Vénus, ce jour-là, actualise son carré de naissance.

Cette planète ne forme aucun aspect particulier pour mon propre thème. Ainsi, j'ai servi d'intermédiaire entre les vibra-

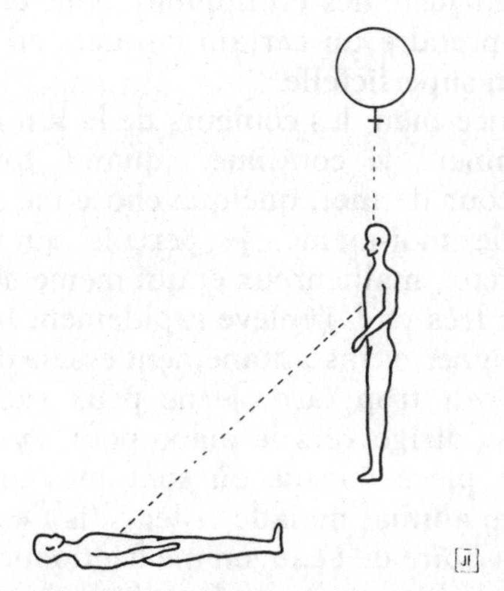


**N° 10 Transmission des vibrations électro-magnétiques depuis la planète jusqu'au patient par le guérisseur.**

tions émanant de Vénus dans le ciel de ce mois d'août et les corps physique et énergétique de cette collègue (10). J'ai servi de relais aux vibrations électromagnétiques de sa planète principale, lesquelles faisaient défaut à cette patiente, qui, ne les recevant pas, en ressentait un grand malaise. Répondant ainsi à la définition que donne Agpaoa du guérisseur, « intermédiaire entre le ciel et la terre », j'ai accepté, quatre ans et demi après qu'il me l'ait dit, l'idée d'être guérisseur.

D'autres types de communications sont possibles d'aura à aura, beaucoup plus dangereux que celui qui vient d'être relaté puisqu'il s'agit de vampirisation. Cette expérience vécue me laisse un sombre souvenir. Un de mes amis me supplie de soigner sa sœur, arriérée mentale, sortant d'un asile psychiatrique, etc. Il fait un long parcours pour me l'amener et me la présenter. Examinant sa carte du ciel, avant de la soigner, je suis prise d'inquiétude : ses planètes conflictuelles sont en aspect avec les miennes, ramassées en Vierge et Poisson. Mais là où mes planètes sont en force, les siennes sont en faiblesse, donc opposées aux miennes. Et si la légèreté de l'Ascendant en Gémeaux me permet de passer en souplesse de la rationalité de la Vierge à la médiumnité du Poisson, des planètes lourdes occupent chez elle le signe des Gémeaux. Le risque est considérable, je vais recevoir de plein fouet ses vibrations anormales.

J'hésite... mais les circonstances se prêtent mal au refus, et puis, revenant tout juste des Philippines, donc en bonne forme, j'estime pouvoir prendre un certain risque... en m'en tenant à une régularisation superficielle.

Tout commence bien, les couleurs de la lumière sont corrigées... imprudemment je continue... quand, tout à coup, un tournoiement autour de moi, quelque chose me saisit, vrille en moi, m'extrait de moi-même, je perçois quelque chose de malsain, poussiéreux, malheureux et qui même ne sent pas bon.

Tout se passe très vite, j'enlève rapidement les aiguilles, lui demande de s'éloigner et instantanément essaie de corriger mes énergies. Mais il est trop tard, je ne peux rien rattraper, et pendant qu'elle se dirige vers le piano pour s'y amuser, je me précipite dans la pièce voisine où sont mes amis, défigurée, angoissée, telle un animal malade et leur dis : « Je ne suis plus moi ! » On me fait boire de l'eau, on me frictionne, on me cajole. Il me faut une demi-heure pour redevenir moi-même.

Depuis ce jour, quand je vois que sur le thème se profilent des aspects trop proches et conflictuels avec le mien, je garde mes distances au cours du premier traitement et appuie sur le traitement homéopathique ou phytothérapique pour ne pas être trop affectée.

Les guérisseurs ne travaillent habituellement pas avec la même précision et se trouvent ainsi relativement protégés dans l'ensemble. Mais la recherche que j'effectue nécessite d'aller jusqu'à l'extrême limite du possible.

# 12

# Refoulement, inconscient, médiumnité

N'étant ni psychiatre, ni psychanalyste, ni philosophe, n'étant qu'un être vivant capable de s'observer et d'observer, il m'est apparu qu'un certain nombre de phénomènes naturels avaient été psychiatrisés ou pris en charge par la religion et absorbés sous le vocable de péchés. Il m'a fallu des années pour me décontaminer de l'éducation et poser un regard neuf sur des phénomènes vieux comme le monde. Il me semble utile de planter quelques jalons sur ce chemin qui mène du monde ordinaire au monde non ordinaire puis au-delà, c'est-à-dire du corps visible au corps invisible, lequel se prolonge par des liens ténus dans le monde cosmique.

Pour Freud, l'inconscient est composé d'éléments psychologiques faits de tendances infantiles, lesquelles seraient incompatibles avec les éléments du conscient. En somme, l'inconscient pourrait être bâti à partir des éléments de la personnalité bannis du conscient car refoulés et réprimés par l'éducation. Ces noyaux sont des éléments perturbateurs, et la psychanalyse, en permettant de les faire remonter à la surface, c'est-à-dire dans le conscient, en assume l'évacuation et en assure la libération.

J'admire le brio de Roland Cahen qui, dans sa *Préface* de la *Dialectique du moi et de l'inconscient,* de Jung, écrit : « Ainsi, un des actes principaux de la vie va être constitué dorénavant par la rencontre, les relations, les rapports, le dialogue, le commerce intime, mais aussi la dualité, l'ambiguïté, les interférences, les controverses, les oppositions, les heurts, peut-être aussi par la coopération, bref par la dialectique qui règne ou régnera entre le Moi et l'inconscient ; peut-être cette dialectique débouchera-t-elle sur une synthèse. »

Pour Jung, le conscient est lié au Moi, il est doublé d'un inconscient personnel à base de complexes (éléments refoulés du conscient) baignant dans un inconscient collectif fait d'archétypes communs à toute l'humanité et dont dépendent les grandes images mythiques.

Roland Cahen souligne le fait que « l'inconscient est une " machine " vitale tellement belle et dotée de tels pouvoirs qu'il recèle le grand danger de se voir identifié à telle ou telle instance vitale majeure » : la sexualité pour Freud, la volonté de puissance pour Adler, la vie sociale culturelle ou mythique pour d'autres, etc. Je tomberai volontairement dans le piège et ferai de cet « inconscient » ce que j'en comprends. C'est-à-dire un second corps doué d'un potentiel énergétique d'origine électromagnétique.

Son squelette est dessiné par la position des astres dans le ciel à l'instant du premier cri. Il est porteur de toute la puissance symbolique des planètes considérées. Il est organisé suivant des lois bien précises et relié au cosmos.

Nous avons, tout au long des pages précédentes, montre combien les Anciens et les peuples dits primitifs connaissaient et vivaient ces relations que nous avons perdues. Notre seul recours est d'intellectualiser, de psychiatriser et de nommer des phénomènes naturels en y introduisant une logique et une finalité artificiellement créées. Mais les populations les plus simples n'ont pas perdu ce langage et cette communication avec le cosmos.

J'apprécie la relation que fait Jean Servier d'une coutume de l'Afrique du Nord, laquelle traduit en langage simple l'anatomie mystérieuse car invisible aux yeux du commun des mortels du corps de l'homme[1].

« En Afrique du Nord, dans les plus humbles chaumières des massifs montagneux, la maîtresse de maison possède un métier à tisser : deux ensouples de bois supportées par deux montants, un

1 Jean Servier, *L'Homme et l'invisible,* éd. Imago.

cadre simple vite taillé dans les frênes voisins par un artisan. L'ensouple du haut porte le nom d'ensouple du ciel, celle du bas représente la terre. Ces quatre morceaux de bois symbolisent déjà tout l'univers.

« Lorsque les paysannes montent le métier à tisser, elles offrent à leurs voisines venues les aider et aux passants quelques fruits secs : figues, dattes, amandes ; la même offrande précède et accompagne le mariage, car c'est un mariage qui va avoir lieu, celui des deux ensouples placées sous le signe des noces du ciel et de la terre.

« Le fil de trame forme deux nappes de fil qui se croisent en six points : à chaque entrecroisement, un roseau est placé qui maintient les fils en place ; le septième roseau tient lieu de poitrinière.

« Les entrecroisements des deux nappes du fil de trame sont les âmes du tissu, et les roseaux en concrétisent l'existence.

« Le travail du tissage est un travail de création, un enfantement.

« Lorsque le tissu est terminé, la tisserande coupe les fils qui le retiennent au métier et, ce faisant, prononce la formule de bénédiction que dit la sage-femme en coupant le cordon ombilical du nouveau-né.

« Lorsque les femmes prêtent serment, c'est : " Par ce métier à tisser aux sept âmes ! "

« Tout se passe comme si le tissage traduisait en langage simple une anatomie mystérieuse de l'homme. »

Il me semble évident que ces populations entretiennent avec leur « inconscient personnel » et leur « inconscient collectif » des relations plus saines et plus privilégiées que les nôtres. Les dangers de culpabilisation, d'obsession de rupture avec le monde ambiant vibratoire sont infiniment moins grands. L'expérience clinique prouve que nous vivons notre inconscient personnel comme un « corps étranger » redoutable et redouté dont nous ne connaissons ni la forme ni la fonction et que nous sommes incapables de cerner en milieu médical. En fait, ce corps semble bien avoir une anatomie, une physiologie, une physiopathologie et même une thérapeutique qui peut être réglée. Ses rapports avec le cosmos, et que Jung appelle le monde des archétypes, sont eux-mêmes saisissables. On peut découvrir quelques-unes des lois élémentaires qui règlent l'ensemble.

Je vais tenter de faire partager au lecteur la découverte de ce corps ; et c'est une remise en question de la pathologie médicale qui en découle. Ce travail est le fruit d'études de médecine classiques, qui m'ont donné le sens de l'observation analytique, appliqué sur des perceptions subtiles développées par mon maître Antonio Agpaoa. Cette expérience relève d'un contexte particulier puisqu'elle a pour cadre Baguio, ou mon domicile où je ne reçois qu'un cercle restreint de patients choisis dans un milieu d'individus faisant une recherche personnelle. Ils ont dans l'ensemble développé leurs sens subtils. Lesquels peuvent être un piège.

Reconnaissable autant dans sa forme que dans son symbolisme, le corps subtil est tressé de fils invisibles, fils ténus constitués des rayons de l'arc-en-ciel, qui se croisent entre le ciel et la terre suivant une trame réglée par les cinq éléments, et dont l'esquisse du dessin est faite des empreintes planétaires laissées à l'instant de la naissance. La richesse de la broderie dépendra de la richesse de la vie intérieure. Si l'on s'en tient à la théorie de conscient, d'inconscient personnel et d'inconscient archaïque, il faut être capable en cours de travail de conserver ces repères afin que l'intégration de l'inconscient dans le conscient se fasse en respectant un certain ordre, une certaine hiérarchie. Le symbolisme du métier à tisser, sans cesse vécu par le groupe ethnique considéré plus haut, l'aide sans nul doute à maintenir l'ordre au niveau de ses structures mentales.

Le malheur, sous nos cieux, vient de la méconnaissance de cet ordre naturel cosmique, et de l'oubli trop fréquent de ce potentiel énergétique sous-tendant l'inconscient et communiquant avec des sphères lointaines où les notions de temps et de distance ne sont plus les nôtres.

Ainsi cette dame de soixante ans vient me remercier d'avoir osé écrire le livre précédent, car, depuis cette lecture, elle se sent normale, enfin déculpabilisée ! Sa mère s'aperçut quand elle eut quatre ou cinq ans que l'enfant avait des perceptions étranges, recevant le monde différemment des autres petits, et sachant des choses qui ne lui avaient pas été dites. Elle l'emmena voir une guérisseuse qui annonça que l'enfant était médium et voyante. Mais bientôt elle rentre à l'école, au catéchisme, et M. le curé lui apprend qu'elle est un suppôt de Satan, elle doit s'infliger toutes sortes de punitions pour chasser le démon qui l'habite. Hélas !

malgré prières, sacrifices, pèlerinages et retraites... elle est toujours la même ! C'est-à-dire médium !

Mais les êtres non culpabilisés ayant naturellement intégré leur inconscient vivent cela avec une grande simplicité, ignorant parfois qu'il pourrait en être autrement. L'ouvrage *Mère,* de Satprem, est particulièrement révélateur : petite fille, elle possède déjà la connaissance immédiate des choses, accepte cet état sans angoisse mais, s'apercevant que les adultes de son entourage ne sont pas construits comme elle, elle se tait, sachant d'instinct ce qu'il faut dire et ne pas dire. Et même : « Elle apprenait soigneusement le faux monde, comme tout le monde, celui qui est mis en carte et en atomes et en " grands siècles "... Mais on ne la trompait pas si facilement. Et cette histoire, justement elle se présentait d'une étrange façon avec ses petites gravures innocentes. " Je lisais cela, et puis, tout d'un coup, c'était comme si le livre ou les mots écrits devenaient transparents, et j'en voyais d'autres, et je voyais des images. L'histoire se mettait à bouger et ce n'était pas toujours comme le racontaient les mots d'encre.

« " Mais j'étais très amie avec mon frère et je lui disais : 'Tu vois, dans l'Histoire on raconte des bêtises ! C'est *comme cela*. Ce n'est pas comme ça ! *c'est comme cela !*' " »

Parfois, le phénomène de voyance est si précis qu'une patiente, trop spontanée, me confiait que lorsque les gens mentaient ou déviaient de la vérité, cette vérité elle la voyait sortir de leur tête ! Il lui était alors difficile d'équilibrer la conversation, elle mêlait les réponses aux vérités et aux mensonges ou commettait des indiscrétions, en connaissant les pensées profondes de ses interlocuteurs.

Tous ces événements introduisent une menace dans l'esprit de ceux qui les subissent. Ils doivent dissimuler leurs perceptions.

Ces perceptions peuvent être d'origine visuelle, auditive ou cénesthésique.

Le travail en compagnie d'Agpaoa ayant développé ma sensibilité « tactile », il était normal que j'en vienne à identifier « physiquement » cette enveloppe qui nous accompagne et que le médecin du corps matériel que je suis donne une identité presque matérielle à ces perceptions. C'est ainsi que, me détachant de la vision de Jung qui assimile l'inconscient à une énergie mentale, j'y vois une véritable corps doublant le premier et en possédant sur le plan subtil les mêmes qualités sensitives. Ainsi ce second corps peut voir, entendre, sentir aussi bien les odeurs, le goût et les perceptions cénesthésiques. Il est capable de se mettre en relation aussi bien avec le corps physique qu'avec l'ambiance proche ou lointaine grâce à sa mobilité, sa subtilité. Les relations proches correspondraient à l'inconscient de Jung et les relations lointaines seraient possibles grâce à l'écho vibratoire qu'il est susceptible de percevoir.

Peut-être cette dimension est-elle assimilable, sur certains plans, aux archétypes de Jung. Pourtant, sans remettre en cause les grandes idées de Jung qui ont bien servi le psychanalyste, je m'en éloignerai maintenant pour exercer la discussion sur du concret... Il l'est devenu pour moi...

Dans un premier temps il est logique d'en étudier quelques manifestations, puis d'en observer la physiologie, c'est-à-dire le fonctionnement normal, puis la physiopathologie, autrement dit les manifestations anormales, enfin la thérapeutique. Les manifestations de ce deuxième corps sont particulièrement mises en évidence chez les sujets médiumniques. A cet égard l'expérience vécue par une de mes collègues est tout à fait claire : celle-ci, que je n'avais pas revue depuis mon départ de l'hôpital Broussais, me téléphone un jour, disant qu'elle avait lu *Médecin des Trois Corps* et que je tenais sans doute la clé de son problème. Incarcérée à la suite d'un enchaînement de hasards malheureux, elle demeure plusieurs mois en prison et constate que malgré les nombreux inconvénients de l'emprisonnement... sa forme physique s'améliore considérablement, jamais elle ne s'est sentie autant elle-même. Sortant de prison, cette sensation disparaît, incarcérée à nouveau, malgré les multiples tracasseries quotidiennes, elle se sent mieux. Cette femme vivante, rayonnante dans le souvenir que j'en avais conservé me dit : « Mes amis me croient folle quand je dis que j'étais bien en prison, pourtant c'est vrai ! Mais je ne comprends pas pourquoi c'est ainsi. » Me souvenant de la place qu'elle prenait dans chaque réunion du service de cardiologie auquel nous appartenions, j'émets l'hypothèse qu'elle est à la fois médium et guérisseur. Montant la carte du ciel, je m'aperçois qu'elle est en effet médium, et l'explication est là. Ainsi, vivant à Paris près d'un époux en mauvaise santé et entourée de ses malades, elle dispense son énergie autour d'elle sans pouvoir en récupérer suffisamment. Un appartement parisien n'est pas un bon endroit pour se recharger ! Mais, seule dans sa cellule, malgré l'inconfort et le tourment, quelque chose d'heureux se produit en elle, car la solitude lui évite la spoliation de ses énergies par l'entourage. La note de guérisseur que l'on retrouve dans son thème favorise cette tendance à transmettre son énergie.

Les médiums ont besoin de solitude afin de se « retrouver », de faire l'inventaire de leurs propres énergies, de leur deuxième corps. La vie en commun entraîne une modification de cette entité, laquelle se trouve amenuisée ou renforcée suivant la qualité des individus en présence.

Au contact d'Agpaoa mon énergie est renforcée, au contact des malades, je m'en trouve spoliée.

Quand le médium s'est authentifié dans la solitude, il lui est plus aisé ensuite de faire le point sur ce qui lui est propre et sur ce qui revient aux autres.

Les perturbations peuvent provenir de l'entourage immédiat, mais elles peuvent venir du monde naturel : un tremblement de terre imminent ou actuel, survenant dans un lieu très éloigné de l'endroit où je vis, me fait sombrer dans un état de fatigue intense, inexplicable et subit, qui m'incite à changer de place. Je me surprends passant d'une pièce à l'autre, m'asseyant ici et là sans trouver le bon endroit, éprouvant au fond de moi-même une sensation pénible qui ne m'appartient pas. Les animaux quittant l'endroit où va survenir le tremblement de terre ne vivent-ils pas la même chose ?

Ce reflet vibratoire venu d'ailleurs peut se manifester comme un vécu. Un soir je suis réveillée par... moi-même. Gémissante, secouée de sanglots, j'entends de grands coups frappés dans une porte comme si on voulait l'enfoncer. Il me semble voir une crosse de fusil en déchirer la moitié supérieure et la traverser. J'entends autour de moi un concert de hurlements et de cris, tout comme si plusieurs personnes participaient à cette scène et manifestaient leur peur, puis je sens que l'on me roue de coups, mais c'est une sensation atténuée, tout comme si un coussin d'air, une épaisseur de coton m'en protégeaient. En fermant les yeux, je vois des soldats qui envahissent l'endroit où je suis sensée me trouver, ils sèment partout le désordre. J'essaie de relever les caractéristiques vestimentaires de ces soldats. Le lendemain matin, je m'informe, puis je regarde le journal télévisé (alors que j'évite de recevoir toutes ces informations négatives qui accompagnent sauvagement nos heures de repas). C'est, en Pologne, le jour anniversaire d'une révolte ; une violente répression vient d'avoir lieu : de nombreux morts, des internements politiques ont accompagné cette journée.

Sans aucun doute ai-je vécu cette nuit-là, en médium, la répression endurée par une femme polonaise avec laquelle je possédais des affinités vibratoires. J'avais déjeuné la veille avec une amie dont la mère est polonaise, mais nous n'avions absolument pas évoqué ce problème. Peut-être, cependant, avais-je été mise en relation subtile avec ce peuple par son intermédiaire !

Ce fut une expérience étonnante et douloureuse : je savais que ce n'était pas moi qui subissais vraiment ces sévices, pourtant je les vivais totalement. J'étais éveillée, voyais en fermant les yeux, entendais et subissais physiquement toute la scène sur le double vibratoire de mon corps physique, sur mon corps vibratoire qui devenait récepteur du vécu d'un autre corps.

Notons qu'à l'exception des tremblements de terre, qui peuvent se situer à n'importe quel moment, les autres événements se placent au moment de l'endormissement ou dans la période qui accompagne le réveil.

Ces instants privilégiés s'accompagnent probablement d'une labilité du deuxième corps qui peut alors s'accorder avec les vibrations dominantes du milieu ambiant. Fort heureusement, ces phénomènes ne se produisent pas quotidiennement, ils surviennent par périodes, périodes sensibles commandées par un état de résonance électromagnétique particulier de mon deuxième corps.

Cependant un phénomène est assez courant pour être relevé : c'est le signe du matin. Celui-là se vit aisément.

Il peut se présenter comme une sensation d'ordre affectif : le goût de la future journée se laisse prévoir dans sa globalité sous la forme d'une joie, ou d'une vague tristesse, ou d'un fugitif mal de tête qui prédit un surmenage pour ce jour. Ce peut être une sensation auditive : un mot, un groupe de mots, une phrase sont entendus qui vont résumer l'essentiel de la journée. Le mot juste peut se trouver exprimé, mais parfois c'est la symbolique de l'événement qui apparaît (rejoignons-nous le monde des archétypes ?). Ainsi une de mes relations amicales a l'habitude de dire dans ses moments de bonheur : « Aujourd'hui, c'est Noël pour moi. » Et un matin, j'entends : « Le petit Jésus est arrivé ! » Nous sommes loin de Noël et je me demande bien quelle est la signification de cette phrase... elle est ininterprétable !... jusqu'au moment où cette personne arrivant de l'étranger me téléphone. Le jour de Noël est bien le jour où le petit Jésus nous arrive !

Ce peut être une impression visuelle : devant mes yeux clos s'inscrivent, alors que je suis aux portes du sommeil, des lettres. (J'ai pu noter la progression du phénomène qui ressemblait à un apprentissage.) Les premières manifestations se présentent sous la forme d'une seule lettre qui s'inscrit devant mes yeux. Difficile à identifier les premiers jours, elle devient de plus en plus nette au fur et à mesure que le temps passe. Puis des syllabes simples se présentent, enfin, le jour où je lis sur fond lumineux « entrée », « sortie », en deux couleurs différentes, je suis ravie. Mais les progrès continuent et je vois des banderoles agitées par le vent, suspendues dans les airs. Des phrases sont inscrites, mais l'orientation ne se prête pas à la lecture, il m'est impossible de me placer dans la position optimum de lecture. J'y vois un présage : bientôt, il me sera possible de lire des phrases...

Mais le jour où, de passage au Sikkim, près de l'Himalaya, je vis autour des monastères de grandes banderoles fixées au sommet des mâts, s'agitant dans le vent, sur lesquelles étaient inscrites des prières dans une langue inconnue, destinées à transmettre ces prières alentour, je crus les reconnaître.

Pourtant, les progrès continuant, je peux lire des phrases entières et même des pages, mais quel que soit l'effort apporté à ma lecture et la volonté que je mets alors à m'en souvenir, le réveil efface tout.

Parfois le message, s'il émane d'un être vivant et doué de capacités particulières, peut être transmis à n'importe quel moment du sommeil. Ainsi, Agpaoa vivant intervenait parfois dans ma vie. Je devais donner à Bordeaux ma première conférence, organisée par les guérisseurs du GNOMA après la sortie de l'ouvrage précédent. Mon intention était de prendre l'avion et de ne pas m'encombrer de bagages, j'avais prévu une robe de voyage pratique et une de rechange roulée dans un sac. Mais je fus réveillée dans la nuit précédant le départ, d'une étrange façon. Une main secouait vigoureusement mon épaule, une main dont je ne sentais pas le contact réel mais qui me secouait. En même temps, j'entendis : « *You have to be proud and circonspect.* » C'était la voix d'Agpaoa, me parlant en anglais ! Je compris immédiatement qu'il s'agissait d'un avertissement donné avant la conférence. « *Circonspect* » se traduisait facilement. Le dictionnaire dit : « Prends bien garde à ce qu'il dit et fait », mais « *proud* » s'explique mal, à première vue cela signifie : fier. Agpaoa ne m'avait jamais engagée sur ce chemin. J'envisage toutes les traductions possibles (je me suis levée pour consulter les dictionnaires). « *Proud* », c'est aussi : noble. Peut-être faut-il prévoir d'être vêtue correctement ? Alors je fais mes bagages avec un peu plus de soin... Sur place, je m'apercevrai que le conseil était bon car l'organisation prévoyait un certain nombre de réceptions. Une allure négligée eût été de mauvais goût...

Le message de médium a médium peut être fait par personne interposée.

En octobre 1981, seule dans ma chambre, avec l'intention de mettre quelque ordre dans le courrier important, je suis plongée dans une grande perplexité. Comment organiser mon hiver ? Où placer le voyage aux Philippines par rapport aux sports d'hiver, aux conférences ? Lesquelles dois-je accepter ? J'admets que la priorité est à donner à Baguio, mais quand le programmer ? Le courrier demandera deux mois de délai. Comment donc organiser le programme de conférences ? Alors je fais ce qui ne m'était jamais arrivé, je me concentre et demande tout haut, avec volonté à Agpaoa de m'entendre et de me faire un signe, peut-être dans un rêve, pour m'aider à m'organiser. Mais le téléphone sonne et me dérange de cet exercice. Je réponds, pas très aimable, à la voix qui m'appelle. C'est un jeune acupuncteur de Grenoble rencontré après une conférence, il est lié d'amitié avec Joséphine et me prévient qu'il organise un voyage d'information dans les Basses-Terres. Ce voyage est prévu depuis plusieurs mois et la liste d'inscriptions complète, mais il m'en avertit. Je lui réponds que même en le sachant plus tôt, je n'y serais pas allée car je suis l'élève d'Agpaoa, et que, de toute façon, je pars toujours seule à Baguio afin de m'isoler de l'influence européenne De plus, j'ai deux conférences prévues, l'une à Nice, l'autre en Italie, leurs dates coïncident avec son voyage. Il me communique cependant son numéro de téléphone.

Et je reprends mon travail interrompu. Où en étais-je ?... Mais j'appelais mentalement Agpaoa, lui demandant un signe ! C'est la réponse.

Je rappelle Bruno et lui demande des détails : voyage de trois semaines, huit jours de liberté non organisée, je pourrai voir Agpaoa pendant ce temps libre. J'annule toutes mes conférences et activités diverses et j'écris à Tony pour lui demander l'autorisation d'aller chez Joséphine et m'assurer que lui sera là et non pas en voyage.

Sa réponse, la voici. Je le quittais mi-décembre 1981, il quittait ce monde mi-janvier 1982.

5 novembre 1981

*Chère sœur Janine,*

***Je suis très heureux d'avoir de vos nouvelles et j'espère que vous serez dans la meilleure condition spirituelle lorsque vous recevrez cette lettre.***

***Pour nous, ici, nous sommes réellement très occupés. Nous attendons tellement d'invités et spécialement en ce mois de novembre que nous avons la plus grande peine à trouver un moment pour nous-mêmes.***

***Sœur Janine, je sais que vous êtes tant bénie de Dieu. Je suis si heureux pour votre deuxième livre, il sera un bienfait pour un grand nombre de gens du globe, j'en suis certain. Continuez.***

***Mon staff et moi-même serons si heureux de vous voir. Je vous verrai donc le 26 novembre. Si vous voulez passer un petit moment avec notre frère Ice Florès et sœur Joséphine, c'est okay pour moi. Tout cela dépend de vous, chère sœur.***

***Je serai très heureux si vous en tirez une vue et une expérience plus grande de notre guérison spirituelle.***

***Je vous en prie, prenez toujours soin de vous et puisse Dieu être avec vous.***

***Spirituellement vôtre.***

***Révérend Antonio Agpaoa.***

Cet ensemble d'expériences vécues mettent en évidence la puissance de la pensée, qui est une énergie dirigée. La qualité de cette émission dépend du niveau énergétique de l'émetteur, de son degré de concentration, mais aussi des qualités de réceptivité du récepteur. Motoyama a montré [1] que cette énergie pouvait se transformer en courant qui était recueilli par l'électro-encéphalogramme du receveur. Mais l'explication que donne Michaël Aïvanhof me semble également intéressante [2] :

« En général les gens qui croient à la puissance de la pensée ne savent pas en quoi consiste cette puissance.

« Il faut comprendre que les pensées que nous émettons restent dans le monde supérieur, c'est pourquoi nous attendons parfois si longtemps avant qu'elles se réalisent dans la matière. Quelquefois il faut attendre des années ou des siècles. Certains en ont conclu que la science initiatique est mensongère, puisque, durant des années, ils ont émis telle ou telle pensée sans obtenir aucun résultat. Où donc est la vérité ?

« Les pensées sont très puissantes dans leur région, c'est-à-dire dans le plan mental, et pour qu'elles deviennent aussi puissantes dans le plan physique, pour qu'elles descendent et se cristallisent sur le plan physique, il faut beaucoup de temps car elles doivent traverser les différentes couches qui séparent le plan mental du plan physique.

« Que faire alors pour qu'elles se réalisent immédiatement ? Il faut avoir les sentiments et accomplir les actes correspondant à cette pensée.

« Regardez ce qui se passe dans la matière : le soleil agit sur l'air, l'air sur l'eau (les océans) et l'eau sur la terre (les rochers).

« D'après la loi des correspondances, l'eau représente le sentiment qui agit sur la matière, le corps physique. Mais seuls les très grands maîtres peuvent matérialiser immédiatement leurs pensées dans le plan physique. Tandis que la plupart des hommes, ceux qui se contentent de penser et de désirer sans agir, attendront des siècles la réalisation de leurs projets. »

---

1. *Médecin des Trois Corps,* p. 343.
2. *Le Grain de Sénevé* éd. Prosveta, p. 98.

# 13

# La rupture des corps

La possibilité d'une rupture entre le corps physique et le corps énergétique vient d'être évoquée, il est bon d'analyser de plus près ces phénomènes.

En effet cette pathologie n'a pas à ma connaissance été décrite, mais pour qui en est averti elle devient évidente.

La conséquence est indéniablement une remise en question de la médecine telle qu'elle est conçue et enseignée. La thérapeutique s'en trouve bouleversée et plus encore la médecine préventive.

La portée philosophique d'une telle réalité est indéniable. Sur le plan pratique, on peut imaginer que sa détection est réservée à ceux qui ont développé leurs sens tactiles subtils. Ils sont plus nombreux qu'on ne l'imagine car à partir du moment où l'on s'intéresse à cette question, bien des médecins ignorants de leur don le voient se développer.

J'ai observé en prenant le pouls de Nogier — et la plupart des auriculothérapeutes dignes de ce nom savent le prendre —, que l'on pouvait repérer le corps énergétique par le rebond du pouls. Certes, on n'obtient pas la finesse ni la richesse des renseignements fournis par le *feeling,* mais on peut faire un « scanning » correct. « Scanning » est le mot qu'emploient les guérisseurs quand ils passent la main au-dessus du corps pour apprécier l'état des énergies subtiles. Ce scanning-là est moins coûteux que celui réalisé par les scanners...

Et cela nous réserve des surprises. Ancienne cardiologue j'ai pu, avec stupéfaction, repenser la physiopathologie de l'hypertension (avant qu'elle ne soit parvenue au stade irréversible d'hypertension dite essentielle). Il est d'usage quand on examine une hypertension d'en vérifier les chiffres sur l'un et l'autre bras. On observe souvent une inégalité des chiffres tensionnels. On évoque alors diverses raisons : calcification, côte supplémentaire, etc., mais la plupart du temps on demeure sans étiologie. Je vérifie donc les tensions artérielles avec d'autant plus de soin que je vois le malade pour la première fois, car des chutes brutales peuvent survenir sous l'effet de mon traitement.

Il m'est donc arrivé, un jour, de reprendre la tension artérielle, par mesure de précaution après n'avoir traité qu'un seul côté. (Très souvent, je traite simultanément les deux côtés, ce jour-là j'avais par hasard traité un côté sans toucher à l'autre.) Reprenant donc la tension avant de passer au traitement du côté en attente, je constate avec étonnement que le côté soigné est presque revenu à la normale, alors que l'autre a conservé ses chiffres de départ ! Je soigne l'autre côté, reprends fébrilement la tension artérielle, le second côté a baissé à son tour ! Tout se passe donc comme si chacune des tensions droite et gauche était indépendante l'une de l'autre, ne relevant que de la régularisation du corps subtil et non pas d'un état du corps physique. Notion qui, pour un ancien cardiologue formé à l'école classique, est bouleversante !

Quelque temps plus tard, me voici de nouveau devant une hypertension asymétrique, c'est-à-dire que les tensions ne sont pas les mêmes au bras droit et au bras gauche. J'ai alors fait quelques progrès dans la notion de rupture des corps, mais pas encore suffisamment... J'examine le patient avec un soin particulier et m'aperçois que l'asymétrie tensionnelle s'accompagne d'une asymétrie des corps subtils droit et gauche. Je corrige la moitié « décollée » de trente centimètres, reprends les tensions artérielles et m'aperçois avec satisfaction qu'elles sont devenues égales, uniquement en corrigeant une moitié du corps (11) !

Je pense avoir prouvé que la cause d'une hypertension labile peut dépendre d'une rupture, d'une asymétrie des corps subtils droit et gauche.

Hélas ! sur un cas identique, un peu plus tard, la correction du côté « décollé » n'entraîne pas la régularisation du même côté. Je ne comprends plus rien et laisse aller...

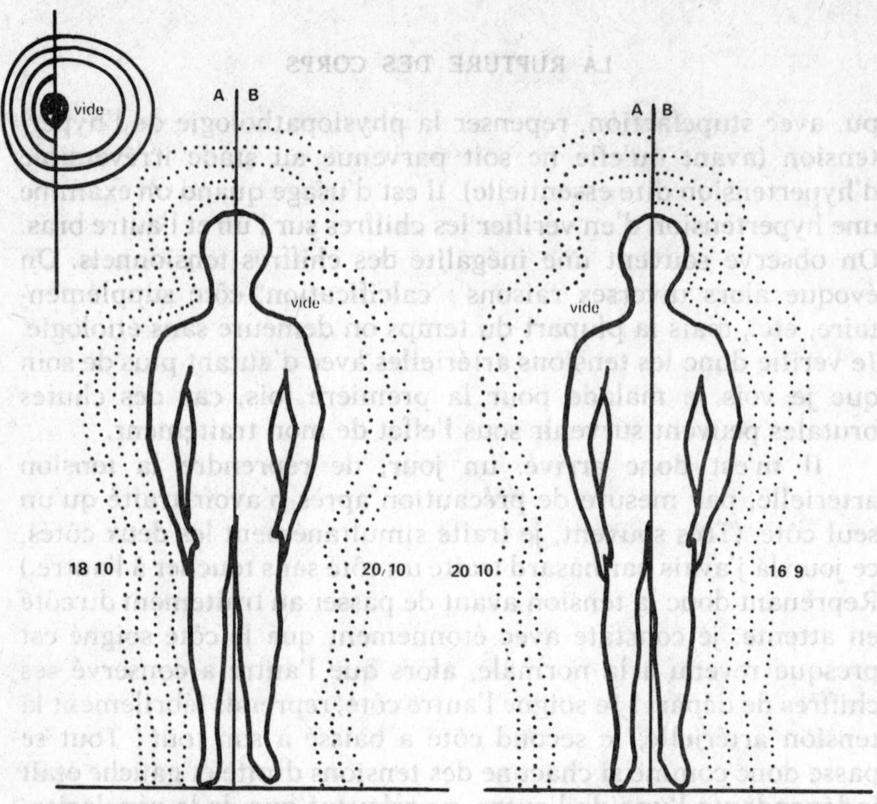


**Nº 11** Hypertension artérielle plus élevée du côté désinséré.

**Nº 12** Après traitement de A, c'est le côté B qui a baissé sa tension artérielle. A 12 prend le chiffre B 11.

A B

**Nº 13** Régulation de la latéralité.

A B
vide
16 9
20 10

**Nº 14** Le côté A se normalise et B 14 reprend le chiffre initial de B 11.

Mais je devais être un peu fatiguée ce matin-là, je n'avais contrôlé que le côté traité et oublié de vérifier le côté du corps non traité.

Car, ayant encore fait quelques progrès dans mes observations et dans la correction des troubles de l'asymétrie des corps et de ce qu'on appelle les troubles de latéralité, je vais enfin comprendre ce qui s'est passé.

Une malade se présente avec une tension asymétrique (11). Je soigne le côté « désinséré » et m'aperçois en prenant la tension des deux côtés en cours de traitement que c'est le côté *non traité* (12) qui s'abaisse et le côté traité qui prend la tension qu'avait le côté non traité. C'est une bascule !

Tout s'est donc passé comme s'il y avait eu une erreur d'aiguillage, ce qui évoque un trouble de conduction entre le cerveau et le corps, ce que l'on nomme trouble de latéralité [1]. Donc, forte de ce renseignement, je corrige ce trouble de latéralité (13), sans soigner pour autant le côté jusque-là laissé pour compte. Le trouble de latéralité soigné, je reprends les tensions : le côté traité est maintenant à la normale (14), et le côté non traité est redevenu hypertendu. Ainsi les chiffres tensionnels peuvent varier en fonction non seulement du décollement d'une moitié du corps subtil mais en fonction de perturbations de la latéralité ; c'est un phénomène étonnant pour qui est formé à la cardiologie classique ! Il remet en question toutes les notions concernant l'hypertension ! J'ai déjà évoqué l'histoire de ma collègue anesthésiste porteuse d'une hypertension ayant pour cause une tumeur surrénalienne nommée phéochromocytome, guérie de sa tumeur par mon intervention et celle de Tony Agpaoa, et qui va dans le même sens.

Il est donc évident qu'un chapitre de la médecine est à revoir.

La rupture des corps sous la forme d'hémi-rupture peut encore causer d'autres afflictions. Torticolis et sciatiques ont rarement une cause organique.

---

1. L'adresse que l'on a dépend de la latéralité : le droitier est adroit de la main droite, le gaucher l'est de la main gauche. Mais, parfois, les circuits énergétiques sont perturbés : le sujet ne sait reconnaître la droite de la gauche. Bien souvent aussi, l'intellect et l'émotionnel se confondent aussi, dans un examen, tout peut se mêler, c'est le trac et la page blanche. Quand des phénomènes musculaires s'y ajoutent, c'est le tremblement ou le bégaiement.

Le niveau et la dimension de la rupture commandent l'apparition de la localisation douloureuse et l'importance des troubles.

Le rééquilibrage des deux côtés, afin d'en faire une unité harmonieuse, et la tonification de la couleur qui symboliquement représente la colonne vertébrale entraînent une amélioration considérable, souvent immédiate, sans même l'adjonction de manipulation dite ostéopathique.

On peut d'ailleurs se demander dans quelle mesure le bon ostéopathe n'est pas un bon guérisseur... tout simplement. Le rationnaliste qui demeure en chacun exige certes des explications physiologiques et physiopathologiques, mais l'expérience prouve que la manœuvre ostéopathique efficace relève d'une manipulation énergétique. Les rebouteux ne font pas autre chose.

L'extraction du corps énergétique peut offrir divers aspects, donner lieu à divers symptômes. Ainsi cet homme jeune se présente en catastrophe, accablé de malheurs professionnels et affectifs, il souffre de plus de douleurs intenses des troisième et quatrième métatarsiens depuis bientôt neuf ans. Il ne peut pratiquement plus se déplacer. La radio montre de profondes modifications osseuses. Dépourvue de diagnostic, la médecine classique lui propose une chimiothérapie anticancéreuse d'essai ou un traitement cortisonique. Ce qui l'entraîne à venir me voir.

A l'examen, son corps énergétique affecte une forme pyramidable renversée, et la pointe de la pyramide désigne les métatarsiens malades (7 bis, p. 128)... L'évolution de la maladie se trouve arrêtée par une remise en ordre énergétique doublée d'un traitement homéopathique.

Non moins affligeante est la situation de cette jeune femme qui me semble, alors qu'elle s'avance vers moi, attachée à une sœur siamoise invisible. Soupçonnant immédiatement un déplacement latéral du corps énergétique (5, p. 127), je suppute les chances qui demeurent de venir à bout de cette attitude qui va de pair avec une énorme contracture des muscles sterno-cléido mastoïdiens, c'est-à-dire des muscles du cou et de cette translation latérale des vertèbres du cou ! A l'examen, le corps énergétique a vraiment glissé latéralement hors de son réceptacle physique. La sœur siamoise est faite... d'elle-même.

Avec précaution, car cette région est éminemment réflexogène, j'attire le double vers le corps physique, poussant ici, tirant là. En un mois de traitement l'attitude est normale. Les muscles ont retrouvé une consistance souple, les vertèbres sont en place. Mais les contrariétés reproduisent passagèrement un spasme. Nous retrouvons la cause initiale de ce « départ », de ce glissement... Un désir de changer de milieu de vie. Le double avait amorcé le départ et le physique n'avait pu suivre.

Le corps énergétique peut se trouver renversé, tête en bas (6, p. 128) ; cette jeune femme victime d'un accident de voiture en est le vivant exemple. Affligée de vertiges et de divers malaises après un accident suivi de perte de connaissance, elle se dit incapable d'assurer son activité de représentante. L'hôpital refuse un arrêt de travail car « tout est normal » ! Elle vient me voir, espérant comprendre le pourquoi de ses troubles, niés par les autorités.

A l'examen rudimentaire, le corps subtil est tout contre le corps physique, mais, à l'examen plus fin, une chose étrange apparaît évidente : les énergies des pieds sont à la tête et celles de la tête sont aux pieds ! Je le lui dis, nous en rions ensemble.

J'effectue une manipulation délicate qui nous mène aux portes de la mort symbolique. Mais, les soins terminés, elle se lève transformée. Les vertiges ont disparu, elle se sent d'aplomb.

Une semaine plus tard, elle revient pour un contrôle. Elle va bien et me raconte un détail qui lui est revenu en mémoire : « Après l'accident, j'ai perdu connaissance, après être revenue à moi, en attendant les secours, je suis montée dans la voiture, mais *en m'installant la tête en bas et les pieds sur l'appui-tête !* Les gens voulaient absolument m'installer dans le soi-disant bon sens, mais je refusais, je voulais demeurer la tête en bas. Ils ont finalement eu raison sur moi ! » J'ai la faiblesse de croire que son vécu recoupe les données de mon examen. Son corps énergétique contrôlait tout de suite après l'accident la situation et son corps physique cherchait tout naturellement une réintégration adéquate.

Je me souviens moi-même après un accident avoir éprouvé la sensation d'être à distance de moi-même.

Je me suis parfois interrogée sur le mécanisme de l'hydrocution. Ne survient-elle pas chez des gens dont les « attaches » du corps subtil au corps visible sont fragiles ? Quand on sait le rôle de l'eau, corps éthérique de la terre, ne peut-on évoquer la possibilité d'interférences entre les corps éthérique de l'homme et l'eau ?

En effet il existe des cas de labilité du corps énergétique. J'ai moi-même vécu cela de façon plus ou moins nette, et c'est une sensation très désagréable que de se sentir se « défaire », perdre ses forces, sa résistance. Ce phénomène peut entraîner des manifestations qui constituent une véritable infirmité quand il est poussé au paroxysme.

Ainsi, cette jeune fille de seize ans fait des chutes de tension artérielle brutales, me dit-on, accompagnées de pertes de connaissance, et cela plusieurs fois par jour. Les diverses investigations n'ont montré aucune cause médicale décelable, et les divers traitements sont demeurés sans effet.

A l'examen, je trouve une extrême labilité du corps énergétique. Il est à distance du corps physique, s'en éloigne, s'en rapproche, c'est une véritable danse !

La carte du ciel explique ces incohérences. Il est impossible de guérir totalement cette jeune fille, mais il est possible d'effacer la somme des transits perturbateurs passés et, par diverses astuces, de « fixer » les deux corps l'un à l'autre. Revue six semaines après le premier traitement, je constate qu'une seule séance a eu raison de ses troubles. Elle n'a ressenti que des à-coups de fatigue, sans aucun évanouissement.

Un monsieur de quarante ans m'explique l'accident brutal qui l'a effrayé huit ans plus tôt. Alors qu'il était à son travail, brutalement, il se trouve paralysé, membres raides, incapable de parler, rythme cardiaque à 200. Transporté à l'hôpital, les signes régressent spontanément sans qu'on puisse en trouver la cause.

A l'examen, je trouve, comme dans le cas précédent, une labilité de la position du corps énergétique ; elle est moins importante que chez la jeune fille, mais il s'y ajoute au niveau de la zone ombilicale une rupture entre les deux corps. C'est-à-dire de l'endroit où se trouverait la zone d'implantation de la corde d'argent des occultistes. A cet endroit le segment subtil correspondant à l'ombilic s'en éloigne de soixante-quinze centimètres.

L'examen de la carte du ciel au jour et à l'heure de l'accident montre un aspect d' « expulsion » du corps énergétique hors du corps physique.

On peut formuler l'hypothèse que la « coiffe énergétique » s'est subrepticement soulevée[1].

Cette labilité du corps énergétique déjà évoquée peut prendre un aspect très particulier : un examen attentif permet non seulement de constater cette labilité mais aussi de suivre le rythme avec lequel le corps énergétique s'approche et s'en va, comme retenu par un élastique qui s'étire et revient à sa forme primitive.

Ainsi, cette jeune fille qui a toujours froid (elle dit s'asseoir sur les radiateurs) vit des périodes pendant lesquelles ses muscles sont contractés, ses mâchoires serrées, ses doigts morts, elle souffre en même temps d'une rigidité généralisée, elle voit mal les gens qui sont en face d'elle, ils sont comme vus dans une lumière éblouissante, comme si le soleil était dans ses yeux. On a parlé de tétanie, de nombreux traitements faits de magnésium et de calcium n'ont eu aucun résultat.

A l'examen, je sens le corps énergétique qui s'approche et s'éloigne d'elle. En deux minutes environ, il s'éloigne de deux mètres et s'en rapproche d'autant. Mais deux cordes d'argent la retiennent aux hanches, ces deux cordes d'argent semblent élastiques... Il faut récupérer ce corps, le réorganiser et le fixer. Dans un premier temps, je ne fais qu'une régularisation, qui tient parfaitement huit jours, puis tout recommence dans un grand éblouissement. Alors, je fixe ce corps par une aiguille magnétique de Nogier.

Il peut être intéressant dans ce genre de perturbation de porter un collier magnétique quelques minutes par jour.

A cet égard, il est bon de rappeler les travaux de Georges Lakhovsky déjà évoqués dans mon ouvrage précédent.

Les travaux de Faraday, Maxwell, Hertz, d'Arsonval ont amené Georges Lakhovsky à la théorie de l'oscillation cellulaire.

En 1831, Faraday découvre le phénomène d'induction électromagnétique.

En 1865, Maxwell donne une théorie électromagnétique de la lumière, il prouve par le calcul l'existence d'ondes électromagnétiques de haute fréquence avant même d'être en mesure de vérifier expérimentalement cette existence.

---

1. La mort subite inexpliquée du nouveau-né relève probablement de ce mécanisme.

En 1887 et 1888, Hertz imagine un oscillateur caractérisé par une fréquence très élevée et une longueur d'onde très courte, dont le montage très simple permet de produire des oscillations dont le nombre peut atteindre jusqu'à trente milliards de périodes par seconde. Ayant réussi à produire ces ondes, Hertz cherche à les recueillir sur une spire de métal ouverte qui joue le rôle de résonateur. Il peut ainsi découvrir l'existence de ventres et de nœuds de courants, ce qui lui permet une mesure directe des longueurs d'onde.

On peut se demander si l'observation précédente de cette jeune fille dont le corps énergétique avance et recule ne correspond pas à un phénomène de résonance perturbé. Ce que je sens correspondrait alors aux ventres et aux nœuds de courants oscillatoires successifs.

En 1890, Nicola Tesla met au point un oscillateur à haute fréquence et prouve que le corps humain peut être traversé sans danger par un courant de haute fréquence. Quant à d'Arsonval, il avait montré que, quelle que soit la source électrique employée, les effets physiologiques d'un courant restent les mêmes quand la forme de l'onde est la même, ce qui explique l'aspect stéréotypé des troubles.

Tout ceci amène Georges Lakhovsky à sa théorie de l'oscillation cellulaire selon laquelle toute cellule vivante se comporte comme un micro-oscillateur et un microrécepteur. Pour lui, la vie est engendrée et entretenue par la radiation, et détruite par tout déséquilibre oscillatoire.

C'est ainsi qu'il a été amené à construire des circuits oscillants très simples qui oscillent sous l'effet d'induction du champ des ondes de toutes fréquences qui sillonnent constamment l'atmosphère et dont la source la plus importante est le soleil ! La plupart des phénomènes terrestres sont régis par les actions solaires, radiations hertziennes, thermiques, lumineuses, ultraviolettes..., cosmiques, solaires (découvert en 1942, Carnegie Institution). Ainsi la terre est soumise au champ électromagnétique du soleil, lui-même soumis au magnétisme cosmique.

Les champs des circuits oscillants modifient un certain nombre de réactions physiques et chimiques.

En 1933, Pereira Forjaz constate :

1. une modification par les circuits oscillants de l'indice de réfraction de l'alcool et des acides ;

2. un vieillissement anticipé des vins, l'abaissement de l'acidité des liquides organiques ;

3. la diminution de la résistivité des électrolytes ;

4. une accélération de la germination des graines ;

5. une accélération de la fermentation sur les levures de bière de 30 pour 100.

Toutes ces expériences semblent corroborer les idées de Lakhovsky à propos de l'oscillation cellulaire. Pour lui, tous les êtres vivants sont des collecteurs et des émetteurs d'onde, et l'organisme est un agrégat de cellules, lequel est un oscillateur résonateur. Les maladies expriment le déséquilibre oscillatoire cellulaire.

Je rencontre le fils de Georges Lakhovsky. Celui-ci m'invite à examiner le matériel laissé par son père. Les appareils ne m'intéressant pas pour une question d'éthique personnelle, mon attention se porte sur la plus simple expression des idées de Lakhovsky : le collier dit de Lakhovsky, fait d'une spire « ouverte » polymétallique. Il se porte, me dit-on, autour du cou, ses effets thérapeutiques seraient intéressants. Je pose donc ce collier autour de mon cou, me mets en état de transparence pour percevoir son champ magnétique et ne ressens rien d'agréable. Je l'ôte, déçue... de décevoir Serge Lakhovsky. En lui expliquant avec ménagement que je ne souscris pas aux conclusions qu'il attendait, je manipule le collier machinalement : le voici traçant un 8 entre mes mains. Le 8 est le signe de l'infini. Un enchaînement d'idées se succède rapidement à mon insu ; l'infini, c'est pour moi une vibration neptunienne, Neptune symbolise les Poissons. En astrologie, les Poissons correspondent aux pieds. Et me voici enfilant ce 8, un pied dans chaque cercle, et j'attends. Et j'ai une agréable impression d'équilibre, je me sens solidement centrée sur mes pieds. C'est ainsi qu'il doit être porté, en 8 aux pieds ! Ceci exclut la possibilité de le porter toute la journée comme il est prévu. Est-ce un inconvénient ? Je ne le pense pas car en examinant quelques personnes qui le portent je m'aperçois qu'il bloque au cou la circulation d'énergie, alors que placé quelques instants aux pieds il est rééquilibrant.

Il m'est facile de tester son effet sur mes patients dont le corps énergétique s'est éloigné du corps physique. Placé en 8, aux pieds, ouverture au centre, il engendre un rapprochement du corps énergétique vers le corps physique. Il induit un nouveau rythme d'oscillations, mais l'effet est faible ; en quelques minutes, son action est absorbée par les oscillations propres du malade. Néanmoins, je considère qu'il est intéressant à titre de traitement d'entretien porté quelques minutes par jour.

Quelque temps après, un des amis de Serge Lakhovsky ayant assisté à l'expérience du 8 me propose d'entrer... dans un grand 8 fait de deux cercles de tonneaux, mais au lieu de mettre l'ouverture au centre du 8 (j'avais placé l'ouverture du circuit de Lakhovsky au centre le jour de l'expérience), il la place à l'extérieur du 8. Il y avait donc deux « ouvertures périphériques » au circuit et non plus une seule centrale. Et j'entre dans le 8 posé au sol. A peine entrée, j'en sors effrayée et je refuse l'expérience en disant : « Je me défais. »

On rétablit le circuit dans le sens où je l'avais expérimenté la première fois et j'ai l'impression très agréable de me rassembler, de m'égaliser, entre les côtés droit et gauche dans mon volume vibratoire.

Alors on m'explique que ma réaction corrobore une expérience faite par l'US Navy et qui se nomme l'expérience Philadelphie. Cette expérience est basée sur les propriétés du ruban de Moebius. Elle avait eu pour but d'obtenir la disparition optique d'un corps à trois dimensions, soit un bateau de guerre. Ce fut, me dit-on, la seule application connue d'un champ physique, en l'occurrence électromagnétique, d'un fait théoriquement connu des mathématiciens. Elle ne fut pas renouvelée car les marins du bateau sur lequel fut faite l'expérience présentèrent des perturbations importantes, certains firent un séjour prolongé en service psychiatrique. Mais l'expérience aboutit au déplacement apparent du bateau soumis à l'expérience. Pour moi, il s'agit d'une expérience aboutissant à une séparation des deux corps, avec éloignement du corps énergétique et bilocation. Ce qui me donna l'impression de me « défaire ».

Cette coiffe énergétique peut se soulever en bloc, ce qui en soi n'est pas normal, mais elle peut adhérer exagérément à une région malade. Ainsi, une dame ayant eu une fracture du bras plusieurs mois avant la consultation continue d'en souffrir horriblement ; cependant la consolidation radiologique est satisfaisante. L'examen montre un corps subtil « décollé » du physique en ballon, mais adhérent au bras qui fut blessé (15).

Rétablir la cohésion entre les deux corps, relaxer celle qui existe au niveau du bras revient à supprimer quasi instantanément la douleur !

Je m'étais longtemps interrogée sur la raison qui faisait que l'acupuncture soulageait le zona, jusqu'au jour où, examinant dans l'escalier ma voisine qui souffrait d'un zona débutant, je m'aperçus que se présentait un soulèvement vésiculaire du corps subtil précisément à cet endroit ; quelques passes magnétiques la soulagèrent immédiatement. Je consolidai un peu plus tard à l'aide d'une aiguille et d'une dose homéopathique. Et l'histoire s'arrête là.

Ainsi, l'endroit où le corps énergétique se décolle, se vésicule par rapport au corps physique, peut être un lieu de souffrance, mais, à l'inverse, l'endroit où il adhère, alors que l'ensemble est décollé, est aussi le lieu de plus grande souffrance. Il semble donc que la coaptation des deux corps soit nécessaire. Ce me semble être en effet une des prémisses de tout traitement. Quand j'examine des patients traités par les meilleurs homéopathes mais dont le traitement n'a pas été efficace, immanquablement, le corps énergétique est à distance du corps physique. Coapter les deux corps revient à rétablir l'efficacité thérapeutique du médicament homéopathique.

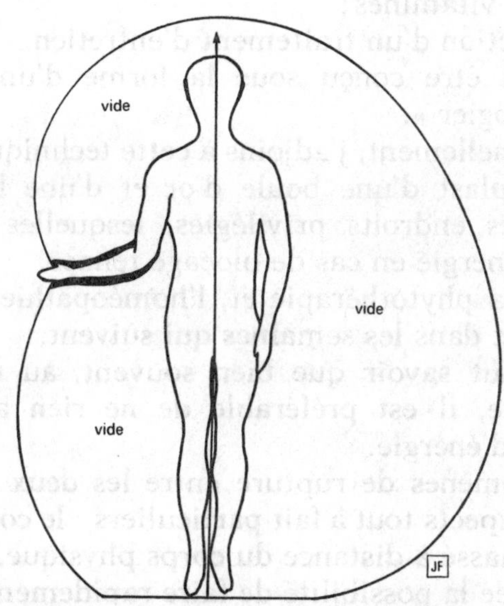


N° 15 Le corps énergétique adhère au bras qui fut blessé, s'éloigne par ailleurs du corps physique.

Le même phénomène est observable après un traitement acupunctural inefficace. Certes, le traitement peut avoir été fait à la va-vite par un acupuncteur qui travaille à la chaîne ou qui ne possède pas son métier, mais parfois, même effectué dans de bonnes conditions, le traitement se révèle inefficace. Là encore je retrouve le corps énergétique à distance.

Cela signifie qu'un bon acupuncteur se doit d'être en même temps guérisseur, afin de manipuler les énergies non seulement au bout de son aiguille, mais aussi au travers de sa personne.

Dans les cas où les troubles relèvent d'une rupture des deux corps, l'acupuncteur non guérisseur a donc intérêt à faire précéder son traitement par une séance de magnétisme effectuée par un magnétiseur. Il peut aussi s'aider d'un aimant, ou d'un appareil électromagnétique au préalable. Ma préférence va au guérisseur. Ainsi tout semble prouver que la thérapeutique énergétique passe par les phases élémentaires suivantes qui sont :

1. l'intégration du corps énergétique au corps physique ;
2. la mise en circulation des énergies ;
3. leur répartition harmonieuse ;
4. la vérification qu'il n'existe pas de déficit en oligo-éléments et en vitamines ;
5. l'adjonction d'un traitement d'entretien.

— Il peut être conçu sous la forme d'une « aiguille à demeure de Nogier ».

— Personnellement, j'adjoins à cette technique la pose sous un petit albuplast d'une boule d'or et d'une boule d'argent placées en des endroits privilégiés, lesquelles assurent une circulation d'énergie en cas de blocage tenace.

— Enfin la phytothérapie et, l'homéopathie contribuent à aider le patient dans les semaines qui suivent.

Mais il faut savoir que bien souvent, au moment de la première visite, il est préférable de ne rien adjoindre à la manipulation d'énergie.

Ces phénomènes de rupture entre les deux corps peuvent revêtir deux aspects tout à fait particuliers : le corps subtil peut se trouver ramassé à distance du corps physique, et c'est là que nous est donnée la possibilité de faire rapidement le diagnostic d'une allergie (16).

Cet espace peut au contraire être vide, le corps subtil étant alors divisé en deux. Est-ce un test des états dits « anergiques », c'est-à-dire sans défense ?

Enfin, si les ruptures s'ajoutent les unes aux autres, le corps subtil peut donner l'impression d'être un véritable patchwork (fig. 20, p. 173).

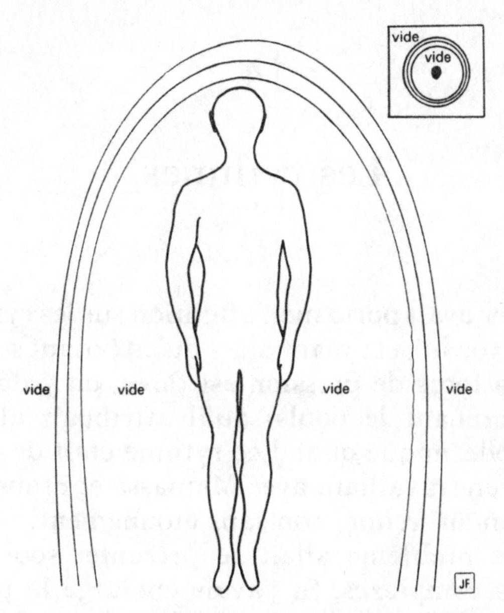


N° 16 État du corps subtil dans l'allergie. Les différentes couches vibratoires se trouvent ramassées.

On comprend aisément que nombre de gens puissent éprouver un malaise à vivre, sans pour autant être porteurs de lésions organiques [1] visibles [2].

1. Organique, qui est en rapport avec le tissu d'un organe, s'oppose à fonctionnel. Les troubles dits fonctionnels ne s'accompagnent pas de lésions décelables.

2. Soulignons l'intérêt des exercices préconisés par Rudolf Steiner et par M. Aïvanhov (tome XIII).

# 14

# Les rythmes

Paul Nogier avait porté mon attention sur les rythmes quand je travaillais avec lui, estimant alors qu'en posant sur l'oreille un crayon dont la force de pression est tarée, on y découvrait des rythmes (en prenant le pouls) qu'il attribuait alors au tissu d'origine mésodermique quand ce rythme était de 4/4.

Plus tard, en travaillant avec Mamassa et Francis, je retrouvai cette notion au *feeling,* non sans étonnement.

En fait, le problème allait se présenter sous des aspects beaucoup plus complexes. Si j'avais envisagé la possibilité de percevoir un rythme par l'intermédiaire du pouls, puis par le contact direct de la main sur le corps du patient, c'est en fait par le *feeling* à distance que la richesse des rythmes allait se développer sous mes mains...

C'est le groupe de Gilles, célèbre organisatrice canadienne, qui me fournit l'occasion de faire cette découverte, et même une double découverte !

Un matin, en entrant dans la salle de *healing,* où je suis désormais admise sans problème, je perçois un émoi vibratoire dans la pièce. Tout y vibre d'une étrange façon, bien que toutes les apparences soient conservées. C'est comme un cœur qui bat d'émotion et qui occupe la pièce entière.

Appuyée contre le mur, j'observe, j'attends, quelque chose va se passer... Quand ce quelque chose arrivera, je pourrai relier cette sensation à un événement réel, ce symbole d'un immense cœur qui bat, j'en aurai la clé ! Cet émoi vibratoire du monde subtil va se manifester sur le plan de la réalité. Il faut en attendre la correspondance afin de confronter mes sensations à la réalité du moment.

Rudy, d'un air embarrassé. s'approche de moi, prenant un air désolé : « Doctor..., c'est maintenant le groupe de Gilles — elle est arrivée hier soir — qui va être soigné. Elle a beaucoup d'" anges " avec elle. Comme la salle est petite, il n'est pas certain que vous puissiez rester avec nous. Nous n'y sommes pour rien, ne nous en veuillez pas. »

Ayant compris la raison de l'émotion ambiante, je souris. Ils se souviennent de toutes mes scènes d'autrefois, quand, voulant demeurer à toute force dans la salle de soins, je manifestais violemment mon désir.

Cette émotion, je l'ai donc perçue. Peut-être est-ce une approche de la transparence. La transparence est cette étonnante possibilité que possède Agpaoa de deviner mes pensées et mes émotions sans qu'elles soient exprimées par un geste, un mot, une expression.

Mais voici Gilles, une des plus efficaces chefs de groupe. Merveilleusement positive, dynamique, organisée et soucieuse plus que tout autre peut-être de la qualité des soins et de l'enseignement. Rien avec elle n'est laissé au hasard. Le malade est d'abord vu par le médecin en compagnie du guérisseur lors d'une consultation préalable au traitement. Chaque matin, elle accompagne son groupe au *morning service,* temps de prière et d'enseignement, puis c'est le traitement, groupe par groupe, afin de fragmenter la masse de ses cent vingt ou cent trente malades. L'après-midi : repos, promenade et nouvel enseignement avant le dîner. Avec elle le week-end au bord de la mer est une vraie détente, et la fête du départ organisée par Agpaoa et le personnel qui danse le répertoire folklorique un événement.

Elle est assistée par ses « anges » : ses sœurs, neveux, nièces, amies, assistantes. Elle ne souhaite pas la présence d'Européens dans la salle de *healing,* car elle craint leurs pensées négatives et l'effet néfaste de cette action sur ses malades.

Mais voici Gilles et ses « anges » qui entrent, souriantes, distribuant baisers, souvenirs à tous. Me reconnaissant, elle manifeste sa joie de me revoir, m'embrasse en m'annonçant le nombre de ses « anges », et me dit de demeurer aux pieds de la table pour ne pas occuper trop de place. Me voici coincée entre deux tables contre le mur, plaçant une main au-dessus de chacun des mollets des malades qui défilent et transmettant mon énergie... Dans les moments creux, bien qu'ils soient brefs, au lieu de transmettre, je m'exerce au *feeling.*

Tout d'abord je le fais par habitude et presque mécaniquement, puis, réalisant que les perceptions ne sont pas toujours égales entre la droite et la gauche, j'échange les mains en croisant les bras pour comparer. Il se trouve donc que, par hasard, je découvre les troubles de latéralité en n'explorant que les membres inférieurs : au *feeling.*

Une évidence m'apparaît tout d'abord : les corps énergétiques n'adhèrent pas de la même façon à la jambe droite et à la jambe gauche. Le patient souffre donc d'un trouble de latéralité.

L'intervention du guérisseur se manifeste par un bouleversement énergétique, toutes les vibrations se mêlent. Enfin se produit la régularisation, la symétrie s'organise. Le tout en deux à trois minutes tout au plus.

Continuant l'interrogatoire de l'énergie, il me semble percevoir des rythmes sous mes mains, interrompus par des silences. Je compte : « Ffut, ffut, ffut... stop, stop, stop », trois « ffut » et trois « stop » qui alternent...

Ce rythme que je perçois clairement maintenant est lui aussi bouleversé par l'arrivée du guérisseur : c'est un orage sous mes mains, les rythmes s'entrechoquent. Puis, tout se calme.

L'examen final montre que l'hémicorps voyageur a réintégré sa place, mais aussi que le rythme s'est modifié, je ne sens plus le rythme 3/3, ni le 4/4, ni le 5/5, les battements, les six, huit ou dix battements sont continus. Je n'ai pas la possibilité de compter plus loin, car les patients le succèdent rapidement. Avec le temps, la fatigue me prend. Plutôt que de conserver le buste raide, je m'assieds sur le coin de table, me cale, abaisse les épaules, si bien que ce sont mes mains et mes avant-bras qui se trouvent au-dessus des mollets des malades. Alors, avec étonnement, je perçois les rythmes sous les avant-bras en même temps que sous les mains.

Puis, c'est un courant qui glisse sous l'ensemble, mes perceptions deviennent de plus en plus précises.

Bientôt, je perçois... ce courant sur la face supérieure de mes avant-bras, c'est un petit mouvement d'air.

Il vient en alternance avec les mouvements d'air perçus à la face inférieure des mains et avant-bras.

Les trois « ffut » sont perçus par la face inférieure des avant-bras, et les trois « stop » sont en fait trois courants perçus par la face supérieure.

Je suis de plus en plus intriguée par ces perceptions. En somme, si le rythme est de 3/3, cela signifie que trois mouvements viennent d'en bas et trois mouvements d'en haut, ce n'est pas un « stop » mais une alternance.

La chose est vraie même si le rythme est de 4/4 ou 5/5.

Si le guérisseur travaille, tout se brouille, naturellement, puis les choses rentrent dans l'ordre, le rythme est modifié en nombre, il passe à des chiffres supérieurs.

Profitant d'une accalmie et débordant de mon territoire, je m'avance subrepticement vers le poignet pour contrôler ce rythme par un examen comparatif du pouls de Nogier : mes perceptions supra-sensibles et les informations données au pouls de Nogier sont les mêmes.

Les « ffut » sont perçus en rebondissement et les « stop » en silence.

A partir de ces observations cliniques qui demandent d'être méditées et reprises au calme, en France, en prenant mon temps, j'analyse plus tranquillement la situation.

Ainsi, j'ai appris par le *feeling :*
— à identifier la forme générale du corps énergétique ;
— à reconnaître sa position par rapport au corps physique ;
— à retrouver ses points d'amarre, ses cordes d'argent ;
— à reconnaître les troubles de latéralité ;
— à déterminer les traits de fracture ;
— à détecter un rythme vibratoire ;
— et même un double mouvement d'aller et retour ;
— à mettre en évidence l'action du guérisseur d'une façon précise.

Ainsi, je sais par l'expérience acquise à Baguio et en contrôlant ma propre action de guérisseur que nous pouvons :
— rapprocher le corps énergétique du corps physique ;
— rassembler les fragments du corps fracturé ;
— modifier le rythme, en accroissant le nombre des battements ,
— l'action régularisante s'exerce aussi sur le rythme des mor-

ceaux fracturés qui étaient capables de battre à des rythmes différents avant le traitement.

Il me faut continuer ces investigations. Maintenant, plutôt que d'examiner au *feeling* le malade en position allongée, je l'examine debout en balayant le corps énergétique de haut en bas, puis de bas en haut (17), mais aussi d'avant en arrière et d'arrière en avant (18). J'explore un volume centré par le corps physique. Avec l'habitude, je perçois sous la main les divers niveaux vibratoires qui sont autant de couches successives qui entourent le corps physique. La chose peut être contrôlée au pouls, ce qui met l'observation à la portée de beaucoup de thérapeuthes.

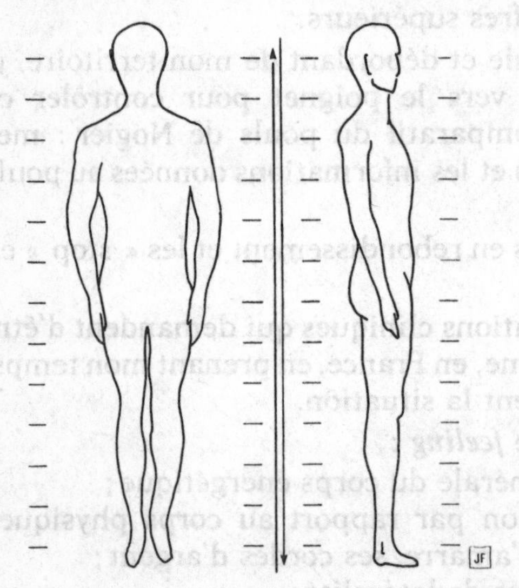


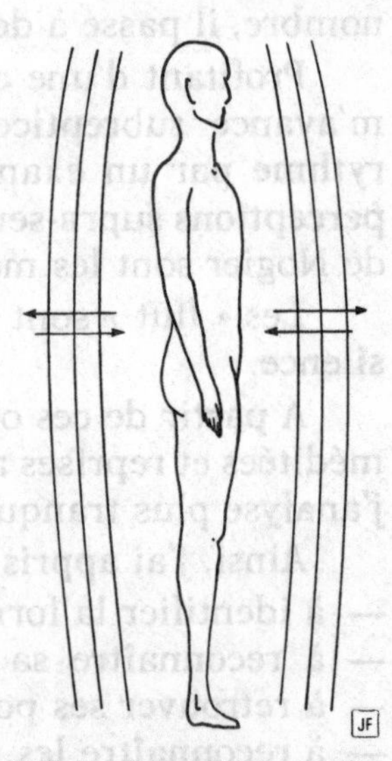


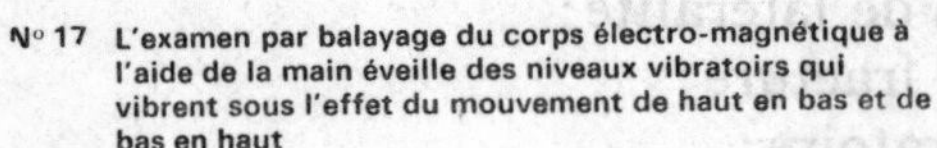

**N° 17 L'examen par balayage du corps électro-magnétique à l'aide de la main éveille des niveaux vibratoirs qui vibrent sous l'effet du mouvement de haut en bas et de bas en haut**

**N° 18 Le balayage d'avant en arrière et d'arrière en avant éveille également la perception de ces niveaux vibratoirs**

Ainsi, nous sommes composés d'une succession de couches vibratoires, régulièrement espacées dans les bons cas, et centrées par notre corps physique. Je ne puis m'empêcher d'évoquer la théorie de travail de Niels Bohr qui voyait l'atome comme un noyau entouré d'électrons se trouvant sur des circonférences successives, distantes du noyau. En excitant l'électron, c'est-à-dire en lui ajoutant de l'énergie, il saute vers la couche plus extérieure. Alors, j'explore chaque couche successive et son rythme. La théorie de Niels Bohr est toujours valable, car, effectivement, il existe davantage d'énergie sur chacune des couches au fur et à mesure qu'on s'éloigne du centre. Ainsi la première couche peut battre à 5, la deuxième à 6, la troisième à 7, etc., et je pense tout comme lui : « nonobstant le caractère subtil des énigmes de la vie... toute explication scientifique consiste essentiellement à réduire un ensemble de faits complexes à un autre plus simple. »

J'imagine donc que l'homme est comme un gros noyau (19) entouré de couches vibratoires successives qui sont autant de niveaux offrant une similitude avec le modèle de Niels Bohr.

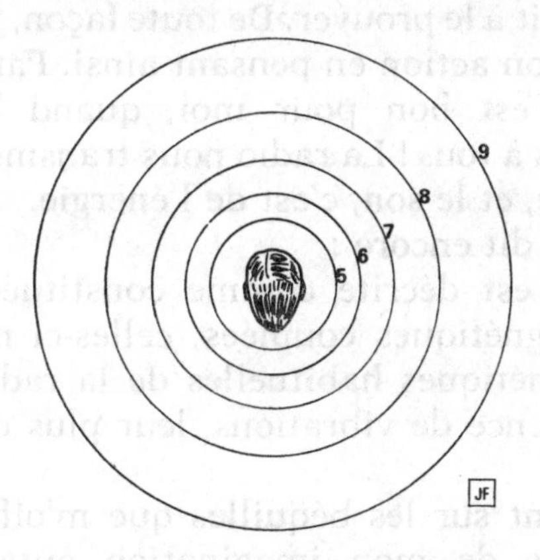


N° 19 L'homme vu comme l'atome de Niels Bohz

C'est la qualité électromagnétique de ma main qui, en s'éloignant progressivement du gros noyau central qu'est le corps physique, réveille les couches d'énergie successives.

Le même éveil se produit que je passe la main de bas en haut, de haut en bas, d'avant en arrière et d'arrière en avant. Dans tous les sens, les couches vibratoires répondent, cernant le corps physique. Cet écho vibratoire est circulaire. Ceci n'est valable qu'après régularisation. Les anomalies de ces vibrations définissent la pathologie de notre corps de lumière.

Le fait d'être guérisseur se résume en somme à percevoir et à régulariser ce corps de lumière à l'aide de son propre corps.

« D'un point de vue physique, la lumière peut être définie comme une transmission d'énergie à distance entre corps matériels. Comme on le sait, ces faits trouvent une explication simple dans la théorie électromagnétique, et celle-ci peut être regardée comme une extension rationnelle de la mécanique classique permettant d'éliminer l'opposition entre action à distance et au contact[1]. »

Mon imagination allant peut-être encore au-delà de ce que voulu exprimer Bohr, je veux admettre que ces couches électromagnétiques m'entourent indéfiniment, et c'est ainsi que je reçois le champ vibratoire des planètes qui m'environnent pourtant de très loin. Lakhovsky ne m'aurait pas démentie sur ce point, et le cas clinique exposé à propos de cette anesthésiste atteinte d'un phéochromocytome et ayant rompu ses amarres avec Vénus tendrait à le prouver. De toute façon, je suis satisfaite et logique avec mon action en pensant ainsi. Par conséquent ce mode de penser est bon pour moi, quand bien même ne conviendrait-il pas à tous ! La radio nous transmet bien des sons du bout du monde, et le son, c'est de l'énergie.

Et Niels Bohr dit encore :

« La lumière est décrite comme constituée d'oscillations électriques et magnétiques couplées, celles-ci ne différant des ondes électromagnétiques habituelles de la radio que par leur plus grande fréquence de vibrations, leur plus courte longueur d'onde. »

En m'appuyant sur les béquilles que m'offre la physique, puis sur les ailes de mon imagination autant que sur la succession de faits d'observation, produits du quotidien, j'échafaude des systèmes fantastiquement simples pour expliquer les échanges d'énergie. Dans ce domaine, tout est permis : « Car la possibilité de transferts continus d'énergie, qui caractérise aussi bien la mécanique classique que la théorie électromagnétique, est incompatible avec toute explication des propriétés des éléments et des molécules formées par leur combinaison. Les théories classiques ne nous permettent même pas de rendre compte de l'existence des corps solides, sur laquelle reposent en dernière analyse toutes les mesures qui servent à ordonner les phénomènes dans le temps et l'espace », dit encore Niels Bohr dont un recueil de conférences admirables devient mon livre préféré[2].

---

1. *Lumière et vie,* conférence faite par Niels Bohr à Copenhague en 1932.
2. Niels Bohr, *Physique atomique et connaissance humaine,* Gauthier-Villars, éd.

En bref, j'admets en préliminaire que le corps physique se conduit comme un gros noyau entouré de couches fictives sur lesquelles gravitent des quanta d'énergie lumineuse. J'ignore si ces couches sont circulaires les unes par rapport aux autres ou si elles s'enchaînent en une spirale. Bien entendu, ces couches vibratoires sont à la fois le produit de la résonance des vibrations cosmiques, des vibrations telluriques et des vibrations de nos propres résonateurs cellulaires. Il faut y ajouter les interférences des vibrations produites par notre entourage familial, amical ou... non amical.

A cet égard nous sommes soumis plus que nous ne le croyons aux influences négatives de l'entourage. Tony Agpaoa m'avait conseillé de m'y soustraire en méditant dans la mer.

Je me souviens avoir perçu l'instant où, à quelques années d'intervalle, les deux membres d'un couple malfaisant qui m'avaient, sur le plan familial, causé beaucoup de peine, sont décédés. A l'instant de la mort de chacun d'eux, j'ai perçu un bonheur supplémentaire. Ce fut comme si une cloche oppressante à laquelle j'étais accoutumée s'était soulevée. L'impression était si forte que j'en ai noté le moment. J'ai appris peu de temps après qu'à ce jour, qu'à cette heure, l'un puis l'autre étaient morts. La force de leurs pensées négatives s'exerçait contre moi à une période où ma sensibilité était développée, mais où je ne savais pas encore suffisamment me protéger.

Les exercices de pensée positive, le ménagement de temps de solitude, une hygiène de vie sont une bonne façon de se protéger des auras négatives qui nous entourent. Elles s'immiscent d'autant plus facilement entre nous et nous, c'est-à-dire entre le corps physique et le corps subtil, que celui-ci n'adhère plus au corps physique.

Les exercices de pensée positive en état de sophronisation sont une bonne technique, efficace et simple. Il n'existe aucune mesure entre la simplicité de l'exercice et son efficacité.

Ainsi, me voici en possession d'un système d'examen simple pour explorer le volume et la qualité de résonance du corps électromagnétique. En pratique, je procède de la façon suivante :

1. J'examine le pourtour du corps du patient ou de la patiente, tout en mobilisant la main de haut en bas et de bas en haut, afin de percevoir si les différentes couches résonnent bien en montant et en descendant. Parfois la résonance ne se fait que

dans un seul sens. Je pratique cet examen sur la face antérieure et postérieure du corps. Les deux faces peuvent donner des informations différentes. Si l'on est guérisseur, il faut faire le geste avec une intention de diagnostic et ne pas le répéter, car on intervient dès lors sur l'énergie qui se modifie.

2. L'examen est pratiqué en recherchant la qualité vibratoire du corps subtil dans le sens antéro-postérieur et postéro-antérieur.

Il convient d'explorer ainsi les divers étages du corps, car les renseignements fournis au niveau de la tête, du cou, du thorax, des lombes, etc., peuvent être différents.

On repère ainsi les fractures du corps énergétique.

3. Puis, il faut explorer le rythme vibratoire de chacun des niveaux, car les divers fragments ne battent pas toujours au même rythme, tout comme s'ils n'étaient pas faits de la même substance.

4. Il faut savoir faire l'examen suffisamment à distance du corps physique, le corps énergétique en étant parfois très éloigné, jusqu'à un mètre et plus !

Voici quelques cas cliniques qui illustreront les précédentes descriptions :

Une femme d'une quarantaine d'année dirigeant une industrie souffre depuis plusieurs années d'une fatigue inexpliquée. Elle s'apprête à liquider son affaire, ne pouvant plus l'assumer.

A l'examen, le corps énergétique est modérément éloigné du corps physique. Mais en faisant l'inventaire soigneux des divers niveaux vibratoires, je constate qu'elle est divisée en huit morceaux qui ne battent pas tous au même rythme (20). Au fur et à mesure que je pratique la rééquilibration, il lui semble sortir, dit-elle, d'un état de torpeur. Une seconde séance lui permet, le lendemain, de retrouver un certain dynamisme.

Elle me donne des nouvelles trois semaines plus tard : « C'est, dit-elle, une résurrection » qui lui permet de continuer à travailler et de faire face à son industrie.

Voici une infirmière, soignée régulièrement par homéopathie. Elle travaille en milieu hospitalier, où elle est surveillée. On ne découvre aucune cause à son immense fatigue, à ses « coups de pompe ».

A l'examen, son corps est divisé en six morceaux battant tous à des rythmes différents. Elle est un des exemples de la résistance à l'homéopathie. Son corps énergétique est non seulement à distance d'elle mais encore fracturé et hétérogène. Le corps subtil, rendu adhérent, unique et homogénéisé va pouvoir maintenant répondre.

Bien que je sois, de cœur, uniciste, on peut se demander, devant de tels cas, si parfois il ne serait pas possible d'envisager l'action conjuguée de plusieurs médicaments homéopathiques, chacun d'entre eux correspondant à un rythme vibratoire différent.

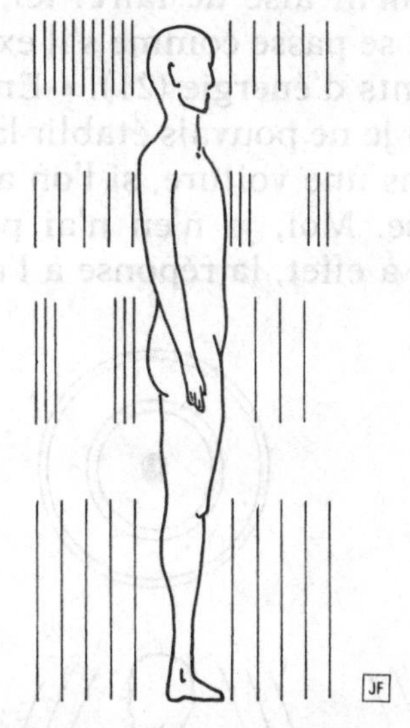

N° 20 Un corps énergétique peut être fracturé en morceaux ne battant pas au même rythme.

Mais l'examen soigneux peut encore offrir d'autres surprises.

Voici l'observation d'un jeune cuisinier de trente ans, qui s'auto-analyse avec lucidité. « Maux de gorge (état d'irritation permanent) ; digestions difficiles (gaz, acidité) ; barre d'angoisse au niveau du ventre ; cicatrisation lente ; petits boutons ; petits bobos en permanence ; mycose entre les doigts ; vue s'affaiblissant ; effets kinesthésiques sur la figure du type rayures, carreaux ; crampes dans les bras après effort minime (monter des œufs en neige), cette crampe peut durer quelques jours ; sensation de fatigue, de lourdeur ; absence de tonus musculaire : l'action ne suit pas la décision, le tonus ne soutient pas l'action ;

sensation de porter une carapace rigide : un pantin articulé dont les fils de commande sont reliés au ventre, centre de tension : difficulté à garder les paupières grandes ouvertes, à respirer avec les poumons et même à sourire ; difficulté à maintenir le contact avec la réalité environnante. »

A l'examen, trois zones successives se dessinent sous la main qui explore le volume des corps subtils ; tout près du corps, une zone vibre, puis un trou énergétique, puis une zone vibrante de nouveau. J'essaie de recoller les deux zones séparées, ce qu'il m'est habituellement aisé de faire. Ici, c'est impossible. Je lui explique que tout se passe comme s'il existait un état de rupture entre deux courants d'énergie (21). « Enfin je suis compris ! dit-il. C'est comme si je ne pouvais établir la liaison action-réaction. Quand on est dans une voiture, si l'on appuie sur l'accélérateur on a une réponse. Moi, je n'en n'ai pas. Je n'éprouve pas la relation de cause à effet, la réponse à l'action. »

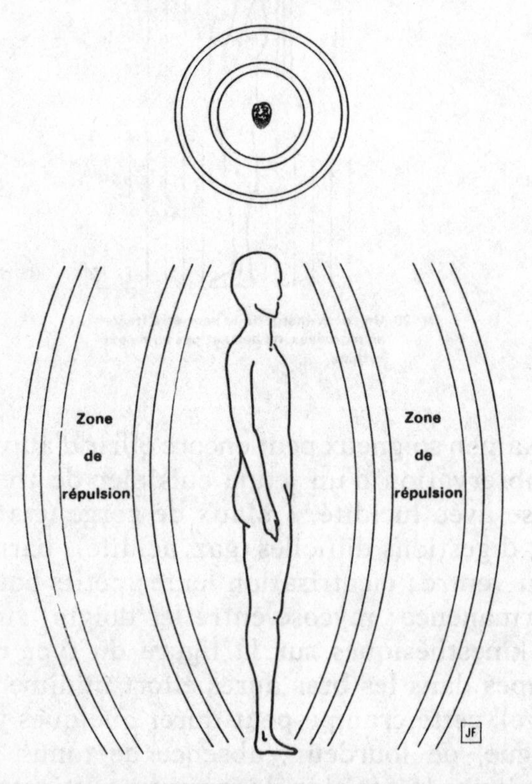


N° 21 Zone de répulsion entre 2 parties du corps énergétique.

Après l'avoir magnétisé, je parviens à rétablir au sein des corps énergétiques une communication entre les parties supérieure et inférieure, à dissoudre un blocage récalcitrant au niveau du sternum, mais ne parviens pas à rétablir la cohésion des deux corps, même après auriculo-médecine. Je laisse une aiguille en place et le revois huit jours plus tard. « Il se passe, me dit-il, quelque chose en moi », et il me signale quelques petits signes prouvant que nous sommes sur une bonne voie.

A l'examen, la répulsion est toujours là et il existe un courant énergétique étrange qui relie les deux parties du corps subtil. L'énergie part de la hauteur de la tête, descend jusqu'aux pieds, s'en écarte, fuit en avant, rasant le sol, évitant la zone de répulsion, et remonte, à distance du corps, jusqu'à hauteur de la tête. Elle la contourne par en haut, redescend le long du corps jusqu'aux pieds, puis fait en arrière le même mouvement de fuite, évitant la zone répulsionnelle, puis remonte, plus en arrière jusqu'à remonter au-dessus de la tête, et le cycle recommence (22).

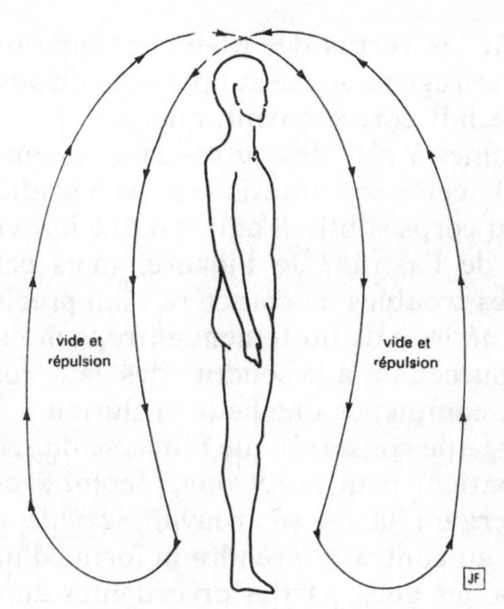


**N° 22 Cycle répulsionnel (histoire des « salades composées ») ordonnées quand les énergies contournent la tête**

Je lui dis à cet instant qu'il ne doit disposer que par moments assez brefs de toutes ses facultés de concentration[1], alors il m'explique la superbe histoire des « salades composées ».

Cuisinier dans une collectivité à ce moment, il doit préparer des « salades composées ». Tout est préparé à l'avance : carottes rapées, céleri, tomates, œufs durs. Il doit disposer dans un ordre harmonieux ces divers ingrédients dans l'assiette afin de réaliser un ensemble heureux.

Au point zéro, la présentation est parfaite, puis, progressivement, l'organisation se dégrade ; il s'en aperçoit, veut rectifier, mais ses gestes ne suivent pas ses intentions. La salade composée s'embrouille, l'harmonie disparaît, on aboutit au chaos, aussi bien dans la tête que dans l'assiette[2].

Parvenues à ce point extrême, les choses vont progressivement se réorganiser jusqu'au moment où tout sera parfait. Et le cycle de désorganisation recommencera. Ce qui est remarquable, dans cette observation, c'est la superposition de mes impressions, du mouvement de l'énergie et des événements vécus par le patient.

Il reconnaît les vertus des gestes automatiques, car s'il ne veut satisfaire son ego en se faisant plaisir à disposer joliment ses salades, tout se fait correctement, quelque chose en lui dispose les salades les unes à côté des autres sans les embrouiller.

Au cours de cette consultation, je parviendrai à joindre les deux parties du corps subtil. S'agit-il d'une individualisation de l'éthérique et de l'astral ? Je l'ignore, mais cette disposition donne lieu à des troubles de caractère bien précis.

Après une période de flottement entre le monde ordinaire et non ordinaire succédant à la soudure des deux corps, il retrouve un équilibre et commence une belle évolution.

Il est étrange de constater que l'inverse du schéma des corps subtils de ce patient peut se retrouver, comme en négatif, dans les états d'allergie : là où se trouvait le vide énergétique, la répulsion peut au contraire prendre la forme d'une zone attractive qui collabe les deux parties précédentes du corps énergétique en une seule.

---

1. L'instant ou l'énergie circule autour de la tête.
2. L'instant où l'énergie est autour des pieds.

Dans l'un et l'autre cas, on ne trouve plus le beau schéma de Niels Bohr. Si l'état d'allergie est grave, tout le corps est concerné par l'anomalie. Le diagnostic est si évident qu'il se passe d'interrogatoire et d'examens complémentaires.

Il est même possible de redresser un diagnostic erroné quand on trouve cet aspect localisé. Ainsi cette femme vient me voir, désespérée ; elle souffre d'angines à répétition, d'otites subintrantes, de conjonctivites, de rhumes. Les cures répétées d'antibiotiques l'épuisent. Elle souffre d'une allergie strictement localisée à la tête (23). C'est là une façon rapide, aisée, de rectifier un schéma thérapeutique.

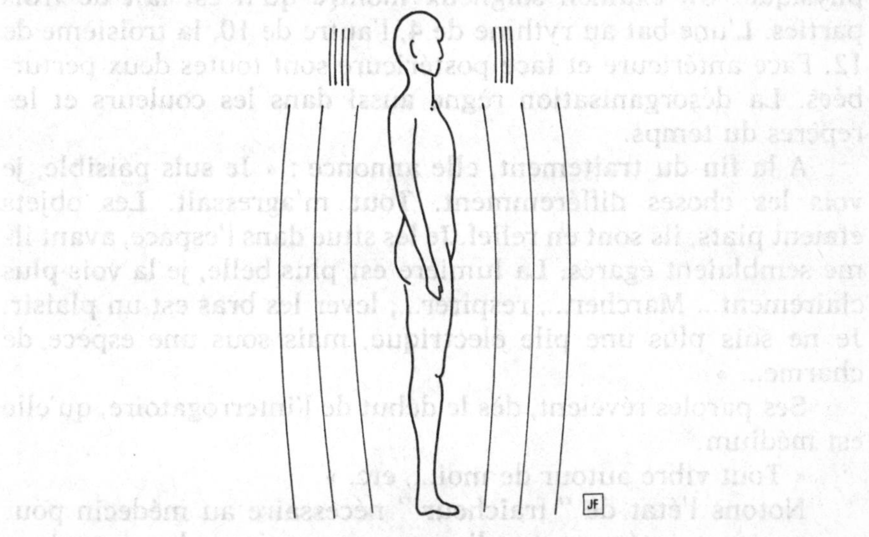


N° 23 Allergie cantonnée à la tête

L'allergie psychique n'est habituellement pas décrite. Cependant elle est parfaitement détectable au niveau du frontal. Elle témoigne d'un conflit, d'une incompatibilité entre le patient et son entourage. Il est possible d'aider... mais le patient doit aussi être actif. C'est-à-dire apprendre à supporter son entourage en modifiant sa façon de le considérer, ou bien... changer de milieu.

Certains troubles digestifs tenaces peuvent aussi relever d'une allergie localisée au tube digestif. Un choix alimentaire doublé d'une régularisation énergétique peut améliorer cet état.

Il est bon de revenir sur les états de fracture du corps énergétique. Très souvent, ils donnent des troubles qui peuvent être étiquetés « spasmophilie ».

Voici un cas extrême : « J'ai une impression épouvantable dans mon corps, mon corps ne se supporte pas, j'ai un goût de sang dans l'estomac et dans l'œsophage (?). J'ai maigri de dix-huit kilos, j'ai l'impression de mourir, je ne supporte pas les autres. Tout vibre autour de moi. Je sens, je pense tout ce que sent et pense la voisine de moi. Pour moi, je ne vois ni le futur ni le passé que j'ai oublié, et le présent n'existe pas. »

A l'examen, le corps énergétique est très éloigné du corps physique. Un examen soigneux montre qu'il est fait de trois parties. L'une bat au rythme de 4, l'autre de 10, la troisième de 12. Face antérieure et face postérieure sont toutes deux perturbées. La désorganisation règne aussi dans les couleurs et les repères du temps.

A la fin du traitement, elle annonce : « Je suis paisible, je vois les choses différemment. Tout m'agressait. Les objets étaient plats, ils sont en relief. Je les situe dans l'espace, avant ils me semblaient égarés. La lumière est plus belle, je la vois plus clairement... Marcher..., respirer..., lever les bras est un plaisir. Je ne suis plus une pile électrique, mais sous une espèce de charme... »

Ses paroles révèlent, dès le début de l'interrogatoire, qu'elle est médium.

« Tout vibre autour de moi..., etc. »

Notons l'état de " fraîcheur " nécessaire au médecin pour percevoir et intégrer ces diverses perceptions, les organiser, passer de la cause à l'effet et conserver sa créativité tout en perdant une partie de son énergie et en recevant la pathologie du malade.

L'examen du patient et les renseignements tirés du *feeling* sont comparés aux données de la carte du ciel. De cette confrontation jaillissent des informations et des conceptions nouvelles.

C'est à ce prix que peuvent se faire ces recherches.

L'étude des rythmes peut s'appliquer à de multiples affections et fournir des éléments intéressants. Ces renseignements se superposent à ceux déjà évoqués. Ainsi, chez un malade porteur d'une hypertension asymétrique, il peut apparaître que l'asymétrie est commandée non seulement par un décollement du corps énergétique mais encore par une différence de rythme.

On peut encore, par l'étude des rythmes en fin de traitement, supposer l'état de délabrement organique d'un organe. Un œil profondément pathologique, par exemple, incapable de récupérer, ne pourra malgré le traitement et l'équilibre réalisé retrouver le même nombre de battements que son homonyme et que l'ensemble de l'organisme.

Bien des finesses diagnostiques, thérapeutiques et pronostiques peuvent être apportées par cette étude des rythmes.

Mon hypothèse de travail, calquée sur celle de Niels Bohr, m'a donc amenée à considérer l'homme comme le noyau d'un ensemble de couches vibratoires. En éloignant la main du noyau central, j'éveille une succession de couches qui battent à des rythmes progressivement croissants.

Diverses observations m'amènent à conclure.

1. La première couche, la plus proche du corps physique peut battre à un rythme qui exprime assez bien l'état de fatigue du patient : un sujet moyen, vivant en ville, bat au rythme de 4/4. Ce n'est pas par hasard que Paul Nogier avait retenu ce chiffre. Mais il peut battre à 2/2 ou même 1/1 !

Le traitement fait rapidement monter ce chiffre, qui peut atteindre 12/12. Si le rythme ne se modifie pas au niveau de cette première couche, c'est que le sujet est très fatigué : cela s'observe au cours d'une insuffisance hépatique par exemple.

Le guérisseur peut être reconnu par son rythme : 55/55, au terme d'une journée qui se situe en ville (24) et en appartement. A la campagne ou au bord de la mer, ce chiffre peut atteindre et dépasser 100/100, en ce qui me concerne...

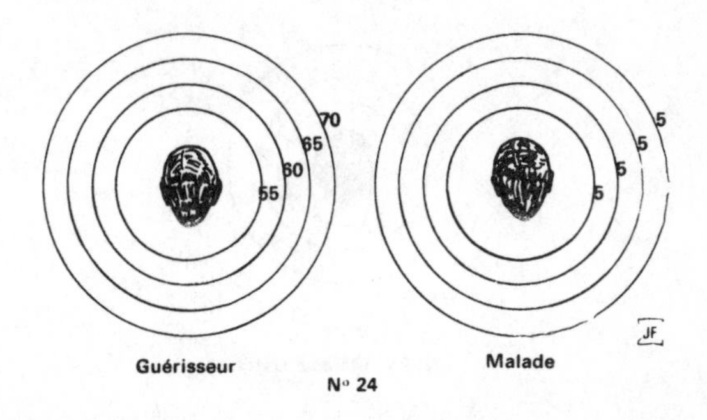


N° 24

2. Les couches successives voient dans les conditions normales leur chiffre augmenter : 6/6 pour la deuxième, 8/8 pour la troisième par exemple. Chez un guérisseur, les couches atteignent 110/110, 120/120, 130/130, etc. Mais on peut observer qu'immédiatement après un traitement, ces rythmes chutent chez le thérapeute : tout se passe comme si le malade s'était branché sur ces couches et en avait absorbé l'énergie.

Ainsi, la première couche, près du corps, peut demeurer constante : 100/100. Mais les suivantes descendent à 80/80 ou 50/50 et même 27/27 après deux ou trois malades sérieux...

Je ressens très nettement la fatigue lorsque la première couche est entamée et baisse son rythme.

3. Parfois la maladie s'exprime non seulement par un abaissement du rythme mais par son immobilisation.

Voici par exemple un malade qui présente des troubles neurologiques anciens. Il est examiné par le Pr Lhermitte. Celui-ci conclut à une affection héréditaire et dégénérative du système nerveux, et décrit un syndrome pyramidal avec légère atteinte cérébelleuse, ce qui explique les troubles de la marche et la perte de l'équilibre. Il lui est conseillé d'accepter cette infirmité. A l'examen (Saturne est en XII), le prisme qu'est l'homme réfracte mal non seulement les couleurs de la lumière mais aussi les cinq éléments. J'observe que *les diverses couches battent toutes au même rythme 5/5* (24). Après avoir fait la régulation des couleurs et des éléments, le rythme 5/5 ne s'est pas modifié ! Les couches sont comme immobilisées. Il me faut utiliser une astuce pour modifier ce rythme, envoyer en quelque sorte l'étincelle qui va allumer l'énergie pour que celle-ci grimpe les diverses orbites. Ce malade récupère à chaque traitement une meilleure mobilité et

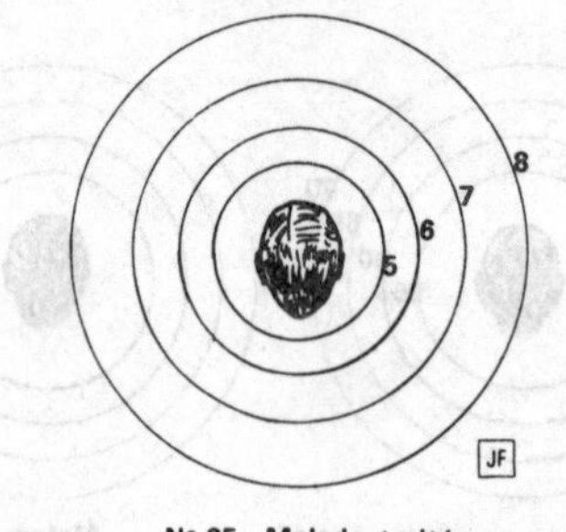


N° 25 Malade traité

son équilibre. En conclusion, les rythmes peuvent à la fois permettre de décrire et d'identifier un certain nombre d'états mais aussi de détecter la réalité existentielle du guérisseur (25)

On peut démontrer qu'il transmet bien de l'énergie aux dépens de ses propres couches énergétiques (24) (25) (26) (27). Celles-ci se reconstituent par le sommeil, le repos. La récupération est beaucoup plus rapide si le guérisseur se trouve relié au sol et à la lumière, car il est bien un intermédiaire entre le ciel et la terre.

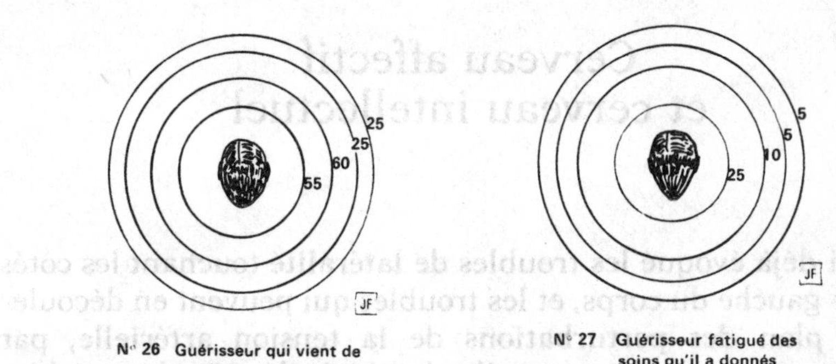


N° 26 Guérisseur qui vient de prodiguer des soins

N° 27 Guérisseur fatigué des soins qu'il a donnés

# 15

# Cerveau affectif et cerveau intellectuel

J'ai déjà évoqué les troubles de latéralité touchant les côtés droit et gauche du corps, et les troubles qui peuvent en découler sur le plan des perturbations de la tension artérielle, par exemple, ou des douleurs vertébrales. Mais il existe des troubles de latéralité ayant un retentissement psychologique. Il est intéressant de noter qu'Hahnemann avait, il y a bien longtemps, décrit en homéopathie les médicaments agissant de préférence sur un côté ou sur l'autre. Le diagnostic de ces perturbations peut se faire au *feeling,* il peut aussi se faire au pouls, ce qui élargit le cadre des thérapeutes capables de s'intéresser au sujet, donc de soigner les malades.

C'est Paul Nogier qui, le premier, m'y a intéressée. Il cherchait quand j'étais son élève à déterminer la latéralité de ses jeunes malades dans les cas de retard scolaire, en leur faisant faire une addition ou une division simple. Suivant le rebond du pouls, il décidait que l'enfant était droitier, gaucher ou ambidextre. Quand j'ai quitté ce Maître, réexplorant tout cet acquis à ma façon, j'ai repensé sa forme d'examen de la latéralité. Au lieu de faire faire une opération complexe, j'ai fait compter pour explorer le cerveau intellectuel et penser à un objet naturel et simple : un arbre, une fleur pour explorer le cerveau affectif. Puis, en m'aidant du *feeling* autant que des signes cliniques, je me suis établi un système personnel de normes. Ces normes établies, je n'avais plus qu'à effectuer les réglages nécessaires pour les rétablir chez le patient. L'effet thérapeutique étant très satisfaisant, je m'y suis tenue.

On voit immédiatement que l'instrument de mesure est la *pensée.* Chaque pensée inscrit sur le corps et sur l'oreille une répartition différente de l'énergie. J'ai déjà évoqué dans le livre précédent ce qu'est l'énergie-information. Car la forme de la pensée induit un courant énergétique qui varie suivant la qualité de celle-ci. Ce qui peut sembler étrange à première vue peut être vérifié par tout auriculothérapeute qui sait prendre le pouls. Tous les guérisseurs magnétiseurs connaissent la puissance de la pensée positive, même en France ! La pensée manipule une énergie ! Motoyama étudiant l'effet de la transmission de pensée entre Tony Agpaoa et un receveur a pu le montrer sur l'électroencéphalogramme[1]. La qualité de nos pensées conditionne en partie notre circulation énergétique. Le bon sens populaire le sait et utilise spontanément ce fait dans bien des circonstances.

Ce qui est moins connu, c'est la puissance thérapeutique d'une régularisation des fonctions des cerveaux droit et gauche. Voici quelques exemples vécus. Une charmante petite fille de douze ans éprouve des difficultés à se localiser dans le temps et l'espace. Les épreuves de gymnastique lui posent des problèmes, elle ne sait jamais si elle lance la balle à droite ou à gauche. Très lente à effectuer le moindre travail, marquant des hésitations dans l'exécution des travaux manuels, se situant mal dans le temps, cette petite fille au visage ouvert et intelligent est très handicapée. En l'écoutant me conter ses difficultés, j'observe son visage, elle porte une cicatrice entre les deux yeux, à l'endroit du troisième œil. A l'examen, toutes les énergies que produit sa pensée sont rassemblées, bloquées là ! C'est une cicatrice dite « toxique ». J'y pose une aiguille pour en disperser les énergies, puis rétablis la latéralité, approximativement d'abord, puis avec un peu plus de finesse. Elle me paraît être gauchère.

Trois semaines plus tard, je la revois pour la seconde fois. L'enfant se situe parfaitement elle-même : « Je saute à la corde du pied droit ou du pied gauche, mais je choisis le pied avec lequel je vais sauter. De toute façon, je commence toujours par le pied gauche et je couds de la main gauche, je suis gauchère », annonce-t-elle sans hésitation. Elle se souvenait des questions

1. Voir *Médecin des Trois Corps* (approche scientifique).

posées lors de la consultation précédente, elle n'avait su y répondre alors ; depuis, elle avait appliqué sa réflexion sur ce sujet, et la réorganisation de ses énergies lui avait permis d'en trouver la solution.

Voici une autre catégorie de troubles bien souvent retrouvée, ce type de malade entre dans la catégorie des incurables. Cette femme est étiquetée spasmophile. La spasmophilie est le ramasse-miettes de tous les troubles mal connus et mal traités, le médecin met un nom sur cet ensemble qui lui échappe, et, muni de ce viatique, le malade s'en va, Gros-Jean comme devant. Cette femme a essayé toutes les thérapeutiques possibles, classiques et différentes, sans résultat. Seuls les séminaires alpha, autrement dit la sophrologie, l'ont passagèrement améliorée. Ses troubles remontent à huit années, et leur apparition correspond à un divorce particulièrement pénible à vivre. Quelle que soit la pensée évoquée, soit d'ordre intellectuel, soit d'ordre affectif, le désordre règne dans la latéralité. *Alors, je lui demande de penser à son divorce. Immédiatement, une latéralité s'installe !* Cette femme est « déprogrammée » par ce divorce. Et tous les efforts qu'elle peut faire sont inutiles. Les troubles de latéralité sont présents et accompagnés d'une série d'autres troubles en relation avec cette « déprogrammation ».

Le traitement de semblables troubles est très délicat et ne peut se faire en une seule séance, car le potentiel émotionnel contenu dans cette désorganisation est énorme.

Il faut donc rétablir grossièrement les énergies générales dans un premier temps. Dans un second temps s'arranger pour que la perturbation de latéralité se produise quand elle pense au divorce. Puis faire une régularisation générale de telle façon que le divorce lui-même ne provoque pas de perturbation et qu'il se projette sur la zone intellectuelle et non plus affective.

Ce travail énergétique s'accompagne en général de crises de pleurs, de quelques sensations étranges, pour qui ne connaît pas son corps énergétique, d'accès de sommeil, et parfois de la mort symbolique.

Ces morts symboliques sont bien vécues par le patient qui perd la notion de l'espace et du temps. Elles sont plus difficilement vécues par moi. Tout en gardant parfaitement ma conscience et ma présence d'esprit, je ressens sur moi-même le bouleversement qui se produit au sein du corps énergétique du patient. Tout commence au plexus solaire ; au même instant, mon cœur s'accélère ; mille sensations au niveau de tous les plexus, thoracique, abdominal, pelvien, surviennent. Je perds de l'énergie, c'est une véritable transfusion brutale qui s'effectue à cet instant, de moi vers le malade. L'aspect que celui-ci peut prendre est apparemment inquiétant ; le pouls devient petit, presque imperceptible, parfois rapide, parfois lent, une cyanose passagère peut teindre les lèvres. Si j'interroge le malade au début de tous ces signes, il me répond : « Je m'en vais, c'est une drôle de sensation, je m'en vais. »

L'émotion est toujours présente chez moi, bien que je sache par expérience que tout se terminera bien, car les signes ressemblent à s'y méprendre à ceux du collapsus cardiovasculaire dont je fus la familière au temps de ma carrière en chirurgie cardiovasculaire...

Tout se termine bien. Chez Agpaoa, nous avons l'habitude de ce genre de phénomène qui s'y rencontre fréquemment. Comme, à cet instant, nous sommes plusieurs guérisseurs pour transmettre l'énergie nécessaire à la mutation, je n'éprouve pas les sensations qui m'étreignent quand je suis seule.

A la sortie de l'expérience, le patient se sent très bien : « Je suis une autre personne, délivrée de ce qui me poursuivait, heureux. »

Les accidents qui ont été signalés en bioénergie relèvent probablement du même processus. Il serait important dans ces moments de conserver le malade immobile pour lui permettre de récupérer un équilibre énergétique.

Parfois, c'est une maladie strictement localisée qui peut être entretenue par un trouble de latéralité.

Cette femme souffre d'une violente colite depuis plus de dix ans. On relève un choc émotif et affectif à cette époque, les premiers signes de la colite apparurent les jours suivants et n'ont pas cessé.

L'examen de la latéralité montre sa désorganisation. Je lui demande de penser à son choc émotif et la latéralité se réorganise ! là aussi.

Laissant là le problème de latéralité, je pratique chez elle une réorganisation de base. La région de l'oreille qui représente la région intestinale est devenue normale, et au *feeling*, l'abdomen ne montre rien d'anormal.

Alors, je m'intéresse de nouveau à la latéralité, toujours désorganisée. Je lui demande d'évoquer l'époque de son choc émotionnel, la latéralité se réorganise, mais... des perturbations compensatrices s'installent dans la région abdominale, perceptibles tant à l'oreille qu'au *feeling !*

Tout se passe donc comme si l'organisme faisait payer le prix de l'organisation de la latéralité aux dépens du côlon.

On conçoit la difficulté d'établir un diagnostic de cette finesse par la médecine classique et le laboratoire !

Le traitement relève de la technique vue précédemment. Puis, il faut soigner le côlon qui a souffert si longtemps par une hygiène diététique, un traitement d'appoint homéopathique ou phytothérapique.

Un homme a perdu le même jour son père et sa mère par suicide. Il s'ensuit un état dépressif grave. La psychanalyse déclenche ce qu'il appelle un « retournement de personnalité » tel qu'il est interné à Sainte-Anne. Puis les ennuis se succèdent : perte de situation, nouvel internement, etc.

Les troubles de latéralité sont complexes puisqu'il s'avoue être un gaucher contrarié. Le fait d'être gaucher contrarié induit toujours une certaine susceptibilité devant les difficultés de la vie ou le surmenage; c'est la raison pour laquelle j'ai vu Paul Nogier demander à ses patients gauchers contrariés de se rééduquer en gauchers vrais par des exercices d'écriture.

Devant ce chaos énergétique déclenché par le fait de compter ou de penser à une chose agréable, je lui demande de penser à sa maladie : tout s'arrange ! Il n'est pas étonnant que ces troubles soient résistants aux diverses thérapeutiques. La régularisation des énergies permet une diminution des angoisses, un certain rétablissement des capacités physiques et intellectuelles, ce qui permet une prise de responsabilité importante, mais une surveillance à peu près mensuelle est nécessaire durant quelque temps, elle ne pourra s'espacer et cesser qu'avec l'éloignement des planètes lourdes intervenant comme éléments d'un long transit perturbateur.

Des perturbations de latéralité peuvent apparaître au cours de l'apprentissage de langues étrangères, mais une langue étrangère peut aussi être favorable... Les signes cliniques peuvent prendre diverses allures. Je citerai deux cas. L'un relève d'un trouble de latéralité entraînant une anorexie mentale, et l'autre provoque des vertiges, une asthénie intense, chez de très jeunes femmes.

Un médecin psychanalyste m'appelle un jour, me suppliant de voir une de ses patientes atteinte d'anorexie mentale. Je refuse net. Ma démarche est positive et centrée sur l'évolution, la sienne est axée sur le passé, le négatif, et réactualise des problèmes anciens. Je ne nie pas l'intérêt de la psychanalyse pour certains patients de constitution sadomasochiste, mais je ne vois pas comment une association thérapeutique est possible. C'est du moins la façon de penser qui me dirige alors. Il insiste, disant qu'elle veut se suicider, qu'il ne reste plus que l'internement de protection. Il en redoute les conséquences ultérieures. Au terme d'une longue supplique, j'accepte.

Cette jeune femme est américaine, elle est venue en France pour perfectionner son français. Elle a pratiqué la psychanalyse durant quatre ans en Amérique et trois ans en France, mais son anorexie s'aggrave. Désabusée dès le départ, je ne vois pas comment je puis améliorer un cas semblable, d'ailleurs son corps énergétique n'est pas très éloigné du corps physique, les perturbations au niveau des couleurs sont modérées. J'explore la latéralité en anglais, sa langue : rien d'anormal. Quelque chose m'échappe, c'est certain.

Comme elle est bilingue, j'ai l'idée d'explorer la latéralité en la faisant compter et penser en français. Alors, tous les troubles apparaissent ! Je les corrige.

L'interrogatoire un peu plus poussé m'apprend que quelques perturbations remontent effectivement à la date de ses premières études de français. Je lui soumets mon hypothèse. Elle la nie. Ce n'est pas possible, elle n'avait que deux heures de cours par semaine à cette époque, dit-elle ! Je n'essaie pas de la persuader ni de la circonvenir. Mais, résolument, j'effectue la régularisation dans ce sens, ne l'abandonnant que lorsque la latéralité est bien en ordre dans les deux langues

Deux séances suffiront pour la guérir totalement !

Quelque temps plus tard, donnant une conférence chez les rosicruciens, au moment où je pénètre dans la salle, une jeune personne me saute au cou et m'embrasse. C'est elle. Son psychanalyste est là, à ses côtés, souriant et me remerciant. Tout va bien !

L'inverse peut se produire. Une jeune Anglaise, mariée à un Français, lequel travaille en Angleterre, m'est recommandée. Tout de suite, elle me dit combien elle est heureuse d'être à Paris, qu'elle aime, et dont elle voudrait profiter si son état le permettait.

Elle est malheureusement sans force, dans le brouillard le plus complet, souffrant de vertiges, de malaises indescriptibles. Elle ne peut coordonner ses pensées. Elle doit s'allonger des journées entières. Debout, aux vertiges s'ajoutent des bourdonnements d'oreilles et sifflements qui s'intensifient.

Son corps énergétique est très perturbé, très profondément. Il faut se contenter pour cette fois d'une régulation générale.

Elle revient le lendemain. Elle est infiniment mieux : les vertiges ont disparu, elle se sent plus solide sur ses jambes, plus « à l'intérieur » d'elle-même.

J'explore alors la latéralité dans les deux langues. Cette fois, c'est la langue anglaise qui est l'élément perturbateur !

Elle déteste la vie à Cambridge où son mari est professeur, elle vient en France aussi souvent que possible !

Pour elle aussi le traitement se révèle curateur. Vertiges, malaises, bourdonnements, sifflements, tout s'amende.

Je lui conseille d'apprendre à se positiver et à trouver, sinon à inventer, des avantages à la vie en Angleterre !

Ces troubles de latéralité peuvent être la cause de maladies organiques : les tumeurs bénignes de l'hypophyse n'ont pas d'autre origine. On peut empêcher l'évolution, voire guérir ces tumeurs hypophysaires en effectuant une régulation de la latéralité.

Ceux qui ont un certain *feeling* peuvent d'ailleurs percevoir le courant d'énergie qui s'échappe de la région médiane et centrale de la tête.

Mais le sujet n'est pas épuisé pour autant.

Une application de cette correction touche un sujet qui m'est cher : celui de la régularisation des retards scolaires chez l'enfant, traitement prophylactique important puisque c'est tout un avenir qui est en jeu.

Un petit Frank, malgré sa bonne volonté et son application, ne parvient pas à obtenir des notes correctes en classe. A l'examen, je constate un désordre de latéralité que je corrige. Dès le premier traitement, les notes s'améliorent, il retient plus facilement ses leçons. Il sait maintenant parfaitement reconnaître le moment où il se délatéralise (la faute des planètes et de la constitution de son corps électromagnétique !), alors, il demande lui-même à ses parents d'être traité et vient tout joyeux me voir à la pensée que son carnet de notes sera bon. Il vient deux ou trois fois par an.

Le deuxième corps n'est pas une vue de l'esprit, un enfant peut même en être conscient. Sa régularisation est sentie comme un bonheur à être, une découverte. « Je ne savais pas, m'ont dit certains patients, qu'on pouvait être " bien ", je croyais que l'état normal, c'était cet état que j'ai toujours éprouvé jusqu'à aujourd'hui. »

Puisse ce livre aider à développer la curiosité de ceux qui ignorent ce deuxième corps.

# 16

# L'actualisation du symbole

Les symboles font partie de notre vie... *Blanche-Neige et les sept nains* sont déjà la Lumière et les Sept Couleurs...

Ils m'étaient autrefois une référence presque intellectuelle, une façon aisée, rapide de manipuler ou d'exposer une idée, de transmettre une information d'ordre général, que le receveur était libre de teinter, de moduler à sa façon. En étudiant l'acupuncture le symbole est devenu quelque chose de plus vivant, et c'est avec déférence que je l'ai considéré, y percevant le pouvoir secret. Mais ce sont les écrits du Maître Aïvanhof qui m'ont permis de le sentir, de le recevoir et de le percevoir.

Puis, j'ai commencé à comprendre qu'il pouvait se comporter comme un élément d'une thérapeutique en pratiquant l'imagerie mentale : en même temps que l'image peut apparaître tout un cortège de sensations corporelles, d'émotions affectives, libérées depuis les profondeurs de nos souvenirs et de nous-mêmes.

Cette libération d'images et d'émotions enfouies, en dégageant des énergies ainsi mobilisées, devient une thérapeutique.

Puis j'ai découvert que le thérapeute pouvait manipuler ces images. C'est là un art, un métier. Au fur et à mesure que les images surgissent, le thérapeute doit jouer le rôle de garde-fou. Jacques Donnars expliquait un jour que jeune débutant, il avait assisté à la scène suivante. Sous état de relaxation préalable, en état d'imagerie mentale, le patient décrit une scène durant laquelle il s'approche d'un précipice, dit qu'il va tomber, le thérapeute omet de dire qu'il le retient, et le patient sombre dans le coma. Il doit être transporté à l'hôpital. Il émergera du coma quelques jours plus tard, spontanément. Il a vécu l'accident...

Je me souviens d'avoir guéri par imagerie mentale un homme d'une impuissance primaire dont on sait la gravité. Tombé amoureux d'une jeune femme qu'il souhaitait épouser, le mariage présupposait sa guérison. C'est ainsi qu'il me fut confié. Après l'avoir entraîné à la relaxation, puis à la régression, c'est-à-dire au retour en arrière dans le temps, je laissais ses images apparaître spontanément alors que je nommais les années en les décomptant. Quand nous arrivâmes à l'âge de cinq ans (je commençais à désespérer car aucune image ne m'avait semblé intéressante pour son utilisation thérapeutique), il se vit, assis sur un mur, petit garçon. Les soldats allemands entraient dans son village, mais en même temps la sirène se mit à hurler : c'était une alerte aux bombardements. Et, bien que le défilé soit pour lui d'un grand intérêt (ses soldats de plomb étaient là, dans la réalité), il eut conscience qu'au même instant quelque chose de très grave, d'effrayant se passait.

Je tressaillis au mot de sirène. C'était la clé. Pour un enfant, la sirène, c'est bien entendu, en temps de guerre, l'annonce d'un bombardement, mais ce peut être la petite sirène des contes d'Andersen, c'est-à-dire la féminité dont l'image séduisante se trouve tout à coup superposée au drame.

Voici la virilité des soldats et le symbole de la séduction réunis dans un drame. Alors, je lui demandai de se représenter le bord de la mer, de s'y promener, fis s'écouler les années, le fis grandir. Parvenu à l'âge adéquat, je lui suggérai l'apparition d'une belle sirène sortant des flots, vêtue d'une longue robe. Elle s'approchait de lui, elle était si belle qu'il en tombait amoureux, etc.

Je ne le revis plus à la suite de cette séance, mais reçus une invitation à son mariage et des faire-part de naissance.

Cette imagerie mentale l'avait guéri.

J'avais « désensorcelé » la matière.

Ce n'est que plus tard que la symbolique, non plus de l'image, mais des chiffres m'est apparue vivante. Une jeune fille vint me voir pour une anorexie mentale. Examinée et traitée suivant les principes de base, c'est en fin de séance que j'explorai les cerveaux droit et gauche, en lui demandant de compter. Elle omet le 15. Elle recommence deux fois, trois fois, elle omet toujours le 15. Comptant à rebours, elle omet le 15. Je le lui fais remarquer. « Je ne peux pas dire ce chiffre », me répond-elle.

Il me semble alors bon de la plonger en imagerie mentale afin de connaître la raison de cette abstention, et lui demande simplement de visualiser le nombre 15 et de me le décrire.

« Je vois le Un face au Cinq et qui s'affrontent. » Pendant ce temps, je teste les énergies et corrige...

« Je vois le Un qui lance une flèche au Cinq, qui en fait autant..., quelque chose s'arrondit, s'enroule, ils se sont rejoints et forment une sorte de serpent. »

Chez cette jeune fille, le blocage au chiffre 15 m'avait déjà mise en éveil, car j'avais songé au symbole du tarot dans lequel le chiffre 15 représente la sexualité, symbolisée par le diable.

Alors, je lui demande : « Comment se déroule votre vie sexuelle ?

— Je fais ce que je veux, avec qui je veux, quand je veux, où je veux et n'en dis rien à personne. » C'était son territoire caché. Et la symbolique du tarot correspondait exactement, et dans le chiffre, et dans l'image, à la symbolique qu'elle dissimulait aux autres.

L'examen de la carte du ciel nous expliquait tous ses problèmes, ses interrogations et difficultés sur ce plan de l'équilibre sexuel.

Dépression, anorexie, angoisse se sont bien améliorées après cette séance.

Alors, j'explore plus finement la symbolique du chiffre 15. Une autre jeune fille qui vient pour un état dépressif, se délatéralise en prononçant le chiffre 15. Je l'interroge discrètement, car elle n'a que quatorze ans. « J'ai mes règles, mais je ne voulais pas vous le dire, j'avais peur que vous annuliez le rendez-vous. »

A l'inverse, une latéralité défectueuse peut se trouver remise en ordre à l'énoncé d'un chiffre. Chez cette femme, la latéralité, complètement bouleversée, se remet en ordre au chiffre 18, symbole, dans les tarots, de la Lune, c'est-à-dire de la femme, de la mère. Je l'interroge sur sa mère. Elle l'a perdue très jeune, elle lui a manqué, elle y pense toujours avec beaucoup de tendresse, d'émotion, elle est certaine que « sa mère l'aide depuis l'autre monde. »

Voici une dame de quarante ans, déjà opérée d'une sciatique, mais qui continue d'en souffrir. On lui propose une seconde opération, elle hésite, la première intervention n'ayant donné aucun résultat...

J'accepte de faire une tentative chez cette dame qui me supplie. Mais je lui demande une mise au repos. Trop souvent, les patients récupèrent un capital énergétique qu'ils utilisent immédiatement à des fins sans intérêt, plutôt que de laisser le cycle énergétique se relancer correctement.

Elle me dit avoir obtenu quarante pour cent d'amélioration après la première séance. J'accepte de la revoir.

La remise en ordre de la latéralité est essentielle dans ce genre de douleurs. Je lui demande de compter. Elle « saute » le 18. Elle recommence, de 2 en 2, ou de 3 en 3, d'avant en arrière et d'arrière en avant. Elle saute le 18. Le 18, dans les tarots, représente donc la fonction de la maternité... Je l'interroge à ce sujet... D'un air contrit d'enfant qui a désobéi, elle avoue : « J'ai un chat, c'est mon enfant, il est malade et j'ai passé la nuit à le veiller, à le soigner... »

Oui, tout est programmé à l'étage supérieur, en chiffres, en images, en symboles en un mot.

Tout cela me laisse étonnée... Ainsi, l'ordre règne dans le monde. Tout y est organisé, synchronisé. La valeur des tarots m'impressionne. Ils sont le résumé de l'inconscient du monde, de ses archétypes. Et notre corps, à notre insu, sait utiliser spontanément ces informations qui échappent à notre conscient. Alors j'explore les chiffres du tarot et leur symbolique au fur et à mesure qu'ils se présentent.

Et je découvre des analogies impressionnantes entre le chiffre qui « parle » et la préoccupation essentielle de la personne soignée.

Ainsi cette femme, épuisée de fatigue, est une organisatrice de voyages. Le chiffre 4 qui symbolise la matière, le verbe réalisateur, émerge.

Voici un homme qui vient de perdre sa situation, et c'est le chiffre 16 qui jaillit, soit la tour foudroyée ou Maison-Dieu.

Je me suis interrogée sur le chiffre qui convenait au Fou. Les uns le considèrent comme le zéro, les autres comme l'arcane 22.

Il se manifeste alors à plusieurs reprises le 22, chez des individus désorganisés autant dans leur vie que dans leurs énergies. Un jeune garçon que la mère m'amène, car il part faire de longues marches de plusieurs jours qui seraient des fugues s'il était plus jeune, semble confirmer que le 22 serait le Fou, représenté avec sa besace sur l'épaule.

Il faut se souvenir que les arcanes du tarot ont un sens positif ou négatif pour un même nombre.

Ainsi le chiffre possède une valeur organisatrice du monde.

Toute une littérature fleurit à ce propos, mais j'aime, parmi tous les textes retrouvés, celui de Balzac, cité par Papus, dans *La Science des nombres,* et qu'il extrait de *Séraphita.*

« Vous ne savez ni où le nombre commence, ni où il s'arrête, ni quand il finira. Ici, vous l'appelez le temps ; là vous l'appelez l'espace ; rien n'existe que par lui, sans lui, tout serait une seule et même substance car lui seul différencie et qualifie. Le nombre est à votre esprit ce qu'il est à la matière, un agent incompréhensible : est-ce un être ? est-ce un souffle émané de Dieu pour organiser l'univers matériel où rien n'obtient sa forme que par la Divisibilité, qui est un effet du nombre ? Les plus petites comme les plus immenses créations ne se distinguent-elles pas entre elles par leurs quantités, leurs qualités, par leurs dimensions, par leurs forces, tous attributs enfantés par le nombre ? L'infini des nombres est un fait prouvé pour votre esprit, dont aucune preuve ne peut être donnée matériellement.

« Dieu est un nombre doué de mouvement, qui se sent et ne se montre pas. Dieu est une magnifique unité qui n'a rien de commun avec ses créations, et qui néanmoins les engendre. La création n'est-elle pas placée entre l'infini des substances inorganisées et l'infini des sphères divines, comme l'unité se trouve entre l'infini des fractions que vous nommez depuis peu les décimales ? Que serait-ce si j'ajoutais que le mouvement et le nombre sont engendrés par la parole.

« De même que le nombre, la seule chose à laquelle ont cru vos soi-disant athées, organise les créations physiques, de même l'arithmétique, emploi du nombre, organise le monde moral. »

A ce moment-là, m'est apparu le rôle organisateur des nombres, phénomène évident à la réflexion, et qui prouve à la fois l'existence du monde invisible, de la trame organisatrice qu'il recèle. Cet accord vibratoire entre les formes, les pensées, les actions et le verbe me laissent stupéfaite d'émerveillement. Pourquoi ne l'ai-je pas découvert plus tôt ? Pourquoi n'apprend-on pas cela à l'école ?

Pourtant la kabbale explique également la mystique des nombres, la symbolique du corps s'exprime dans les signes du zodiaque, il existe une architecture sacrée, la graphologie se sert des correspondances symboliques, la chiromancie également.

Et je me souviens alors que Tony Agpaoa utilisait parfois ses doigts au cours d'un examen mais aussi d'un traitement. Non pas n'importe quel doigt. Peut-être faisait-il référence à l'énergie spécifique de chaque doigt. Pour le savoir, pendant un temps, j'examine le patient avec les différents doigts de la main, et m'aperçois que ceux-ci ne donnent pas la même réponse.

Un livre de chirologie m'apprend qu'à la base de chaque doigt existe un mont qui porte le nom d'une planète différente. Alors, j'imagine que les doigts correspondants portent cette énergie-là, et pendant un temps, à l'aide des doigts, j'essaie de faire le diagnostic de la planète conflictuelle ou des planètes conflictuelles en cause dans la carte du ciel. Le contrôle me montre que je devine juste en me servant de ces repères. Je ne sais s'il s'agit d'une convention mentale utilisant l'organisation symbolique du monde ou bien d'un autre processus, mais cela fonctionne ! Et j'ai compris le pourquoi des gestes d'Agpaoa.

Je savais qu'il ne fallait pas lui demander une explication, que c'était à moi d'exercer mon intuition pour deviner le sens de ses gestes. Attitude peu acceptable dans un enseignement matérialiste...

L'action opérationnelle du symbole devient encore plus évidente le jour où je me trouve en face d'un malade qui vient, accompagné de son médecin complètement désemparé devant son patient. Celui-ci présente un ensemble de signes angoissants, d'étouffements, perte de la voix, qui compromettent sa carrière. Inspecteur, il perd la face au moment de s'exprimer, perd la voix... s'asphyxie, etc., aucun traitement n'a prise sur ses symptômes.

Je pratique une régularisation de base, puis veux régler la latéralité des deux cerveaux. Je lui demande de compter. Il « saute » le 30. Comptant en avant, en arrière, de 2 en 2, de 3 en 3, il omet le 30...

Je le lui fais remarquer. Il répond, tout comme la jeune fille, qu'il le sait, mais qu'il ne peut le dire. Alors, négligeant l'imagerie mentale, je le contrains à prononcer ce nombre. Il devient bleu, s'asphyxie, s'étouffe, s'étrangle, perd la voix et me fait signe que c'est ainsi que les choses se produisent en crise. Le spectacle est impressionnant. J'ai quelque difficulté à l'examiner, pourtant je m'aperçois que tout le travail que j'avais fait est « défait ». Je corrige, à la hâte, les signes. Tout rentre dans l'ordre. Pendant que les aiguilles agissent, je m'inquiète de la signification du nombre 30, et m'aperçois que Jupiter, c'est-à dire la réussite, l'orgueil, correspondent dans les arcanes à ce nombre.

Alors, lui demandant s'il n'a pas eu de blessure d'amour-propre juste avant que surviennent ces crises, j'éprouve l'étonnement de m'entendre raconter que, précisément, cela lui est arrivé. Sa femme, pour des raisons très personnelles, a causé un scandale devant tous ses collègues, et son image de marque en est ternie. Il explique que toute sa vie avait été dirigée par l'idée de représenter une autorité incontestée, et que, tout à coup, tout s'est écroulé, il n'a plus d'estime pour sa propre image. Au fond, il ne sait pas qui il est.

Cette « matérialisation » du symbole, aussi nette, aussi franche, montre plus que toute autre observation ou que tout long discours la puissance opérationnelle du symbole. Les populations dites primitives le savent mieux que nous et l'utilisent en thérapeutique.

Comment l'énoncé de ce nombre qu'il ne voulait ou plutôt ne pouvait dire a-t-il brutalement déclenché la crise ?

Peut-être parce que je ne suis pas passée comme d'habitude par l'intermédiaire de l'image, laquelle véhicule l'énergie plus subtilement que le verbe. On dit que le monde a été créé par le verbe. Le verbe a créé instantanément les troubles et reproduit la maladie.

Ma présence sert-elle de révélateur en « branchant » le malade sur ce monde symbolique, par l'intermédiaire de ma médiumnité ?

Touche-t-on là une source des pouvoirs ?

Ainsi, tous les rapports entre le visible et l'invisible semblent programmés. Mais parfois, il se passe comme une panne de circuit, le codage et le décodage ne se font plus. Et l'observation suivante le prouve. Une jeune femme vient me voir deux mois après un accouchement par césarienne. Elle se plaint de troubles vagues. « Comme c'est étrange, vous avez encore le masque de la grossesse très marqué », dis-je.

Elle avoue : « Je n'aurais pas osé vous le dire, ni à personne, car on penserait que j'ai perdu la tête, je me sens encore enceinte. Et pourtant, je ne le suis pas. Le matin, quand je me lève, je me sens enceinte et le miroir me le dit. »

A l'examen, les énergies sont placées « comme si » elle était enceinte. Après correction, toutes ses sensations sont modifiées « Maintenant je ne suis plus enceinte ! » dit-elle.

Que s'est-il passé ? Il est probable que la « déprogrammation » n'a pas eu lieu. Au niveau du corps énergétique, tout semblait me le prouver, pourtant l'enfant avait quitté le corps physique. Mais ce fut par césarienne. Il n'est pas impossible que l'effet de l'anesthésie ait gêné la déprogrammation de la grossesse sur le corps énergétique. Il est aussi possible qu'on retrouve là un phénomène dépendant de la fracture des corps. Le corps physique vit sa réalité, tout ou partie du corps énergétique en vit une autre.

J'ai vu la situation exactement inverse se produire : l'enfant était programmé et sur l'oreille, et dans le psychisme, mais la femme était stérile. Cette femme vient me consulter pour stérilité. A l'examen, tout semble indiquer qu'elle est enceinte (examen énergétique). Mais elle vient tout juste de voir se terminer ses règles. J'affine l'examen. Il n'existe pas de troubles de latéralité. Si l'on en croit la théorie de Paul Nogier, un garçon est programmé. Je lui avoue mon étonnement et demande si elle pense beaucoup à cet enfant : « Oui, depuis dix ans, tout est prêt pour le recevoir, il a même un nom car c'est un garçon. »

Ici, la matérialisation des informations n'a pas eu lieu, alors que précédemment c'était la désinformation qui n'avait pas eu lieu.

On trouve sur la carte du ciel des perturbations énergétiques et une répartition des planètes qui expliquent ces phénomènes.

La symbolique peut se manifester sous d'autres formes.

Tout se passe alors comme si le sujet faisait une incursion dans le monde invisible pour y vivre les symboles. C'est notre deuxième corps qui prend alors la relève et qui se substitue au corps physique. Au même instant, ce ne sont plus les données du monde ordinaire qui apparaissent mais bien les données du second monde, donc sous forme de symboles.

Ce peut être la fonction visuelle du second corps qui se manifeste, ce peut être la fonction auditive. La symbolique en cause est retrouvée sur la carte du ciel.

Une hôtesse de l'air se présente, car elle souffre d'hallucinations visuelles et d'angoisses. Elle voit, devant elle, des flèches de feu qui s'avancent, des avions qui explosent, etc. Elle voit son mari... sans tête, mais s'est refusée à consulter le psychiatre ou à se confier à un médecin. Elle craint la médicalisation de ses troubles, l'asile psychiatrique et la perte de sa situation. A l'examen, tout son corps énergétique est éloigné du corps physique, mais les différentes catégories d'énergie sont présentes à la hauteur des yeux. Et c'est par les yeux que les deux corps sont reliés. Le thème astrologique montre une composition médiumnique. Par cette constitution, elle possède l'accès au second monde, aux symboles.

La carte du ciel est parfaitement instructive : outre Neptune qui est à la pointe de l'ascendant, les planètes qui sont en maison VI correspondent à la symbolique des hallucinations : la flèche de feu, c'est Soleil conjoint à Mars ; l'avion en feu correspond au carré Mercure-Uranus ; la tête coupée, c'est Vénus conjoint à Mars, au carré d'Uranus et en... Bélier. Les planètes qui transitent alors en Balance actualisent tous ces aspects. On peut dire que la maison Bélier qui correspond à la tête reçoit un maximum d'aspects à ce moment précis, et qu'elle fait au sein du monde subtil, dans ce secteur, une incursion privilégiée et localisée. Ainsi elle voit le corps tout entier de son mari dans l'« ordinaire » moins la tête qui est dans le « non-ordinaire ». Par sa constitution médiumnique, elle voit la symbolique de ces énergies qui sont réunies en ce lieu « privilégié » en cette période de sa vie. Une manipulation énergétique parvient à supprimer ces phénomènes, en répartissant les énergies qui retrouvent leurs localisations primitives et en « recollant » ce corps médiumnique au corps physique.

Une jeune femme me consulte parce que, dit-elle, elle ne peut plus vivre... Ses troubles sont anciens, ils remontent à quinze ans et s'aggravent. Ce fut à l'occasion d'un choc émotif que tout commença. Sa mère venait d'être opérée d'un sein. On lui dit qu'il s'agit d'une tumeur bénigne, mais une infirmière lui dit qu'il s'agit d'un cancer. Cette double information va entraîner une véritable « bilocation » de la personne. Il s'agit d'une femme « bien élevée », respectueuse des principes et faisant un travail spirituel. Depuis ce temps, elle semble habitée par deux personnes, l'ancienne et la nouvelle qui émet une pensée différente, vindicative, ordurière, agressive. Et chacune de ses pensées, de ses actions est doublée de l'antithèse.

Les divers traitements ne la soulagent pas. Elle essaie la méditation qui aggrave les choses.

En maison VI, en Lion, se trouve un amas de six planètes, dont le Soleil, symbole de l'idéal du Moi, qui est valorisé étant en Lion mais agressé par Pluton-Lune qui symbolise la mort de la mère et qui est accompagné de Jupiter, de Vénus, de Mercure, de la Lune noire et de la Tête du Dragon, le tout au carré de Mars en Taureau Un aspect Lune-Neptune induit une composante médiumnique.

C'est probablement la conjonction Pluton-Soleil qui induit la destruction du Moi.

Elle signale encore qu'elle sent au milieu de son front, entre les deux yeux, des sensations électriques. En effet, on découvre là un amas d'énergie, mais aussi un corps énergétique à distance du corps physique, agrafé précisément à la hauteur du troisième œil. L'étude de la latéralité montre la valorisation du chiffre 16, la Tour foudroyée.

Le traitement consiste naturellement en une régularisation d'énergie à répéter étant donné la gravité de la situation. Mais aussi la valorisation du corps physique par de la gymnastique et la suppression momentanée de la méditation.

On peut se demander pourquoi tous ces phénomènes ne sont pas plus connus [1]. René Alleau, dans son livre *La Science des symboles*, y répond avec élégance.

« Le livre scellé de l'univers ne se laisse pas lire à haute voix. La nature fuit le viol de l'évidence : elle n'a confié ses mystères qu'aux murmures et à la pénombre. Ses paysages ne révèlent leurs profondeurs qu'à l'aube et au crépuscule, à travers des vapeurs ou des brumes. Savoir n'est pas connaître, c'est *savourer ce que l'on entrevoit à mi-chemin*. La réalité n'exige pas que nous

1. On lira avec intérêt *La Clé : Vénérable Aryadeva*, Martine et Henri Normand, éd. Padma, Chiron Diffusion.

la réduisions aux limites de notre pensée : elle nous invite plutôt à nous fondre dans l'absence des siennes. Ainsi, la parole toujours voilée du symbole peut-elle nous garder de la pire erreur : celle de la découverte d'un *sens définitif et ultime des choses* et des êtres. Car personne ne se trompe autant que celui qui connaît toutes les réponses, sinon, peut-être, celui qui n'en connaît qu'une seule. »

Tout cela peut nous amener à comprendre les aléas de la voyance :

Le symbole perçu dans l'invisible par le médium peut résulter d'une interférence entre la symbolique du consulté et celle du consultant qui perd ainsi de sa pureté.

Il demande avant de prendre une signification d'être interprété en fonction du monde matériel environnant. Mais les correspondances sont multiples ici-bas pour un même symbole venant d'en haut.

Enfin quand bien même signifiant et signifié seraient potentiellement en correspondance, la programmation de l'invisible peut ne pas être transmise jusqu'au visible. Il y a rupture d'information-énergie entre l'invisible et le visible en un point du Cosmos. On comprend le danger d'une attitude passive et trop confiante face à la voyance.

# 17

# Le syndrome de Neptune

Le syndrome de Neptune peut être défini astrologiquement par un aspect entre l'ascendant et Neptune, ou bien entre le Soleil et Neptune. Mais ce sont les liens tissés avec la Lune qui vont déterminer les qualités de l'imaginaire.

Cliniquement, il est défini par la perception d'un « deuxième corps » bien développé, intermédiaire entre le corps physique et l'infini... qui communique l'intuition, l'imagination, les perceptions suprasensibles. Ce double qui nous accompagne possède dans le monde subtil les mêmes caractéristiques que le corps physique : il peut se mouvoir, sentir, entendre, s'exprimer de diverses façons dans les meilleurs cas. Non identifié, il revêt l'allure d'un inconscient prédominant, non intégré au conscient et porteur d'inconnues innombrables. Cette « ombre » prend alors les formes les plus diverses que les populations primitives identifient à des puissances diverses.

Ces « ombres » peuvent, dans une collectivité, s'agglutiner, devenir une sorte d'âme collective qui transforme la mentalité de chacun et devient une force considérable faite de la totalité de ses constituants et pourtant différente. Gustave Thibon, auteur de *La Psychologie des foules,* a déjà évoqué ce fait il y a bien longtemps. Au *feeling,* ces Neptuniens ont un corps énergétique qui n'en finit pas... Ils sont en relation privilégiée avec l'environnement électromagnétique.

Mais souple, subtil, infini, ce corps se désinsère facilement du corps physique ; la corde d'argent est d'une grande élasticité, aussi le sujet passe-t-il facilement, trop facilement du monde ordinaire au monde non ordinaire. Il en résulte des pertes d'énergie inattendues, l'impression de se « défaire », surtout sous l'effet des carrés de Lune.

Ce peut être un don ou une calamité. Ici plus qu'ailleurs intervient dans la qualité du vécu la notion du degré d'évolution. Ce double peut être vécu comme une force extérieure à laquelle on est soumis, et la magie utilise cette force. Il peut, intégré au conscient et assimilé par le corps physique, devenir une force considérable.

Il est intéressant de voir sur la carte du ciel la valorisation de Neptune et d'entendre ensuite s'exprimer ou vivre la personne en cause. Dans les cas les plus simples et les plus élémentaires, ce peut être une propension au désordre. Ce peut être une inclination vers les drogues... quels qu'en soient les modes d'utilisation. Mes collègues anesthésistes qui utilisent des drogues et entraînent leurs patients vers le sommeil possèdent à des degrés divers cet aspect neptunien, lequel s'accompagne d'une ouverture d'esprit et d'une sensibilité, d'une intuition nécessaires dans notre métier. Mais ce peut être vécu dans la drogue consommée : alcools, psychédéliques. C'est aussi l'éventualité de l'utilisation de drogues psychiatriques, la difficulté qu'ont certains êtres à vivre avec un point de référence stable les menant souvent vers des expériences d'aspect délirant.

Bien vécu, ce peut être la voie de la conquête des perceptions suprasensibles, les prémonitions, la vie spirituelle. Mal vécu, il ouvre la porte à toutes les illusions, les hallucinations... Le problème est de trouver la ligne de flottaison, j'entends par là la ligne de démarcation entre le monde ordinaire et le monde non ordinaire. Je suis parfaitement consciente du travail fait au contact de Tony Agpaoa. Il m'a appris à passer d'un monde à l'autre consciemment et à l'instant décidé. J'ai la conviction que le travail le plus sécurisant est le travail sur le *feeling*, c'est-à-dire sur les perceptions subtiles supratactiles, car persistent alors le contact avec la réalité et la possibilité de contrôle des informations par divers recoupements.

J'ai eu l'occasion de soigner une famille où le père et la fille présentaient des similitudes d'aspects de Neptune. Ils peuvent se présenter comme deux modèles d'une évolution différente à partir d'un syndrome de Neptune. Le père me rencontre grâce à des amis communs et convainc sa femme qui souffre de douleurs résistantes à diverses thérapeutiques de venir me voir. Je la soulage. Il se fait soigner quelque temps après et me confie son manque d'assurance ainsi que son désespoir : il boit ! Mon aide devient quelque chose de si évident qu'il parvient à m'amener une de ses filles. Une discorde les a séparés quelques mois, il en est désolé. Il ne veut que le bien de ses enfants, or celles-ci se sont mises dans la tête d'entrer dans une secte...

Je vois alors la jeune fille qui m'explique l'histoire.

Sa sœur et elle-même ont éprouvé le désir de faire une recherche spirituelle et de réviser le conditionnement qu'elles avaient subi sous l'effet de la société de consommation matérialiste. Elles se sont adressées à la Fraternité blanche universelle dirigée par le Maître Michaël Aïvanhof dont j'ai déjà évoqué les écrits. Le père, écoutant certaines informations, ou plutôt victime d'une désinformation [1], pense qu'il s'agit d'une secte diabolique et, après des discussions orageuses, les filles ont choisi. Quittant la maison, leur âge permet de concevoir facilement cette attitude, elles ont fait le travail sur elles-mêmes tel qu'elles l'entendaient.

Mais un problème inattendu surgit. J'ai aidé sa mère, me dit la jeune fille, j'aide son père pour lequel je représente un appui certain, mais... il veut lire ce livre, *Médecin des Trois Corps,* et j'y parle du Maître en termes élogieux, aussi la famille invente-t-elle mille raisons pour qu'il ne puisse l'avoir entre les mains ! Le lire revient à ne plus accepter de venir me voir. Naturellement, je ne peux faire ce que son père me demande : la circonvenir de quitter la Fraternité. Ceci d'autant moins que les cartes du ciel comparées montrent un aspect médiumnique identique. Il est mal vécu par le père qui boit, et bien vécu par la fille qui suit une voie de travail sur elle-même. J'essaierai donc d'expliquer mon point de vue au père. Mais je le déçois, à cet instant, beaucoup !

---

1. J'ai pu lire dans un journal féminin le reportage d'une journaliste (prétendant avoir fait une enquête sérieuse) disant que la Fraternité était une secte certainement redoutable et signalant que le Maître déjeunait sur une estrade, un micro devant la bouche, afin que l'on entende sa mastication. Or le micro est effectivement présent, mais il sert avant et après le repas, pour transmettre la conférence du Maître. Plaignons ces pauvres journalistes et leurs pauvres lecteurs !

Voici encore l'histoire d'une jeune fille pour laquelle ce corps médiumnique est un problème. Elle vit plus dans ce corps que dans son corps physique : il s'y ajoute des troubles de latéralité, donc une difficulté de scolarité.

A l'examen, le corps énergétique est à un mètre d'elle-même. L'examen de la latéralité révèle le chaos. Elle souffre donc d'une association de deux perturbations distinctes dans la thérapeutique, mais souvent associées dans la vie, et ne me décrit à ce moment que des troubles vagues. On la sent privée de références à la normalité. La carte du ciel révèle une médiumnité qui n'est pas mal acceptée. Les résultats seront donc rapides.

A la fin de ce premier traitement, elle est capable de s'analyser correctement pour ses seize ans. En se levant de la table d'examen, elle se « sent différente », voyant tout plus distinctement et avec de plus jolies couleurs, voyant plus loin aussi !

Mais c'est à l'occasion de la seconde consultation de contrôle deux mois plus tard que son témoignage devient le plus intéressant : « En sortant de chez vous les relations avec le monde ont changé. Mes membres semblaient avoir grandi, les distances se fabriquaient, le tableau de bord s'était écarté de moi alors que j'avais la sensation auparavant que j'étais dedans. Les objets avaient pris du relief. » L'anxiété avait diminué. Elle avait retrouvé le goût de la lecture et l'orthographe s'était améliorée.

Ce changement de rapport entre les objets et soi-même, entre autrui et soi est très fréquent après le traitement d'un médium. C'est la raison pour laquelle je n'analyse pas la situation psychologique au cours d'une première consultation, car elle va spontanément se modifier. Ceci déçoit parfois ceux qui aiment se raconter. La décharge verbale des problèmes sur le thérapeute devenu « poubelle » est inutile. Il suffit de brosser rapidement la situation qui s'éclaircit en même temps que se réorganise la latéralité et se placent les énergies. Un même problème peut être vu différemment suivant la place qu'on occupe face à lui.

Voici la description écrite par un patient talentueux dans l'écriture mais perturbé dans la connaissance de lui-même et des rapports qu'il entretient avec les objets : « La nuit d'effroi a pour point de départ la surprésence des objets. Les objets s'imposent avec une réalité accrue. Qui n'a pas vu une casserole de moules marinière vous fixer intensément ne peut comprendre ce phénomène. »

« *A priori,* ce n'est pas désagréable pour qui, comme moi, se plaint d'être distrait, d'avoir avec les objets des rapports distants, ce plus de réalité qu'ils acquièrent tout à coup serait plutôt positif. »

« Mais voilà, c'est une réalité subjective qu'ils acquièrent, une réalité subjective totale..., autrement dit, la réalité fout le camp. »

Il est aisé de relever ce qui différencie la précédente jeune fille de ce garçon : la jeune fille se sentait dans les objets. Ici, les objets sont actifs, ils viennent vers lui, ils sont investis d'une force. (Lune en XII en Taureau au carré de la conjonction Saturne-Mars.)

La médiumnité peut être investie d'une puissance encore plus grande quand Neptune se trouve être non seulement conjoint à l'Ascendant mais qu'une énergie plus matérielle lui est apportée par la présence d'une planète lourde, telle Saturne transitant l'Ascendant et Neptune, elle peut donner lieu à des développements énergétiques importants.

Voici une jeune femme de trente ans, éducatrice et qui était dans un profond état dépressif (bien expliqué par un transit de Saturne en XII), quand tout à coup survint une période qui dura huit jours au cours de laquelle des événements inquiétants se produisirent. Elle se sentit investie soudain d'une force étonnante autant qu'étrange : il suffisait qu'elle formule l'intention de déplacer un vêtement pour que le vêtement se déplace rien qu'en étendant la main, sans même le toucher ; ceci pouvait se réaliser à plusieurs mètres de distance. En projetant sa main en direction de coussins, ceux-ci se gonflaient tout seuls. Elle arrêtait son électrophone, allumait une ampoule à distance, pratiquait aisément la transmission de pensée. « J'étais capable de tuer quelqu'un sans le toucher, je crois, avec l'énergie que je manipulais ; c'était effrayant. Si je me promenais dans la campagne, les feuillages crissaient à ma seule approche. »

« A la fin de cette terrible période, brutalement, je me suis retrouvée normale, guérie de ma dépression sans savoir pourquoi ! »

On voit là trois sortes de médiumnité évoluant de la passivité · « Je suis dans le tableau de bord », vers l'intention :

« Qui n'a pas vu une casserole de moules marinière vous fixer intensément... », puis enfin vers l'action : le sujet est en possession consciente de son corps énergétique, lequel est réellement investi d'une puissance opérationnelle. Bien que je n'aie pu retrouver les dates exactes des huit jours pendant lesquels les phénomènes se sont produits, car la jeune fille aussi bien que la famille ont occulté cette période, souhaitant l'oublier, il apparaît qu'un transit de Saturne et d'Uranus avait lieu sur l'Ascendant à ce moment. Ce qui explique bien la puissance énergétique déployée.

Cette jeune fille est venue me voir car il lui semblait commencer une nouvelle dépression, dont elle souhaitait enrayer immédiatement l'évolution, redoutant qu'au décours se reproduise l'état évoqué.

Un de mes amis (dont le Soleil est en maison XII conjoint à l'Ascendant et carré à Neptune) a vu se développer des phénomènes de la même famille. La présence d'une conjonction Mars-Uranus en conjonction large avec le Soleil peut expliquer là aussi le phénomène, apparu au moment où Saturne transitait ces planètes. Mais le fait qu'il existe un carré de Neptune ne lui a pas donné la possibilité de maîtrise qu'a possédée la jeune éducatrice, l'énergie s'est trouvée manipulée à son insu.

A cette époque se sont produits des faits étranges autour de lui : des chutes de pierres dans sa chambre, toutes fenêtres fermées, des déplacements d'objets spontanés. Il se demandait s'il devenait fou le soir où, chez des amis, touchant machinalement un poisson métallique décoratif, celui-ci lui dit : « Prends-moi, on veut me jeter. » A cet instant, la maîtresse de maison lui dit : « S'il te fait plaisir, tu peux prendre ce poisson, je ne veux plus le garder ici. »

Il habitait une maison de la culture et se trouvait réveillé la nuit par une voix de femme qui appelait au secours (trigone Pluton-Lune, *sextil* Neptune). En rentrant dans sa chambre après avoir exploré les lieux pour tenter de venir en aide à cette femme qui demeurait invisible, les sièges du hall le suivaient... Le matin, la femme de ménage le réveilla, frappant contre sa porte et lui demandant : « Pourquoi avez-vous ramené tous ces sièges devant votre porte ? »

Le transit de Saturne s'achevait lorsque je le soignais. Il fit parallèlement un travail sur lui-même, et cette médiumnité est devenue voyance.

On voit comme le monde non ordinaire peut se mêler au monde ordinaire, et comme la symbolique d'un thème peut s'exprimer. La difficulté consiste à savoir faire la part de ce qui appartient au monde matériel et au monde subtil où vivent des énergies insoupçonnées. En fonction d'un certain nombre d'éléments tenant à la qualité du corps électromagnétique mais surtout au développement de la personne (le qualificatif d'être évolué n'est plus une expression vide de sens mais une réalité), l'individu est happé par ces forces ou les dirige. Il peut les diriger à son insu, dans la frayeur comme le fit mon ami, il peut aussi les diriger consciemment et toujours dans la frayeur, comme le fit la jeune éducatrice, il peut le diriger consciemment et dans un but thérapeuthique, comme le fit Agpaoa.

On voit là l'explication des poltergöests que n'explique pas la parapsychologie matérialiste et scientiste, ainsi que tous les phénomènes de télékynésie. La maîtrise parfaite de ce corps et de sa puissance énergétique explique également le voyage dit « astral » et les phénomèmes déclenchés volontairement par Agpaoa, maîtrisant les énergies de son corps subtil.

En fait la culpabilisation apportée par la religion envers tous ces phénomènes attribués au diable a provoqué une frayeur devant ces manifestations naturelles. Le fait d'enclore dans l'inconscient un certain nombre d'images actives appelées pulsions et que sais-je encore ont empêché la mise à nu, à plat de la réalité toute simple. Les physiciens modernes de haute volée le savent bien.

Je me trouvai un jour, à ce propos, dans une étrange situation. Une religieuse me téléphone de la part d'une excellente amie qui pratique une médecine très avancée, me demandant un rendez-vous. Étonnée qu'elle ne soigne pas ce cas que l'on m'annonce difficile, j'accepte.

Entrent chez moi trois religieuses en costume traditionnel. La supérieure devait venir, mais elle a raté son train et l'on explique le cas. La communauté entière est malade, non seulement la communauté parisienne mais aussi celles de province. Il suffit que l'une des religieuses de province vienne à Paris, qu'il y ait échange de poignées de main et la nouvelle venue est atteinte des mêmes troubles qu'elle communiquera à ses sœurs en rentrant dans sa communauté ! Les unes et les autres ont été soignées de diverses façons, classiques ou homéopathiques, sans succès. Microbes ou virus rendus responsables sont demeurés victorieux, alors on s'est adressé au terrain, mais en vain.

Ces religieuses appartenant à un ordre méditatif, je fais immédiatement le diagnostic, dans mon salon ! Ma situation est embarrassante. Ont-elles lu mon livre ? La réponse est : « Non ».

La supérieure est absente. Ne vais-je pas leur apparaître comme un personnage satanique en leur expliquant mon point de vue qui tient de mon expérience vécue près d'Agpaoa ? J'hésite. Mais leur confiance est totale. Nicole leur a dit de venir me voir. Nicole sait ce qu'elle fait, et elles veulent sortir de cet « enfer ». Je souhaite examiner la plus atteinte. Ses troubles sont faits de fièvre, malaises, douleurs vertébrales, etc.

Sa carte du ciel montre qu'elle est un grand médium et l'examen clinique révèle un corps énergétique distant d'un mètre d'elle, aux constantes très perturbées.

Je lui explique ma théorie des Trois Corps, l'importance de son deuxième corps, et de celui de ses sœurs méditantes, de l'union des corps subtils qui peuvent s'assembler pour former un corps subtil collectif qui souffre de la même façon et s'inscrit pareillement sur leur corps physique. Après correction des énergies, elle se relève, heureuse, dit-elle, et me donne ses impressions : sensation de bien-être, vue plus claire, relief meilleur, couleurs plus vives, sensation de se retrouver en soi-même ! Enfin, les douleurs ont disparu.

J'apprendrai par Nicole que j'ai effectué un sauvetage. A l'issue de cette unique consultation, non seulement la religieuse a guéri, mais aussi *toutes les communautés !* Ceci par un processus inverse de celui qui avait provoqué la maladie communautaire.

La confirmation de la guérison m'est donnée par la même religieuse qui revient un an plus tard. Quelques petits signes rappelant les troubles précédents se manifestant, elle préférait prévenir la maladie pour en protéger ses sœurs. On ne peut s'empêcher de penser que ces méditantes sont des femmes ayant une structure médiumnique vécue sur le mode de la spiritualité. Ce sont avant tout des habitantes du second monde. Leur collectivité forme un corps médiumnique unique. Malheureusement elles vivent ce corps sans connaître exactement quelle force le mène. On peut expliquer ainsi les phénomènes dits de « possession » relatés par l'histoire.

Dans le cas présent, on peut considérer que sur le plan médical, il ne s'agit pas d'une contamination initiale virale ou bactérienne mais énergétique d'une religieuse à l'autre. La façon dont le processus a évolué et régressé, par induction, plaide en cette faveur.

A cet égard, il est intéressant de se référer à la pensée d'Hahnemann qui, dans l'*Organon,* semble bien évoquer la possibilité d'un tel phénomène : « Dans l'état de santé, l'énergie vitale, souveraine, immatérielle animant la partie matérielle du corps humain règne de façon absolue.

« Sans énergie vitale, le corps meurt et, dès hors, livré exclusivement au pouvoir du monde physique extérieur, il se décompose et se résout en ses éléments chimiques.

« Quand l'homme tombe malade, cette énergie vitale immatérielle (principe de vie) active par elle-même et partout présente dans son corps est, dès le début de la maladie, la seule qui ressente l'influence dynamique de l'agent morbide hostile à la vie.

« Seul le principe vital, après avoir été désaccordé, peut procurer à l'organisme les sensations désagréables qu'il éprouve et le pousser aux actions insolites que nous appelons maladies. Car, étant invisible par elle-même et reconnaissable seulement par ses effets dans l'organisme, cette entité énergétique n'exprime et ne peut révéler son dérèglement que par des manifestations pathologiques dans les sensations et fonctions, c'est-à-dire par des symptômes morbides. Manifestations qui seules sont accessibles aux sens de l'observateur et du médecin.

« L'action dynamique des éléments pathogènes sur l'homme sain et la puissance dynamique des médicaments sur le principe vital pour rétablir la santé de l'être humain ne sont rien d'autre qu'une CONTAGION ABSOLUMENT ABSENTE DE TOUTE INFLUENCE MATÉRIELLE OU MÉCANIQUE. »

Il semble bien que dans le cas des religieuses méditantes, ce genre de phénomène ait pu se produire. Souvenons-nous encore du patient tuberculeux qui ne guérissait pas mais chez qui une régulation énergétique fit disparaître les B.K. de l'expectoration et disparaître la fièvre, alors que le traitement classique en milieu hospitalier était inopérant.

Mon propos n'est pas de nier microbes et virus ni la

pathologie qui a été identifiée à partir de leur individualisation. Mais la question peut être traitée avec des idées nouvelles.

La réalité de la matière est depuis longtemps une illusion, et beaucoup le savent. « Où est la vie réelle, la vraie vie, à quoi ressemble-t-elle ? J'étais toute petite et on m'a dit que tout était des atomes. On m'a dit : " Tu vois cette table ? tu crois que c'est une table, que c'est solide et que c'est du bois : ce sont seulement des atomes qui bougent. " Tout d'un coup j'ai dit : " Mais alors, si c'est comme ça, rien n'est vrai[1] ! " »

Passons de la subjectivité à la recherche scientifique pratiquée par certains qui n'ont pas d'œillères, simplement parce qu'ils ne craignent pas cet « inconscient » et qu'ils sont inspirés. Je fais allusion aux travaux du Pr Alain Jolivet. On sait que les médicaments homéopathiques sont préparés à partir de dilutions de plus en plus grandes d'une substance diluée et dynamisée, c'est-à-dire agitée et qui imprègne des granules de saccharose au terme de la dilution et de la dynamisation. Cette dilution est si importante que le corps médical classique a nié l'action du médicament homéopathique, prétendant qu'il ne contenait pas de matière, donc qu'il n'agissait pas. C'était méconnaître la notion de corps énergétique et le second monde vibratoire invisible mais opérationnel.

Alain Jolivet a fait l'expérience suivante, que je relate en bref.

Soit deux flacons, l'un contient le support du futur médicament homéopathique, c'est-à-dire les globules de saccharose neutres, l'autre contient la solution de la substance thérapeutique dont on veut imprégner les globules. Ces flacons sont de verre transparent.

On les aligne sur la même ligne qu'un projecteur de diapositives de cent watts. Dans les conditions ordinaires, aucun échange ne se produit entre les trois éléments en présence. Les globules de saccharose demeurent du saccharose, la dilution du produit de base est la même et le projecteur éclaire le tout.

Mais si l'on introduit dans le déroulement de l'expérience un facteur nouveau, c'est-à-dire la dynamisation, c'est-à-dire l'agitation du flacon contenant le produit sous un fort éclairage, alors se réalise UN TRANSFERT PAR VOIE OPTIQUE. Les globules

1. Satprem, *Le Matérialisme divin.*

de saccharose acquièrent une vertu thérapeutique sans être entrés en contact avec la dilution homéopathique ! Voici donc une nouvelle application de la notion d'énergie-information.

Le Pr Alain Jolivet répond par cette belle expérience aux matérialistes de l'homéopathie qui trahissent Hahnemann... et qui se posent encore des questions sur le « principe vital », tel M. Jaener qui dans les *Annales de l'homéopathie française* écrit encore en 1982 : « Pourquoi faut-il imaginer que nos remèdes agissent au niveau d'un principe " vital " immatériel, étant entendu que dans ce cas il nous faudrait atteindre idéalement l'immatériel dans nos dynamisations. »

Il est certain que le mouvement est un des processus de vie.

J'ai déjà signalé que le mouvement vibratoire pouvait intervenir de façon étrange en pathologie dans la vie courante. Un patient atteint de sclérose en plaques, mais maintenu en bon ordre grâce à une régulation énergétique codifiée dans le temps, voit ses forces se disperser quand il se trouve dans certains ascenseurs ou dans le train ! Tout comme la dilution contenue dans le flacon, il disperse ses forces sous l'effet de l'agitation !

Pour Rudolf Steiner, le devenir du monde est un processus continuel de matérialisation allant du spirituel au physique. Ce qui primitivement ÉTAIT SPIRITUEL DOIT SE TRANSFORMER EN MATÉRIEL, être en quelque sorte « ensorcelé » dans la matière. Après les évolutions nécessaires, il se libère de nouveau de la matière pour se « désensorceler », c'est-à-dire redevenir spirituel.

Dans son livre, Pélikan [1] explique la vie des fourmis émigrantes de l'Amérique tropicale qui mènent une existence nomade. Elles présentent, certes, la particularité d'être redoutables puisqu'elles s'attaquent à tout ce qu'elles rencontrent : insectes, animaux petits et gros. Mais elles illustrent aussi, à leur façon, notre propos qui est celui de rechercher les frontières, ou les imbrications entre la matière et la non-matière... De quoi sont faits les nids de ces fourmis vagabondes ? Non pas d'aiguilles de conifères ou de terre séchée mais de corps de fourmis ! Quand la troupe, qui peut compter jusqu'à 100 000 individus, a trouvé un lieu approprié, elle s'agglutine en un tas compact au sein duquel

1. *L'Homme, les plantes médicinales et les êtres élémentaires*, éd. Triades. p. 25.

se trouvent des cavités et des couloirs, ainsi la reine peut y pondre dans de bonnes conditions. Lorsque l'époque de repos est achevée, le tas se désagrège et se transforme de nouveau en une armée d'invasion. L'insecte reprend sa liberté et s'individualise de nouveau. « Il n'y a pas de discontinuité dans cette société, entre la construction d'une fourmilière faite à partir de ses individus et le mouvement d'une fourmilière en marche. Il n'y a qu'une mutation intelligente, immobilisation destinée à permettre la reproduction, c'est-à-dire concentration de vie et d'énergie, puis mouvement d'énergie. « Ensorcellement » dans la matière pour accomplir une tâche, suivie de « désensorcellement ».

Il m'avait donc suffi d'une manipulation d'énergie-informa tion grâce à ma présence vibratoire, tout en ayant comme référence la lumière sur laquelle Agpaoa m'a dit qu'il fallait me « brancher » pour « désensorceler » une congrégation religieuse.

Ainsi le rôle que je joue pourrait s'identifier à celui du flacon qu'Alain Jolivet expose à la lumière et agite afin qu'il émette des vibrations-informations sous l'effet de la lumière.

Le thérapeute mérite à cet instant le qualificatif de *medecine man*, l'homme-médecine des chamans. C'est tout un potentiel personnel qui est transmis, et l'on comprend l'importance de la pensée positive à laquelle Agpaoa me contraignait encore mieux à la lumière de cette expérience de physique.

Le travail des lamas à l'aide des sept fils de couleur de l'arc-en-ciel trouve son explication. LE TRAVAIL SUR LA LUMIÈRE PERMET DANS CERTAINES CONDITIONS DE DÉTISSER UN ASSEMBLAGE ÉNERGÉTIQUE, DE TRANSMETTRE DES INFORMATIONS, D'EFFECTUER ENSORCELLEMENT ET DÉSENSORCELLEMENT.

Les faits précédents nous amènent à faire deux commentaires. Le premier concerne l'échange médecin-malade et malade-médecin, et le second qui vient en complément concerne le niveau d'évolution de l'un et de l'autre. Il est certain que les patients présentant des troubles relevant de ce « syndrome de Neptune » ne sont la plupart du temps pas compris par le médecin de l'organique. Les images qu'ils utilisent pour décrire leurs troubles relèvent, pour la Faculté, de la fantaisie. Mais de l'autre côté, le médecin versé dans l'occultisme se doit de s'inquiéter des connaissances ésotériques du patient avant de lui tenir son langage habituel, celui qu'il utilise pour les initiés.

Voici une intéressante observation qui illustre cette nécessité. Elle démontre aussi combien le médecin travaillant sur ces niveaux doit être soigneux de sa santé. Ici, le travail à la chaîne a des conséquences redoutables.

Un appel au secours me parvient un jour émanant d'une malade, d'une inconnue. C'est le directeur d'un groupe rosicrucien qui lui a fourni mes coordonnées. Elle me conte une histoire tellement invraisemblable que j'accepte de la recevoir, bien qu'elle n'ait pas lu l'ouvrage précédent. On verra pourquoi je ne soigne que des patients « préparés ».

Cette femme souffre d'un ensemble de troubles résistant à la thérapeutique classique. Une de ses collègues lui indique le nom d'un médecin pratiquant les médecines naturelles. Il la reçoit (notons l'heure, elle a son importance) à minuit, au terme sans doute d'une longue journée de travail.

Elle est assise devant lui. Il est à son bureau, prend un pendule, des planches d'anatomie et, sans formule préalable, lui dit qu'elle souffre d'une leucémie et mourra dans trois ans. Tout en examinant ses planches, il indique les endroits dont elle souffre et dit vrai !... Elle sent l'action du pendule sur elle-même ; alors qu'elle est à distance, les sensations sont si fortes que, au bord du malaise, elle supplie le médecin d'interrompre cet examen radiesthésique. Il lui dit aussi que sa maladie est karmique car elle a tué son père autour de 1700 en l'empoisonnant. Mais, consolateur, il ajoute que peut-être il lui sera possible de payer plus rapidement cette dette karmique si elle accepte de devenir guérisseur... et la pauvre femme a peur des malades !

Le fait qu'elle ait senti sur elle l'action du pendule qui réveillait une douleur dans chaque zone qui correspondait à l'image anatomique interrogée sur les planches confère un « pouvoir » au médecin. Ce qu'il dit est donc la vérité. Effondrés la patiente et son époux rentrent chez eux dans la nuit

Jamais elle n'a entendu parler de karma ni de réincarnation. Apprenant par hasard qu'une conférence traitant de la réincarnation a lieu chez les rosicruciens, elle s'y rend. Elle exprime son désarroi au conférencier qui me l'adresse.

A l'examen, sa médiumnité est évidente, et ce deuxième corps est très à distance du premier. Pour comprendre ce qui lui est arrivé chez le médecin radiesthésiste, souvenons-nous de ce que disait la jeune fille médium : « Avant, j'étais dans le tableau de bord, maintenant je suis à distance. » Cette femme était, durant la consultation de radiesthésie, dans... les planches anatomiques que parcourait le pendule. Son corps énergétique coïncidait avec le lieu même où travaillait le médecin, et le pendule tournait peut-être bien grâce à l'énergie qu'elle lui communiquait. Cette « ponction » d'énergie était douloureuse et lui communiquait cet état de malaise.

Quant au diagnostic de leucémie, je me permis d'en douter et lui conseillai de faire pratiquer un examen dans un service spécialisé.

Mon intention n'est pas de faire le procès de la radiesthésie, qui mérite d'être étudiée et utilisée à bon escient, mais, trop souvent, j'ai rencontré des radiesthésistes qui faisaient dire à leur pendule ce qui leur passait par la tête et déviaient vers l'obsession. Un jour, un radiesthésiste apprend par un appel téléphonique, reçu en ma présence, qu'une de ses patientes vient d'entrer en maternité pour accoucher. C'est avec stupéfaction que je l'entends dire, en faisant girer son pendule : « Voilà, je viens de déclencher la chute de la progestérone. » Cette hormone de grossesse diminue brutalement au moment de l'accouchement. La femme était entrée en maternité car le travail était commencé, et le taux de progestérone n'avait pas attendu le tour du pendule pour chuter !

La sourcellerie est beaucoup plus simple que la médecine radiesthésique, et l'utilisation des sens supranormaux nous introduisant dans le second monde demande une santé, une fraîcheur suffisantes pour savoir passer d'un niveau d'information à l'autre, à volonté. Il s'agit en somme de procéser à une traduction simultanée de deux niveaux d'information, de deux langues. Si l'interprète est fatigué, sa traduction laisse à désirer.

Mon confrère était en fin de journée fatigué, et ne savait plus retrouver la ligne de flottaison.

Je suis personnellement très curieuse de tous les phénomènes de résonance électromagnétique, mais je considère que toutes ces informations doivent être contrôlées sur plusieurs plans, et ne doivent être retenues que celles pour lesquelles existe la coïncidence des diverses techniques.

L'utilisation des sens supranormaux nous introduit dans le second monde, dans le monde non ordinaire de Castanéda. Et l'intrusion du second monde dans la vie quotidienne doit être menée avec circonspection. Tout un chacun ne peut supporter cette intrusion sans ménagement ni sans précautions.

Mieux vaut demeurer rationaliste et avancer à pas comptés, appuyé par les références que l'on reconnaît pour vraies, que de partir dans la folle aventure qui peut mener à la désintégration de la conscience. Et ceux qui ont charge d'autrui, les thérapeutes, doivent être encore plus vigilants. Certes, il serait bon d'inviter les rationalistes à reconnaître leur blocage qui masque un noyau psychotique et dont ils se protègent en faisant taire cette dimension d'eux-mêmes, mais il faut aussi supplier les « médiums » d'apprendre à rester les pieds sur terre.

Un de mes patients, chez lequel la psychanalyse avait échoué mais qui avait par là appris à se connaître, m'a décrit son problème dans les termes suivants, qui montrent bien les difficultés qu'ont certains êtres à passer d'un monde à l'autre :

« J'étais comme un nageur qui devait s'agiter désespérément pour garder la tête hors de l'eau et qui, épuisé, se laissait couler pour pouvoir prendre appui sur le fond et d'un coup sec revenir à la surface.

« Voilà que vous m'avez donné des palmes, tout est plus facile, mais je ne suis pas encore un poisson et je sais que jamais je ne le serai.

« Cette métaphore m'égare, elle évoque la petite sirène d'Andersen partagée entre son amour du Prince terrestre et sa vie au fond de la mer.

« Avoir du poids, voilà mon rêve. La pesanteur parfois a du bon. »

L'auteur de ce texte est un jeune cuisinier que j'avais traité à trois reprises et que je revois après une de mes longues absences.

Il exprime admirablement l'intrusion de l'énergie dans son corps subtil : « Je vous assure que c'est un spectacle que de me voir dans un magasin, je tourne, j'hésite, offrant aux regards des employés et des clients une perplexité active. Voilà le mot : une perplexité active.

« Au lieu du petit client timide qui hésite discrètement, je déploie mes incertitudes et puis, tout à coup, le retour : toutes choses se mettent en place, je rentre dans mes chaussures. Contact, décision, chaleur, détermination.

« L'image qui me vient à l'esprit est celle d'un tourbillon qui cesse de m'aspirer vers l'extérieur. »

On ne peut mieux décrire cette réintégration du corps énergétique, avec la sensation de chaleur qui l'accompagne et la sensation d'être.

J'ai depuis « fixé » son corps énergétique au corps physique, et ce garçon intelligent fait une très belle évolution.

Est-il toujours possible d'agir ?

A l'issue des transits maléfiques, oui.

Durant la phase aiguë de transits chez l'être non évolué, totalement étranger à ce double qui le possède, alors que des forces considérables sont induites par des transits de Saturne et d'Uranus, l'être devient irresponsable. Il faut le protéger par un internement provisoire.

L'éducation pourrait jouer un rôle préventif. Il faudrait aider le sujet à se situer dans le monde ordinaire par des exercices physiques réguliers et coordonnés. Expliquer aux enfants ce qu'est leur corps subtil, corriger et maîtriser cette image par la sophrologie, et libérer ces énergies par des exercices faisant appel à la créativité : peinture, sculpture, poterie, etc. (j'ai depuis longtemps considéré que les visages de Picasso étaient des formes du monde subtil... des énergies en désordre). Les exercices vocaux qui permettent un travail sur ce corps vibratoire et l'apprentissage de sa maîtrise complètent cette éducation préventive simple.

Il reste l'évolution spirituelle, laquelle n'est pas encore à la charge de l'État... pour l'instant.

# 18

# La guérison et les guérisseurs

Ce qui va suivre est une conception originale du travail des guérisseurs. J'ai pu le réaliser en m'appuyant sur l'étude de mes propres effets sur le patient et sur l'observation de l'action d'Agpaoa, tout en projetant une pensée rationnelle sur ce qui est réputé être irrationnel.

Mais qu'est la guérison ?

Le processus de guérison sous-entend le retour à l'état antérieur à la maladie. Il dépend donc de l'état initial du malade tout autant que de la gravité de l'affection.

Les critères de la guérison ne sont pas les mêmes pour tous : le critère social s'appuie sur la notion de rendement, le critère médical sur des tests qui lui sont personnels, le critère de l'intéressé s'appuie sur la notion de confort. Il peut exister entre société, médecin et malade des opinions sujettes à controverse. Souvenons-nous de cette représentante de commerce dont j'ai retrouvé « la tête aux pieds ». Le médecin ne trouvait rien d'anormal, le système social la contraignait à reprendre son travail. Pourtant conduire représentait un danger pour elle et la société. Ce jeune homme grand et bien bâti mais atteint d'une sclérose en plaques tombait en dépression car, incompris, il se voyait accusé de paresse. En fait le médecin manquait de l'intuition nécessaire pour faire un diagnostic précoce de la maladie.

Le malade « sent » les perturbations du corps énergétique, il en souffre, mais jusqu'ici les explorations médicales ne le cernent pas, ainsi naissent les conflits entre médecins rationalistes, matérialistes et malades.

Le même malaise se rencontre au niveau thérapeutique. Les officines d'herboristerie ont été supprimées, la phytothérapie négligée par le corps médical. Elle est devenue le champ d'action privilégié des rebouteux ou des guérisseurs. Ce n'est que sous l'effet de la pression des malades qu'elle entre à la faculté par la petite porte cette année.

Il en est de même pour l'acupuncture, l'homéopathie et l'ostéopathie dont l'action est encore niée par des maîtres de la faculté, mais appréciée par les malades qui, faisant fi de la légalité, leur ont assuré une survivance. L'action des guérisseurs, ignorée, méprisée, ridiculisée par ceux « qui savent », reste appréciée par ceux qui souffrent et aura le même destin.

Les vertus du travail spirituel sur l'évolution d'une maladie seront reconnues un jour, quant aux guérisons miraculeuses incontestables, elles soulignent le rôle joué par le milieu vibratoire des hauts lieux et le rôle de l'eau, corps éthérique de la terre.

C'est qu'en effet on oublie l'existence des corps subtils. Souvenons-nous de la méprise et de l'omission faite autour de l'action de Tony Agpaoa. Quand il dit : « J'ouvre », il ajoute habituellement « le corps éthérique du malade ». Le journaliste et le touriste moyen, par ignorance de l'existence des corps subtils, ne retiennent que le mot « j'ouvre » et l'appliquent inconsidérément au corps physique.

Quand ce guérisseur me parle de mon action sur le malade, il la définit comme une interaction entre mon corps éthérique et celui du malade. Ce processus est totalement ignoré par la faculté.

Elle ignore aussi la réalité des maladies karmiques dont les circonstances d'apparition n'ont pas été individualisées. Parfois évidentes dès la naissance, elles peuvent ne se déclarer qu'après un temps de latence et n'apparaître que lorsqu'un transit actualise l'aspect planétaire à incriminer. Il se trouve en maison VIII ou XII, ou dans leurs équivalents, les signes du Poisson et du Scorpion.

Ce processus karmique peut attendre l'un des trois corps : le physique, l'énergétique ou le spirituel. Contraignant le sujet à des efforts de toute nature, il l'oblige à muter, à progresser de force, sur un plan ou l'autre.

Mais il existe toujours un secours dans un thème, il se présente sous la forme d'une force personnelle compensatoire et dans les plus mauvais cas par une aide apportée par la maison VII, celle des associés. Le karma est alors porté autant par le sujet que par son entourage qui le soutient.

L'astrologie est bien souvent un moyen de prévoir la gravité de l'affection. Les planètes lourdes témoignent d'un processus profond, durable, qui a peu de chances de laisser le corps physique intact à la fin du transit. Les planètes rapides laissent infiniment plus de chances, encore faut-il qu'il ne s'agisse pas d'un aspect ultra-rapide. Ainsi les mauvais aspects de Mars à la Lune peuvent-ils prendre une allure foudroyante... parfois mortelle, si la Lune ce jour-là est en aspect avec Uranus et l'ascendant.

La symbolique, là encore, joue, non pas sous forme de spéculation intellectuelle mais bel et bien dans les faits ! Le médecin est particulièrement bien placé pour en apprécier la réalité vivante s'il s'y intéresse.

De toute façon, chacun est amené à vivre le contenu de son thème. Il faut se faire une raison. Plus vite on l'accepte et mieux les choses se passent, car au lieu de ne voir que l'aspect négatif des épreuves, on peut en faire une projection positive qui, à la fin de l'épreuve, à la fin du transit, se révèle effectivement bénéfique. On a fait œuvre utile sur un plan ou un autre. La maladie fait partie des épreuves de la vie. Elle indique bien souvent que le « transit » planétaire n'a pas été vécu au bon niveau. Rappelons-nous ce père qui buvait et ses filles qui faisaient un travail spirituel...

Il faut savoir aussi se défier des tentations illusoires... surtout si elles sont généreuses ! Certains êtres sans défense, pleins de bonne volonté, ont le désir d'aider les autres. Pourtant, sous cette apparente générosité se cache une grande faiblesse : incapables de s'assumer, de trouver le courage d'aller jusqu'au fond d'eux-mêmes, ils se perdent dans les autres. Et leurs forces, si généreusement offertes, un jour leur font défaut. Ils accusent alors la terre entière d'ingratitude, ce n'est pas grave, mais se trouvent eux-mêmes dans le dénuement énergétique (voire financier) le plus complet. Ils n'ont pas assumé leur thème, ils se sont perdus dans les autres et pas toujours avec bonheur. Ce qui serait valable dans une société traditionnelle ne l'est plus dans une société moderne. Ainsi, on voit clairement cela sur la carte du ciel de ceux qui ont tenté de devenir guérisseurs. Ils caressaient une illusion! Les grandes lignes qui définissent astrologiquement le guérisseur sont bien en place, mais les planètes n'y sont pas en force. En chute ou absentes, elles deviennent piège ou faiblesse.

Voici une dame qui voulut traiter par magnétisme. Elle possédait sur son thème deux aspects intéressants, les axes Sagittaire-Gémeaux, Vierge-Poissons. Voilà l'illusion créée mais non actualisée, car Neptune est en Vierge et Mercure en Poissons... Elle ne pouvait assumer ce métier, son thème ne montrant pas de compensations. Voulant soigner son mari, par exemple, elle en reçut tous les symptômes et tomba malade elle aussi. Des cas plus prononcés peuvent entraîner la mort du conjoint du malade!

Voici une autre femme qui souffrit de la même illusion, illusion communiquée par un jeu d'axes et entretenue par une médiumnité mal aspectée (carré Neptune-Lune). A l'examen, son corps énergétique est à 1,10 mètre de son physique. Son rythme vibratoire est de 3! Toutes les vibrations pathologiques ambiantes, et à plus forte raison celles du malade, s'immiscent entre ses deux corps. La voici dépressive et anorexique. Que peut-elle apporter au malade avec ce rythme vibratoire à 3! Je ne sais, dans mon système, quel aurait été le rythme d'Agpaoa, mais, à titre indicatif, le mien oscille entre 55 et 85, souvent plus, puisqu'en dehors de mon activité médicale, il atteint et dépasse 110.

Il n'existe pas, jusqu'à présent, de tests de guérisseurs autres que ceux basés sur la pratique. Un groupement officiel, le GNOMA[1], groupe ceux qui ont fait leurs preuves et ont accepté une sorte de contrôle constitué par un ensemble de témoignages écrits et le résultat d'une petite enquête. Un malade qui souhaite être soigné par un guérisseur a intérêt à faire appel à l'un de ses membres, bien que la liste n'en soit sans doute pas complète.

Le problème des guérisseurs est, dans l'ensemble, mal connu. Les documents les concernant émanent d'observateurs

1. GNOMA — 12, rue de la Grange-Batelière, 75009 Paris.

honnêtes, mais qui parfois projettent sur eux leurs propres faiblesses, leurs propres fantasmes, leurs propres peurs. Le guérisseur joue alors le rôle de bouc émissaire, d'« objet-poubelle ». Dans certaines sociétés, ce rôle leur est reconnu en tant que rôle thérapeutique. C'est à la fois un rôle expiatoire et un déplacement d'agressivité. Chez nous, les agresseurs se sentent les agressés. Ils projettent sur les guérisseurs leur malaise à vivre et à comprendre le cosmos.

Le guérisseur, de par sa constitution qui le branche sur le second monde, le monde symbolique, sans effort, ne prend pas la peine d'analyser en termes rationnels sa démarche. Son langage est le plus souvent fait d'amour, d'espérance, de foi, de bonne volonté. Il identifie la pathologie d'une façon différente de celle du médecin. Et c'est normal puisqu'il ne passe pas par le même chemin. Ma position de guérisseur-médecin me permet d'analyser le processus avec lucidité.

Je fus bien surprise le jour où, à Baguio, une guérisseuse française me dit de lui « enlever le feu » de ses coups de soleil, puis d' « enlever le feu » des douleurs d'une dame de ses amies. Elle me donna sa technique et la prière d'accompagnement. Et j'enlevai le feu ! Pour moi il s'agissait de soulager, dans le premier cas, une peau brûlée entre le premier et deuxième degré et, dans le second cas, de douleurs d'origine rhumatismale. Mais le vocable « enlever le feu » était sur le plan symbolique parfaitement valable et relevait d'une même technique.

Avec ou sans prière, j'enlève donc le feu. Mais la prière n'est qu'une façon de s'élever et de se brancher sur un niveau vibratoire plus subtil. Je me « branche » par habitude, à la suite d'Agpaoa, sur la lumière. Ce qui me permet de franchir les zones vibratoires incertaines.

Il est bon, à cet égard, que j'évoque la rencontre que je fis, en France, d'un guérisseur de Manille qui vint accompagné de sa sœur et de sa cousine. On me demanda de les héberger dans ma maison de campagne. J'hésitai, ne sachant s'il était bien pour moi d'entrer en contact avec lui. Puis j'acceptai. Ce guérisseur avait joui d'une bonne réputation à Manille mais Placido, guérisseur de Baguio, s'opposait à ce que Warda Dutoit, son élève, aille travailler avec lui... Elle se trouvait prise d'une fièvre la clouant au lit à chacune de ses tentatives ! Et ce n'était pas un hasard.

Sachant combien ces êtres sont sensibles et perçoivent toutes les vibrations ambiantes, je prends soin d'acheter draps et couvertures neuves, de faire un ménage méticuleux, d'aérer soigneusement la maison.

Le deuxième jour, la politesse m'amène à lui demander des nouvelles de son sommeil : « J'ai mal dormi, dit-il, car votre ancien propriétaire est venu me trouver. » Il me le décrit. Je ne le connais pas. Alors il m'explique qu'il s'agit d'un très ancien propriétaire, mort il y a bien longtemps. Il reviendra cette nuit lui raconter son histoire.

Le lendemain... Cet ancien *owner* a été assassiné il y a bien longtemps, et j'entends une date dont je ne me souviens plus tant je suis étonnée. Son âme erre ici, misérable, et ne se détache pas du lieu, elle est en paix quand je suis là car je suis guérisseur, mais je ne viens pas assez souvent. Elle demande de l'aide.

Un prêtre, en présence du guérisseur, fait une petite cérémonie. Avant son départ et à l'issue de la cérémonie, je lui demande si, cette fois, il a bien dormi et il me répond : « Cette nuit, sept de vos propriétaires étaient là, dans ma chambre, ils étaient accompagnés de chevaux ! »

Cette maison est un élément d'un grand bâtiment fragmenté qui fut un relai de poste autrefois...

Alors je lui demande si partout où il passe c'est la même chose ou si c'est spécifique de ma maison. Il répond que partout où il passe pour la première fois, les âmes du lieu lui demandent de l'aide. Quant aux dames qui l'accompagnent... elles ont également très mal dormi : c'étaient les elphes, les gnomes, les sylphes de mon jardin qui venaient leur faire des farces, leur gratouiller la plante des pieds, chatouiller le nez, etc.

Je conclus en leur disant que fort heureusement, j'étais à l'abri de pareilles mésaventures et que je dormais très bien ici. C'est alors que la réponse dangereuse m'arriva : « Vous les verrez bientôt, ils viendront vous parler à vous aussi. »

Agpaoa ne m'avait pas familiarisée avec ce niveau de perception-là ; mise à part la notion de « gouverneur » qui doit correspondre à la notion de Maître dans l'invisible, jamais ce monde n'avait été évoqué.

Me voici donc seule et perturbée par l'éventualité d'un monde de revenants auxquels j'aurai peut-être à faire face.

Y résisterai-je ? L'idée me vient de vendre cette maison.

Puis, pensant que cela ne résoudrait pas mon problème, j'envisage d'autres solutions : nier ce qu'ils m'ont dit ? Attendre que les fantômes se manifestent, en demeurant éveillée ? Non, il ne faut pas laisser vagabonder mon imagination. J'entre dans la maison, crie : « Bonjour à tous, je suis là, tout va bien. Asseyez-vous tous sur le banc, en rang, et que je ne vous entende pas Regardez avec moi la retransmission d'un opéra à la télévision »

« Ils » ne m'ont jamais dérangée.

Mais quand je revis Agpaoa, il me dit d'un air mécontent que ce guérisseur était « *very bad for you* », et il ajouta : « *At your convenience.* »

Parfois, me souvenant de ce guérisseur, je brûle un cierge à l'intention de ces âmes et fais une petite prière... Mais j'imagine quelles auraient pu être les conséquences pour une personne encore moins armée que je ne le suis de cette aventure.

Néanmoins, cette histoire met bien en évidence l'ultra-médiumnité de certains guérisseurs-médiums et leurs perceptions portant sur des niveaux vibratoires inférieurs. Niveaux qu'il convient d'éviter si l'on ne veut pas se trouver pris dans un cycle infernal (non indispensable, puisque le guérisseur disait que cette âme se trouvait soulagée lorsque j'étais là).

Cette expérience explique aussi la pratique de certains rites lors de la construction ou de l'inauguration d'une maison.

Ainsi, le guérisseur possède souvent, mais à des degrés différents, la médiumnité. Il faut que cet aspect neptunien ne soit pas mal aspecté, car il serait alors source d'illusions et de fausses représentations.

Il faut aussi qu'il possède quelques planètes en force, ce qui lui confère une certaine résistance aux vibrations pathologiques qu'il est susceptible d'enregistrer.

Peut-il être guérisseur s'il est souffrant ? L'étude vibratoire que j'ai pu faire sur des guérisseurs souffrants tend à prouver qu'il émane d'eux des vibrations fines, pénétrantes qui se distinguent de « l'anatomie » du corps énergétique dont je peux distinguer les formes et les vibrations sur un autre registre. Mais, bien entendu, il est préférable, pour le malade autant que pour lui-même, qu'un guérisseur soit en bon état de santé, il est ainsi mieux protégé.

Sur le plan pratique, quel travail fait le guérisseur ?

Ce n'est qu'après l'avoir étudié sur mes propres observations qu'il m'est possible d'en donner quelques définitions. Car vu de l'extérieur, il ne peut être compris ni interprété.

Il faut tout d'abord admettre la constitution de l'être humain, très différente de celle que la médecine nous offre. Mon hypothèse des trois corps : physique, énergétique et spirituel, permet à cet égard de considérer les choses sous un angle nouveau et d'éclaircir le problème.

Si la pathologie du corps physique revient dans l'ensemble à la médecine lourde, celle du corps énergétique relève des médecines « vibratoires » et celle du corps spirituel d'un travail sur soi, d'un mode d'intégration à la famille et à la société « revu et corrigé ». Il faut bien avouer que parfois, c'est la société ou la famille qui seraient à « corriger ». Il ne demeure plus alors que l'appartenance à certaines minorités, seules échappatoires au monstre que représente la société moderne.

A son insu, le guérisseur opère un certain nombre d'actes sur le corps énergétique, que j'ai pu mettre en évidence grâce à mon expérience personnelle.

1. *Il rapproche le corps énergétique du corps physique.* L'action est pratiquement immédiate. Elle est perçue nettement par tout patient ayant lui-même une composante médiumnique et définie par lui comme une impression de bien-être indéfinissable, une présence à soi-même, un bonheur jamais connu. La chef du service de kinésithérapie d'un grand hôpital dit : « J'ai arrêté ma voiture en vous quittant, pour savourer mieux cette sensation de bonheur. » Ce qui est vécu ainsi, c'est le retour à soi, à soi-même.

Certains patients n'ont jamais connu réellement cette intégration, d'où leur étonnement, et cette sensation merveilleuse à laquelle ils s'habituent vite, ils ne la retrouvent généralement pas au traitement suivant, ce travail est déjà fait. Cette intégration n'est pas une vue de mon esprit, c'est une expérience intensément vécue par le malade. L'enfant lui-même la perçoit.

C'est la raison pour laquelle les guérisseurs continuent d'avoir une clientèle malgré le discrédit et les diffamations dont ils sont l'objet.

2. Tout en rapprochant le corps énergétique, il opère *une soudure des fragments de ce corps fracturé.*

3. Il se produit une homogénéisation des vibrations des divers constituants, qui se mettent à *vibrer au même rythme.*

Souvenons-nous des termes utilisés par les psychiatres : fragmentation de la personnalité, morcellement des structures qui définissent les psychoses, complexes qui définissent les névroses. Ces termes reflètent avec exactitude la réalité observée et palpée au cours de mes consultations. Comment s'étonner de l'action profonde et rapide d'un traitement bien conduit dans les cas de dépression, d'anxiété, de névroses obsessionnelles, etc., quand on sait qu'il est possible de réassembler ce corps énergétique, lequel était totalement ou partiellement disloqué.

4. Il est possible d'*augmenter le niveau vibratoire du malade,* de son aura. Certains arrivent avec un rythme de 1/1 ! Le plus souvent il oscille entre 3 et 12. Ce dernier chiffre est considéré comme satisfaisant. Je ne sais quels sont les rythmes vibratoires des guérisseurs français. Le dernier que j'ai testé, âgé de soixante-dix ans, avait encore un niveau de 23. J'oscille personnellement entre 55 et 90, voire 110 selon les jours. Mais j'essaie de me conserver en bon état, voyant très peu de malades et prenant des vacances fréquentes... consacrées à l'écriture ou à la recherche.

5. L'écoute d'un guérisseur ne ressemble en rien à la distinction hautaine ni à la bonhomie de certains maîtres hospitaliers. Il entre *en contact direct affectif et vibratoire avec le malade,* sans radios ni feuilles de laboratoire interposées. L'ensemble des guérisseurs constitue un groupe chaleureux, rayonnant, positif. Or, sous notre ciel, au sein de notre civilisation, quelle est la maladie la plus fréquemment rencontrée si ce n'est celle d'être mal aimé ?

6. Le guérisseur, même en France, introduit une *dimension spirituelle* à son comportement. Il contribue donc à l'éveil du corps spirituel du patient. Ce dernier est ou n'est pas capable de recevoir le message. Mais le germe est en place.

7. *Sur le plan scientifique,* c'est le Japonais Motoyama qui a étudié la question en construisant une enceinte munie d'amplificateurs pour enregistrer les courants produits par l'homme en divers points du corps.

Il considère que l'homme ordinaire produit une énergie dont la fréquence oscille entre 1 et 20 cycles seconde pour un potentiel de 10 à 30 millivolts, mais si la mesure est faite sur un homme tel qu'Agpaoa, l'énergie éjectée est supérieure à 2 000 cycles seconde et le potentiel est compris entre 300 et 500 millivolts. On voit donc la différence de niveau d'énergie. Celle-ci amène un transfert du guérisseur vers le madade.

Le guérisseur, branché à la fois sur la terre, négative, et le ciel, positif, régénère cette énergie à partir de l'environnement, à deux conditions : la première sous-entend une qualité de l'environnement, la seconde est que le guérisseur lui-même soit « fluide » et ne bloque pas le passage des énergies. « Vous essayez de comprendre, vous bloquez l'énergie », m'avait dit Agpaoa lors de mon premier séjour.

On reconnaît, dans les travaux de Motoyama, quelque chose qui ressemble à ce que j'ai découvert en percevant les rythmes. Il utilise des appareils là où je n'utilise que la main.

8. Outre le transfert d'énergie, on peut découvrir un *transfert d'informations*. Intervient là le phénomène d' « ouverture », terme si souvent prononcé à Baguio. C'est-à-dire l'acceptation d'une communication vibratoire avec l'environnement du guérisseur en l'exerçant dans un sens positif.

C'est Paul Nogier qui m'a prouvé avec simplicité comment pouvait se produire le transfert d'information par la simple pensée. Et je fus séduite par le brio de sa démonstration.

« Prenez le pouls, me dit-il, et choisissez un point sur l'oreille de cette personne. Mettez-y mentalement une information. Maintenant, grâce au pouls témoin, je vais découvrir le point que vous avez choisi d'exciter. » Il détecta en effet le point !

L'expérience était concluante, et je découvris moi-même au pouls le point que j'avais désigné. « Nous allons faire une contre-épreuve. Choisissez un point comme précédemment. Maintenant cherchez-le. » Et je ne le trouvai pas.

Il savourait une victoire que je ne m'expliquais pas. Alors il dit qu'il avait, avant moi, lancé une information négative sur l'oreille et décidé que le point ne s'inscrirait pas !

« L'information ne passe pas car j'y fais obstable ! »

Nous aurions pu engager une compétition, maintenant que j'étais prévenue, à celui qui « informerait » le plus vite et le plus fort. On saisit là l'importance et la puissance de l'information positive ou négative ; c'est pourquoi on insiste tant à Baguio sur la qualité positive de l'ambiance. On peut aussi comprendre l'action pernicieuse exercée sur une population par un certain endoctrinement souvent aveugle fait de spectacles de violence, de haine et de malversations de toute espèce

Mise à part les constitutions sadomasochistes qui vivent heureuses dans ce système et qui en assurent la survivance, nombre d'affections psychiques et somatiques peuvent en découler. Or c'est ce monde ambiant qui prétend définir les normes de la santé.

Il est frappant de voir les monastères tibétains toujours situés au sommet de monts ou de montagnes, flanqués à leur pourtour de hauts mâts. De grandes banderoles y sont accrochées ; sur ces banderoles des prières inscrites, le vent les agite. Il a pour mission de les répandre alentour.

Le guérisseur peut recourir à d'autres procédés que le travail par les passes magnétiques. Ces techniques seront évoquées plus loin. Elles ne sont pratiquement pas utilisées en France, si ce n'est par des spécialistes, ce sont les *exorcistes,* lesquels souffrent plus que tout autre de la dénomination de charlatan... S'ils sont authentiques, ils jouissent cependant d'une puissance d'action peu commune sur l'inconscient et sur l'organisation pathologique de l'énergie. Disons que les vrais ne font pas de publicité.

Il nous reste à préciser les limites de l'action du guérisseur.

L'effet découle de la régularisation plus ou moins profonde du corps énergétique. Il varie avec la puissance du guérisseur autant qu'avec sa technique d'accompagnement à savoir réordonner les énergies mobilisées.

Il dépend de l'état antérieur du patient, et j'ai lourdement insisté sur le fait que certaines cellules étaient en position de récupération alors que d'autres ne l'étaient plus. Un tissu détruit ne peut récupérer. Les tumeurs proliférantes posent un problème. Si les tumeurs bénignes et récentes sont capables de régresser, le doute existe pour les plus anciennes et les plus volumineuses. Les tumeurs malignes... je les crains ! Un transit lourd de Pluton appelle infailliblement pour moi un traitement classique ; un transit d'Uranus, s'il est parlant, une intervention chirurgicale.

J'avoue avoir toujours été étonnée devant certaines régressions observées chez Agpaoa, obtenues sans traitement complémentaire médical, mais j'en ai observé. J'ai analysé ailleurs tous les éléments positifs de la cure telle qu'elle est pratiquée dans l'ashran mais suis incapable de dire les raisons pour lesquelles un cancer peut se trouver stabilisé, capable de régresser, pourquoi une vertèbre métastatique se consolide ! Je ne peux qu'analyser les faits dans leur succession et relever, sans trouver la clé du problème.

Il nous faut insister sur plusieurs points :

1. l'importance du repos en station climatique ;

2. la rupture avec le climat psychologique dans lequel vit le patient ;

3. l'influence positive de l'ambiance ;

4. le facteur de transmission et de régulation de l'énergie émanant du guérisseur ;

5. le travail spirituel ;

6. la remise en question de notre religion judéo-chrétienne culpabilisante qui implique le châtiment futur au-delà de la mort

Si les résultats sont toujours hypothétiques sur le plan de la clinique médicale, sur le plan spirituel il en est tout autrement. Je doute qu'en France, dans le climat psychologique où nous vivons, ces phénomènes soient capables de se généraliser. Je souhaite faire là une erreur.

Les perturbations du corps électromagnétique obéissent electivement à l'action du guérisseur. Pourtant, il est des cas où toute action est vouée à l'échec : quand les transits planétaires sont actifs. Mais ni le guérisseur ni le patient ne doivent se désoler. Le traitement garde sa raison d'être. Les transits planétaires perturbants disparus, la convalescence sera ultra-rapide et la restitution des fonctions conservée dans l'immense majorité des cas.

Tout se passe comme si le réordonnancement des énergies empêchait la souffrance cellulaire d'atteindre le stade de non-récupération. Autrement dit : un malade non traité pendant cette période par régulation énergétique a, selon l'importance des transits, un certain nombre de chances de ne pouvoir revenir à son état antérieur. Le malade traité conserve cette possibilité.

Il est évident que les traitements par acupuncture ou homéopathie possèdent des avantages identiques.

Pour les troubles psychiques, la même réserve s'impose. Un facteur d'aggravation supplémentaire est fourni par l'abus de drogues administrées par les psychiatres. La cellule est profondément perturbée dans sa physiologie par ces médicaments. Il faut traiter à la fois l'intoxication et la maladie.

Pourtant il n'est pas possible de nier l'effet bénéfique de

certaines thérapeutiques de soutien, administrées avec jugement et modération, dans les périodes aiguës.

Si précieuse soit-elle, l'astrologie ne peut être interprétée qu'à la lumière de connaissances médicales solides car si elle ne tient pas compte de tous les éléments d'un examen, elle peut être redoutable. Témoin ce malade qui fait une insuffisance aortique brutale par rupture d'un pilier d'une valve : l'astrologue lui dit que « tout va bien ». Le malade n'a pas encore ressenti les effets de cet accident et préfère croire l'astrologue ! Je dois user de toute mon influence pour le convaincre d'écouter le cardiologue et d'accepter l'intervention réparatrice avant qu'une insuffisance cardiaque grave ne s'installe. Tout l'art revient à savoir moduler un traitement suivant les circonstances.

« L'important, me disait Agpaoa, c'est d'assurer la sécurité du malade. » Ce furent ses dernières paroles de guérisseur. « Prenez bien soin de vous » furent ses dernières paroles de Maître.

# 19

# Henri Collomb et les guérisseurs

C'est à l'occasion du premier anniversaire de sa mort célébrée par un congrès qui réunissait malades, médecins et guérisseurs que je connus vraiment ses travaux. Il s'était mis, lui aussi, à l'écoute d'une autre société, il en avait découvert les aspects positifs. Bien que les traditions africaines soient peu connues de l'Occident, il avait su en reconnaître les avantages et incorporer des sorciers guérisseurs à son service de psychiatrie de Dakar.

Voici comment je fis connaissance de son principal guérisseur, Son Excellence le cheikh Ousmane Badgi. J'étais là pour participer au séminaire théorique, je le croisai alors qu'il arrivait pour les journées consacrées aux projections filmées. Nous avons vécu le temps d'une soirée au sein d'une même société.

Il nous vint le soir, pour clore ce séminaire, prenant la parole à la suite d'un professeur expert en électro-encéphalographie et français qui, s'il amusa bien la foule, le fit aux dépens de la population africaine, ce qui n'était pas exactement respecter les intentions de Henri Collomb, ni sa mémoire.

Le cheikh s'avança, vêtu de son costume traditionnel, et je fus frappée par sa dignité, sa noblesse, autant que par sa sérénité et le contenu de ses paroles. Le contraste était si frappant que notre professeur en devenait puéril ! L'impression faite par ce guérisseur fut si forte qu'à l'issue du dîner de clôture je voulus le saluer. J'étais arrivée la dernière et dus traverser de bout en bout toute la salle avant de le rejoindre, le reconnaissant de dos grâce à sa grande taille et à son costume.

Avant que je ne parvienne à lui, je le vis se retourner, me sourire, prêt à m'accueillir. Il me dit . « Je vous attendais »

A cet instant, je demeure sans voix, mais il continue :

« J'ai su que cette soirée se terminerait par un entretien entre vous et moi dès mon entrée dans la salle.

— Mais quelle salle, dans la salle de conférences ou bien dans celle-ci ?

— Tout d'abord cette impression m'est parvenue en pénétrant dans la salle de conférences, puis mon impression première s'est trouvée confirmée en arrivant ici. »

Si Tony Agpaoa avait parlé cet excellent français, il aurait su tenir le même discours.

Puis, pour confirmer en quelque sorte le fait que j'étais identifiée et qu'il connaissait mes préoccupations, il ajoute :

« J'ai un message à vous transmettre : tous les guérisseurs du monde doivent s'unir pour en élever le niveau vibratoire afin de le sauver. Et savez-vous aussi qu'au sein des sept couleurs il y a encore sept couleurs, et que dans le temps qui passe il y a l'instant du moment ? »

J'étais stupéfaite ! Comment savait-il que je travaillais avec sept couleurs, comment savait-il que la méthode des instants favorables était ma préoccupation du moment ? Et lui aussi, comme Tony, parlait de vibrations ! Lui aussi me reconnaissait comme guérisseur !

Enfin, il ajoute :

« Voulez-vous travailler avec nous ? Vous avez beaucoup de choses à nous apprendre. »

Naturellement, je ne crus pas un mot de cela et le remerciai en lui disant que c'était certainement l'inverse qui était vrai ! Non, malheureusement, je ne pouvais demeurer plus longtemps, ce n'était pas prévu. Un jour, certainement, et j'étais sincère, je deviendrais son élève, mais pour l'instant, j'étais l'élève d'un guérisseur philippin, Tony Agpaoa, il me fallait terminer un travail avec lui.

Malgré tout mon étonnement, toute l'admiration portée à cet homme, j'éprouvais la nécessité intérieure de garder mon unité, celle construite à partir d'Agpaoa. Agpaoa n'avait jamais commis d'erreur à mon égard, il m'avait communiqué un équilibre, une sérénité devant un vécu étonnant ; la prudence m'incitait à le suivre jusqu'au moment où il aurait terminé son instruction.

Je craignais d'être prise dans un tourbillon de forces variées que je ne saurais contrôler.

Mais je compris pourquoi Henri Collomb lui avait fait confiance et la raison de mon admiration spontanée... Et je notai, étonnée, que lui aussi me considérait comme un guérisseur.

J'y rencontrai aussi Pierre Derlon, ce guérisseur qui épousa une Gitane et qui s'initia aux traditions gitanes. Pour lui, les sociétés qui respectent les traditions ne voient pratiquement pas éclore de désordres psychiques dans leur sein.

J'y rencontrai des marabouts d'Afrique du Nord et des guérisseurs africains, dont un guérisseur dit « anthropophage ».

Mais ce congrès était important car il permettait de voir comment Henri Collomb et le Dr Boussat qui lui succédait alors [1] avaient organisé l'Abbaye au sein de l'hôpital Pasteur de Nice. Les malades, mêlés aux médecins, aux guérisseurs, à l'assistance, étaient là, les premiers concernés. Ce lieu, avec son cloître, ses vastes salles, son silence, n'évoquait en rien la vie carcérale et aliénante d'un hôpital psychiatrique. Henri Collomb se contentait de faire remplacer les carreaux quand un malade les cassait, mais n'exerçait pas la contention physique ni médicamenteuse. Il avait vendu l'électro-encéphalographe du service et l'avait troqué contre une chaîne stéréophonique.

Le lieu favorisait la réflexion, la méditation, la vie simple. On faisait référence à la symbolique de la construction de l'Abbaye. « Il peut paraître surprenant d'invoquer ici un symbolisme qui, suggéré par l'environnement, agirait de façon efficace sur la population de l'Abbaye, soignés et soignants. Il faut remarquer que toute construction délimitant un espace sacré, séparé de l'espace profane engage une action sur l'homme, quels que soient ses sentiments à l'égard du sacré. Le besoin de transcendance est un besoin fondamental. Même s'il est masqué, plus ou moins occulté, voire nié par le système social, son émergence sous différentes modalités individuelles ou collectives rappelle qu'il faut en tenir compte dans toute action qui se veut thérapeutique. L'Abbaye de Saint-Pons qui fut espace sacré, qui

---

1. Le docteur Boussat est maintenant nommé en Martinique.

est monument de l'histoire, qui fait partie de la cité et de sa fondation fait écho à ce besoin fondamental. Son orientation, ses volumes, ses formes, ses lignes, la distribution de son espace intérieur constituent un cadre et un environnement qui assurent une fonction essentielle pour l'homme de tous les temps. Le dialogue silencieux entre l'homme et la pierre peut être plus efficace que le comprimé ou le discours du thérapeute. »

Un autre médecin a donc recherché la signification et la valeur du symbole ! Combien je regrette de ne l'avoir pas connu !

Il n'a pas écrit de livre, mais je reçois un certain nombre de « tirés à part » de ses conférences, c'est-à-dire de son enseignement. C'est à ces « tirés à part » que je ferai référence dans les pages qui suivront. Ils sont détenus par l'association « Psychiatrie sans frontière » de Nice.

Pour lui, la folie est « cette part de l'individu qui résiste à la socialisation, part que tout le monde possède à des degrés divers, en fonction de l'action érosive de l'ordre social ».

« Dans sa forme caricaturale, mais cependant habituelle, la maladie est atteinte d'un organe, d'une fonction : un foie, un poumon, un cœur, le cerveau pour la psychose, etc. De l'homme, il n'est pas question.

« Dans une conception moins mécaniste, l'homme sera reconnu avant ou en même temps que l'organe malade. Mais il reste qu'il s'agit toujours de l'individu malade.

« Intégrer l'environnement social et lui donner la priorité, sinon la seule responsabilité, pour ce qui concerne la maladie mentale exige une véritable mutation qui, au-delà des mots, modifie fondamentalement la perception et l'approche des phénomènes.

« Mais la mutation n'est pas facile, surtout pour ceux qui ont subi la formation médicale. Une meilleure préparation serait sans doute l'étude des sciences humaines. »

Ailleurs, il décrit le modèle médical occidental auquel je me suis moi-même heurtée : « La psychiatrie a hérité de la médecine la pensée linéaire, causale qui aboutit au schéma bien connu : étiologie, physiopathologie, symptômes, maladie, thérapeutique... le repérage des symptômes, son évaluation, sa mise en place dans le syndrome ou la maladie occupent l'attention et l'énergie du psychiatre.

« L'écoute et le dialogue sont remplacés par l'observation.

Voir, observer, examiner, tester, prendre l'observation, lire l'observation... sont les expressions du discours médical qui traduisent parfaitement la réciprocité ou la dissymétrie de la situation, l'impossibilité de l'échange.

« Le respect historique de la folie a disparu ; la science a chassé les esprits et le malade est voué au néant par son entourage. »

On se souvient du « contact » que le guérisseur, accueilli dans ma maison de campagne, avait avec les âmes des défunts anciens propriétaires de ma maison, et des « contacts » de sa sœur avec les gnomes, les elfes... du jardin. Il est certain que si j'étais incapable d'avoir les mêmes contacts, et si même j'en éprouvais une certaine crainte, jamais je n'ai songé qu'ils tenaient là un langage d'aliénés. Ils tenaient entre eux le langage d'une autre culture, d'une autre civilisation et en parlaient avec simplicité, sans se rendre compte que dans nos murs, ils risquaient l'internement.

Là est le problème, et si je consacre un chapitre à l'aspect psychiatrique de ce second monde et de ce deuxième corps, c'est que j'ai rencontré bien des personnages, médiums ou non, qui avaient vécu des expériences hors des normes admises et qui n'étaient perturbés *que* par la crainte de leur « différence » et la nécessité de la masquer, car leur expérience était vécue comme un phénomène enrichissant.

Mais « l'impérialisme scientifique occidental, qui pose l'existence de maladies mentales définies et classées selon des critères occidentaux, ignore bien les subtilités de l'être humain. Le point commun des modèles utilisés, pour la compréhension et la maîtrise du trouble mental, est leur appartenance à la culture occidentale qui leur confère une valeur scientifique se voulant universelle.

« Le traitement n'est pas toujours efficace, mais les médicaments psychotropes effacent pour un temps les symptômes. Les découvertes de la psychopharmacologie ont renforcé la médicalisation. Le malade mental est désormais un « malade », il rentre dans le système malade-médicaments-médecin, système qui exclut la personne et la dimension sociale.

« Le soignant n'appartient pas à la marginalité, il appartient à la majorité, il est du côté de ceux qui ont choisi la raison contre la folie.

« Mais peut-on accepter à la fois les deux situations, celle de l'ordre social et celle de la folie, être à la fois intégré et marginal ?

« Là encore, les cultures africaines avaient trouvé la solution. Le guérisseur était à la fois :

« — L'être marginal parce qu'il avait généralement fait l'expérience initiatique de la maladie mentale et parce qu'il avait accès aux forces spirituelles ou humaines qui échappaient aux autres.

« — L'être intégré dans la communauté qui lui reconnaissait un statut et un rôle des plus utiles.

« Les philosophies ou les cosmogonies africaines permettaient le dépassement de la contradiction inhérente au thérapeute occidental. »

Henri Collomb soulignait bien que toute l'énergie du médecin est utilisée à monter une observation, à construire un diagnostic. Mais celle encore disponible, à qui va-t-elle servir ? Dans la plupart des cas à préparer des concours ! Et la créativité du médecin s'en ressent.

En outre, la hiérarchie médicale impose le savoir : l'ordre médical est le prototype même de l'ordre hiérarchique. « Ses rites quotidiens sont là pour l'attester et le répéter. On pourrait se demander si la fonction de ces rites n'est pas de faire croire, précisément, parce que la vérité n'est pas évidente et que le doute ne serait pas supportable. Quoi qu'il en soit, le médecin, nourri de science et de hiérarchie médicale, n'est pas préparé à se mettre en question. Le modèle médical le renforce dans son attitude et lui évite l'angoisse du doute.

« Le deuxième avantage est plus général en ce sens qu'il intéresse tout le monde. Réduire la folie à la maladie, c'est supprimer la folie en tant qu'objet de scandale, c'est éviter de reconnaître à la folie sa dimension humaine, ce qui la rendrait insupportable. C'est aussi mettre entre l'homme normal et le malade mental sa science médicale, écran qui évite le face à face intolérable. La folie questionne douloureusement l'homme dit normal soumis aux contraintes sociales. Elle est aussi liberté, liberté absolue qui refuse l'ordre social. D'où sa fascination et la peur qu'elle inspire. L'individu comme la société ont la nécessité de se protéger contre ce danger qui mettrait en péril l'un et l'autre. Le modèle médical, en réduisant la folie au silence des symptômes, lui enlève toute signification. Le fou est un insensé ;

son discours et son comportement ne sauraient avoir de sens ; ce qui est dit ou fait ou perçu ou éprouvé n'est que la conséquence de la maladie qui détruit les fonctions spécifiques de l'homme. Cela rassure et évite le dialogue sinon l'écoute. »

« Au contraire si l'expérience initiale de la folie, quelles que soient les voies qui y conduisent, est considérée comme une expérience existentielle qui menace tout être humain parce que tout être humain contient la folie, les attitudes, les comportements à l'égard du « malade » seront différents. L'assistance dans l'épreuve remplacera le rejet et l'isolement. Dans les cultures traditionnellement non technologiques, les cultures africaines en particulier, le malade mental a encore cette place privilégiée ; il fait encore partie du groupe à part entière.

« Reconnaître le malade comme personne non différente des autres quant à l'essentiel, c'est aussi lui reconnaître une liberté et une existence sociale. Ce n'est plus l'aliéné au sens classique du terme, mais un être sujet qui vit une expérience particulière intéressant la communauté.

« C'est pour cela que dans les sociétés africaines traditionnelles, où les maladies mentales étaient rares ou pratiquement inconnues, le type même de la maladie était la bouffée délirante. »

Pourtant, les changements de société se sont multipliés toutes ces dernières années et finissent par toucher les villages, tendant à modifier ce schéma. Tous les psychiatres africains qui prenaient la parole à ce congrès dénoncèrent la déstabilisation psychologique introduite par l'école européenne et les prêtres catholiques, deux éléments qui tendent à rationaliser brutalement des esprits vivants dans une société où le mythe prédomine. L'enfant y vit près de sa mère et de sa famille, « proche des mythes et des dieux ». Le sacré enveloppe la vie quotidienne. Les événements et les manifestations de caractère mythique constituent le réseau profond de la trame de la vie communautaire traditionnelle.

« Mais le mythe n'est pas vécu comme un récit ; il porte en lui une valeur pragmatique et *efficace* que le récit ne restitue pas, valeur qui est périodiquement actualisée par le rituel.

« Le rite répète l'acte originaire créateur situé hors du temps chronologique, dans un temps et un espace sacrés. Le mythe, c'est l'*ordre du monde* tel qu'il a été donné *une fois pour toutes*, définissant à la fois la nature et l'histoire, c'est-à-dire les choses et les hommes. Le rite n'est pas commémoration, il est répétition ou mieux immersion dans la création. C'est pour cela qu'il est efficace. *Il ordonne la mise en place de l'homme dans le monde, les rapports des hommes entre eux, les rapports des hommes avec les choses et les dieux.*

« Cette mise en place se fait hors du temps historique, dans un temps qui est l'*éternité* et dans un espace situé *hors de l'espace profane des hommes.*

« Mais la régénération par le rite n'est opératoire que dans la mesure où *le sacré habite encore l'homme,* où le religieux fait partie du quotidien, où le sentiment de transcendance est la dimension essentielle de l'individu. C'est encore la situation de l'homme africain, loin du destin prométhéen de l'homme occidental voué au toujours nouveau, sinon à la création.

« Le rite est aussi expérience mystique vécue. Chaque cérémonie, réitérant l'acte primordial, *réorganise les liens entre l'individu et le monde.* Le rite est la parole organisatrice qui donne sens et qui est loi perçue par l'enfant dès la naissance sur le dos de sa mère. »

« *Le mythe inscrit l'homme au centre de l'univers,* comme expérience existentielle régénérée périodiquement par le rite ; au centre de l'univers mais *relié* à tous les existants, c'est-à-dire au monde des choses et des êtres, dans une relation intensément vécue. « La faiblesse de beaucoup d'hommes est qu'ils ne savent devenir ni une pierre ni un arbre. » (Aimé Césaire, 1948.)

« L'homme est condensation d'être dans la vibration éternelle et infinie qui anime tout ce qui existe : les vivants et les morts, les animaux, les végétaux, la terre, le ciel, les esprits familiers ou redoutables qui peuplent l'univers.

« Le mythe définit le cycle de la vie sur la terre, la production et la reproduction, le rapport des sexes et la fonction assignée à chacun d'eux. »

Ces pages sonnent trop juste pour demeurer enfouies dans des archives de conférences. C'est la raison pour laquelle je les exhume. Elles expriment dans un langage à la fois poétique et exact la réalité du mythe vécu par l'Africain. A sa façon il organise et réorganise quotidiennement ses énergies personnelles en les reliant à l'ordre invisible, les tissant en fonction d'un ordre établi.

Sans passer par le même canal, c'est bien ce que j'ai l'impression de faire en tissant les faisceaux de couleur, en en démêlant les fils en désordre, suivant un ordre qui se veut le plus près possible de l'ordre naturel des choses.

Car tout est en ordre. Le malade qui fait apparaître la crise d'asphyxie dont il souffre en prononçant le nombre qu'il omettait volontairement, ne savait-il pas, inconsciemment, cet ordre-là.

Tout est en ordre, même la mort. Pourquoi demandais-je à cette Asiatique dont les troubles de latéralité s'actualisaient quand elle prononçait le nombre 13, symbole de la mort dans les tarots, si elle avait perdu un être cher récemment ? Elle me répondit qu'elle avait assisté au massacre de toute sa famille au Viêt-nam... Parleront-elles, ces arcanes, en toute circonstance ? ou bien faut-il que le thérapeute-explorateur soit encore relié à l'univers ? Peut-être. Car « le guérisseur opère une médiation entre le malade et l'ordre symbolique, entre l'imaginaire individuel créateur d'un autre ordre symbolique et celui qui régit le groupe..., n'étant pas rejeté, non aliéné, il fait partie du groupe qui le tolère parfois, le vénère comme porteur de transcendance ».

La position du guérisseur reconnue par tous est celle du médiateur, position bien différente de celle du psychiatre.

« Le psychiatre doit choisir : être avec la société ou être avec le malade, être gardien de la société ou être exilé avec le malade dans le lieu de la folie.

« Le guérisseur est à la fois l'un et l'autre, il existe dans le registre social comme celui de la folie. Il a du médiateur la véritable fonction : accorder deux parties qui s'opposent, le monde de la raison et celui de la déraison. »

Comment devient-on guérisseur ? « L'élection peut être le résultat d'une expérience individuelle, interprétée comme signe du destin et des dieux : révélation brutale dans le rêve, prise de conscience extatique, maladie mentale initiatique. Elle peut être aussi le choix des autres. Le guérisseur a le devoir de chercher et de désigner, avec l'assentiment des autres, le plus apte à lui succéder parmi les enfants ou les adolescents. L'élu va s'engager dans une longue formation à la fois initiatique, au sens traditionnel du terme, et technique à l'acquisition de connaissances concernant les plantes et les rites. Les deux progressions sont indissociables, mais la connaissance initiatique est la plus importante ou la plus spécifique.

« (...) Elle trace, en l'accentuant dans un temps limité, la voie qui conduit de la connaissance de soi à celle de Dieu en passant par le social et le cosmos. L'initiation comporte d'abord un rite de mort.

« C'est en même temps la régression dans l'indistinct, le primordial, la nuit cosmique, un temps de fœtalisation à partir de quoi une nouvelle naissance, sous une autre forme, devient possible.

« La mort symbolique est aussi mort à une certaine forme d'existence sociale.

« A la sortie de la cabane ténébreuse ou de la tombe initiatique, le futur initié a tout perdu; il lui faudra tout apprendre, recevoir un nom nouveau et des marques sur le visage et sur le corps pour être reconnu. L'initié doit simuler (ou manifester) la perte de toutes les acquisitions élémentaires, il ne sait plus marcher, il ne sait plus manger, il ne reconnaît plus ses parents. Il se livre à des actes incohérents.

« La mort prépare à une nouvelle naissance symbolisée par des rites d'accouchement, par la sortie de la hutte qui a parfois la forme d'une vulve.

« Le mystère, le secret, le surnaturel paraissent soigneusement entretenus par les maîtres initiateurs pour créer ce climat d'émotion intense qui mobilise les forces de tous. Mais ici *la différence est mince entre " croire " et faire " comme si " on royait.* L'initiation est peut-être le *rite du " comme si "*, mais d'un " *comme si* " qui reste proche de ce qui pourrait être perçu comme réalité fondamentale, parce que quelque part, il est fait appel à des besoins fondamentaux de l'homme qui sont besoin de transcendance et de dépassement de soi pour aller vers cette paix si chère aux Africains, toujours souhaitée mais rarement atteinte. »

La connaissance, pour le guérisseur, au sens africain, « c'est l'accès aux forces spirituelles, leur maîtrise et leur possible utilisation à des fins diverses.

« Cet accès comporte plusieurs voies : initiation lente et progressive auprès de ceux qui la possèdent; immersion dans la maladie mentale (maladie initiatique), domaine des forces spirituelles bonnes ou mauvaises; dialogue avec les esprits qui se manifestent la nuit et dans les rêves ; dons hérités des ancêtres et des dieux.

« C'est ce type de connaissance dont est crédité l'enfant à la naissance, parce qu'il vient du monde des ancêtres... Cette connaissance disparaît avec le langage.

« L'enfant est porteur d'une connaissance qu'il a régénérée au contact des ancêtres et du monde lumineux dont il vient. Cette connaissance sacralisée, qui est aussi celle des voyants, des sages et des vieillards, des grands initiés, sera progressivement effacée avec la socialisation.

« (...) Avant de comprendre, l'enfant entend les récits mythiques, il apprend les fables et les proverbes, met en place un univers symbolique organisé selon les associations, les analogies, les liaisons événementielles...

« On comprend que l'école occidentale accompagnée de l'instruction religieuse introduise une double rupture : rupture avec la tradition des religions originelles rejetées par le christianisme, rupture dans la continuité éducative, parents et enfants ne parlant plus le même langage du fait de la scolarisation.

« (...) Cette rupture est source d'angoisse et de désarroi. Elle conduit à la pathologie mentale illustrée par les troubles qui apparaissent chez l'enfant lors des premières années de scolarisation (énurésie, bégaiement, régression, repli autistique, fugues...). »

Il leur est aussi difficile d'intégrer la culture et les croyances occidentales qu'il me fut difficile de m'intégrer au monde subtil du guérisseur. Tout en y participant, mon éducation matérialiste et rationaliste ne s'est mise en accord avec ce monde que lorsque j'ai pu comprendre intellectuellement ce que je faisais intuitivement. Ce fut, on s'en souvient, à l'occasion du traitement d'une collègue anesthésiste, laquelle perçut le goût de cuivre pendant que je la magnétisais. Cette expérience me permit d'accepter l'idée d'être guérisseur. Elle ne me fournit pourtant pas l'explication de sa guérison. Force est de l'admettre, mais elle est en formelle contradiction avec mon éducation. Comment une tumeur dont le pronostic opératoire est aussi grave (puisqu'il s'agissait d'un phéochromocytome) a-t-il pu disparaître sous l'effet de mon action conjuguée à celle d'Agpaoa ?

Il est certain que le spécialiste non préparé par ses études à cette éventualité ne pourra l'accepter, même s'il a les preuves en main, car cela nécessite un bouleversement total de sa vision du monde. Et cela représente une effroyable agression. Cette même agression, nous l'imposons aux autres populations sous prétexte de les civiliser, alors que, depuis la procréation jusqu'à l'instant de leur mort, leur vision du monde est différente.

« Chaque naissance réitère l'acte créateur primordial par son contenu sacré et social que proclament les rites associés et inscrit le nouveau-né dans le cycle terrestre et la société des vivants. »

La procréation est envisagée sous trois modèles :

1. le modèle androgyne qui réalise l'union parfaite de l'homme et de la femme, abolissant différence et inégalité ;

2. le modèle du couple de jumeaux, roi et reine aux origines, représentent la dualité ;

3. l'union des différences ou des contraires, l'unité à réaliser devient plus problématique.

La naissance peut être le produit de la fusion, la complémentarité ou l'alliance des contraires.

Qu'est la naissance dans la tradition africaine ?

« Naître n'est pas simplement venir à la vie ou à l'existence ; celui qui naît vient de quelque part. Il vient du monde des morts à la fois proche et lointain. Il vient de ce monde dont les habitants peuplent toutes les choses de la terre ; du vent qui souffle et qui pleure, de l'eau qui coule et qui murmure, de la fumée qui cherche ses amis autour du feu où l'on se chauffe aux arbres qui témoignent par leurs mouvements et leurs plaintes, de la présence de ceux qui attendent et qui cherchent le sein maternel qui les fera passer du monde des ténèbres au monde de la lumière, du monde du silence aux cris des hommes. Naître, c'est l'acte essentiel, c'est entrer dans la vie pour être un homme. C'est le passage le plus dangereux et le plus menacé qui doit être protégé par tous, les vivants et les morts. » (L. Diouf.)

« (...) La part de l'ancêtre est toujours importante ; elle se manifeste sous diverses modalités : réincarnation de la personnalité totale, d'un ou de plusieurs éléments constitutifs de la personne de l'ancêtre, réincarnation vraie avec indices symboliques ou inscrits sur le corps. Le cycle de la vie et de la mort, variable selon les groupes ethniques, assure une continuité entre les vivants et les morts. »

Au Sénégal, Dieu a créé pour l'homme deux corps : un pour

le monde des vivants, un pour le monde des morts. Le passage entre les deux mondes se fait par étapes intermédiaires. Le passage du monde des morts dans le monde des vivants commence avant la naissance. Le tji :d, esprit des ancêtres, souffle, vie, cherche à pénétrer une femme enceinte, il réussit toujours après accord, plus ou moins facilement obtenu, des parents géniteurs. Après la naissance, le destin est ambigu : l'enfant restera chez les vivants, ou, après un bref séjour, repartira chez les morts.

L'enfant vient d'une communauté, la communauté des êtres invisibles en continuité avec celle des vivants ; il est aussi une force engendrée par la vibration de l'univers.

« Les rites comme les techniques éducatives qui du maternage à l'initiation progressive, vont conduire l'enfant vers l'homme achevé, ont pour fonction essentielle de réitérer dans un vécu collectif et religieux ce qui est dit par le mythe, à savoir l'appartenance de l'enfant à la collectivité et au cosmos. »

Dans la plupart des ethnies sénégalaises, le premier rite dès la sortie de l'enfant du ventre de la mère, est un contact avec la terre mère, la terre nourricière, source de vie.

Puis il est lavé à l'eau de mer ou à l'eau douce, second contact avec la nature. Il boit quelques gouttes de lait et de mil pilé : premier contact avec l'élément vital, symbole de vie...

Il est aussi présenté aux quatre points cardinaux : au cosmos.

Le cordon ombilical a été coupé à l'aide d'un instrument-outil. Parfois le cordon ombilical et le placenta sont enterrés dans un endroit, où l'enfant, devenu adolescent, ira se recueillir devant son double.

Parfois, le cordon ombilical, entouré d'une feuille, est attaché au sommet d'une branche qui symbolise l'énergie de l'homme.

Entre la période de naissance et le baptême, on considère que l'enfant a le droit de rester ou de repartir.

S'il reste, c'est le baptême, qui marque sa naissance sociale et qui est un rite complexe. Puis la première mise de l'enfant sur le dos de la mère, la première prise de nourriture solide, les premières dents, le sevrage... Tout est ritualisé. L'éducation traditionnelle conduira, toujours avec le même projet d'intégration, jusqu'à l'initiation, autre avènement social, autre mort et renaissance symbolique, qui marquera l'accès au statut d'homme ou de femme, définie socialement dans son sexe.

La place de l'individu dans la société n'est pas déterminée par la série de repères utilisés en Occident (profession, niveau d'instruction, revenu, classe sociale, religion...) mais par une lignée et la place qu'occupe l'individu dans cette lignée.

Les rites comportent la pratique du massage de bébé après son baptême, massage pratiqué par la mère ou la grand-mère pendant ses trois ou quatre premiers mois, selon un ordre précis, et les parties génitales sont soumises à une attention particulière. Le massage est accompagné d'une véritable gymnastique. Le bain termine le rituel. Cette cérémonie donne probablement à l'enfant une bonne image de son corps.

Pendant les premières semaines, la mère de l'enfant est massée par sa propre mère. « Son corps ouvert par l'accouchement doit être fermé, séparé de celui de l'enfant. »

Dans l' « ouverture » et la « fermeture », il faut entendre celle des corps subtils, notion retrouvée chez Agpaoa.

Jusqu'à la période de sevrage l'enfant est autorisé à « manger le sable », la mère également. (Peut-être est-ce là une source d'oligo-éléments !)

Le portage se continue après le sevrage. Toutes les femmes du groupe peuvent y participer.

En grandissant, l'enfant apprend « la valeur de la *parole* qui est acte de relation plutôt qu'information... la parole véhicule la tradition et les valeurs. Elle vient des ancêtres ; elle est la parole lointaine, ou mieux la parole éternelle *qui met en place l'homme au cœur du monde ; elle est force, elle agit, elle est respectée.* Très tôt l'enfant apprendra à ne pas l'utiliser n'importe comment. » « Fermer la bouche, ouvrir les oreilles » est un principe éducateur africain. Nous avons vu la force que peut avoir en certaines circonstances la parole, le mot !

Chaque sexe suivra, dans le champ qui lui est propre, sa progression initiatique par le contact avec les adultes, par le conseil des anciens ou des vieilles femmes. Initiation donnée par l'exemple, suscitée latéralement par allusions dont il faut découvrir le sens par les récits, les contes, les proverbes.

« La nécessité de la solidarité apparaît à travers une définition plus précise des rôles et des statuts : chacun est à sa place mais chacun a une place, et son rôle est indispensable à la vie du groupe. Ce qu'il fait engage la communauté. Mais la logique qui ordonne le discours est fondée sur d'autres principes que ceux de causalité, d'identité, de temps et d'espace. Un autre individu peut être un autre individu, un arbre, une pierre ; il peut être ici et ailleurs, il peut être vivant et mort, jeune et vieux... »

On devine que cette éducation fait appel au monde symbolique, aux principes de réincarnation, aux corps subtils.

Mais parallèlement, l'enfant apprend le langage concret « qui s'ordonne à partir de la parenté du lignage, des objets familiers, du travail, de la nourriture, des animaux et des plantes, l'enfant apprend le langage social qui définit et exprime les relations à l'intérieur et à l'extérieur du groupe où chacun a une place précise ; il apprend aussi le langage sacré des dieux et des ancêtres et le langage cosmique qui l'attache à toute chose existante. Chaque progression initiatique dévoile pour lui un autre aspect du langage. Mais ce qui est appris avec et par le langage est moins information que relation, moins exercice de la pensée que façon d'être et de faire. Celui qui parle transmet ce qu'il est par la vibration de sa parole, celui qui écoute reçoit l'autre. »

A l'approche de la puberté, la sexualité s'exprime de façon différente selon les groupes ethniques. Elle est toujours permissive sous réserve qu'elle n'enfreigne pas la loi sociale. Le plaisir est secondaire et le destin de la sexualité est essentiellement social.

J'ai longuement insisté sur cette civilisation africaine, trop méconnue, car elle est un modèle actuel, vivant et proche, d'une éducation visant à intégrer l'individu au cosmos. Elle développe la sensibilité, l'intuition, l'accès à l'invisible, à l'indicible, au détriment de la pensée rationnelle. Mais elle peut, dans son modèle et sa fréquentation, permettre peut-être à l'Occidental de développer la partie de lui-même qu'il ne connaît pas. L'idéal étant naturellement de développer à la fois son cerveau droit, intuitif, et son cerveau gauche, rationnel.

J'ai annoncé plus haut la présence d'un sorcier anthropophage au sein du congrès, il me faut définir sa place, en faisant toujours référence aux articles de Henri Collomb parus dans diverses revues médicales réunies à l'Abbaye de Nice où il termina sa vie.

La maladie ou la mort sont toujours le résultat d'une

agression : agression par un individu vivant, généralement proche ; agression par un esprit, représentant l'ancêtre ou la divinité, garant de l'ordre social et de la tradition. L'agression peut être directe : c'est le système sorcellerie, anthropophagie, *witchkraft,* largement répandu.

Elle peut être indirecte par la médiation d'un tiers : le marabout, le féticheur ou le magicien ; tiers au service d'un client (agresseur) qui « travaillera » pour réduire la victime (le malade).

Enfin, ce peut être l'agression par un esprit. Beaucoup de troubles mentaux ou de désordres psychosomatiques sont attribués au rab (existants spirituels de la religion traditionnelle).

Ma conversation avec le sorcier-guérisseur anthropophage fut assez difficile car il parlait un mauvais français, mais il m'assura qu'il ne mangeait pas les malades, il « mangeait » la maladie, il l'incorporait. A la lumière de ma propre expérience, je peux imaginer que cet homme, étant là au titre de guérisseur, ne consommait pas la chair du malade, mais il faisait ce qui m'arrive parfois, il recevait sur lui, médium, les énergies pathologiques du malade. Sa force personnelle lui permet de « détisser » après ce transfert l'ensemble énergétique coupable.

J'ai en mémoire un exemple précis de ce genre de phénomène. Je suis allée un jour soigner en clinique quelqu'un atteint d'un hoquet incoercible. J'ai posé quelques aiguilles. Le hoquet continuait. Rentrant chez moi en voiture, je fus prise moi-même de hoquet dix minutes plus tard. Il avait les mêmes caractéristiques que le sien. J'ai immédiatement pensé que je l'avais « pris » et que le trouble devait avoir disparu pour lui.

Je téléphonai en arrivant pour le contrôler : « Dix minutes après votre départ, le hoquet a cessé », me dit-il. Le mien aussi, il n'avait été que transitoire.

J'ai relaté le processus alarmant d'intégration qui s'est produit en soignant une malade psychotique qui sortait de l'asile psychiatrique, et développé dans l'ouvrage précédent, le problème des médiums méconnus qui « absorbent » les perturbations de l'entourage. Le corps énergétique, quand il est coupé, distancié de son corps physique, se trouve dans un état qui favorise ces phénomènes.

Le guérisseur est mieux armé que d'autres pour se « désintoxiquer des contaminations, mais il doit se protéger et surveiller son équilibre énergétique. Le guérisseur anthropophage peut aussi être chasseur de sorciers, il procède alors, à la vue de tous, à l'extraction de la substance de sorcellerie qui habite le coupable.

Ce phénomène, appelé *witchkraft* aux Philippines, s'exerce directement sur la personne du malade, sans le préliminaire de la découverte du coupable présumé. On voit Joséphine Simson, le dimanche, dans sa grande chapelle, extraire les *witchkraft* du corps de certains malades sous forme de feuilles de tabac, de racines, de ficelles, de sacs de plastique, etc. Ce qui correspond à la symbolique des patients qui sont en général des personnes âgées, dépositaires d'une culture traditionnelle. Chez les plus jeunes intervient le processus du coton sanglant qui correspond à la mentalité moderne et symbolise l'extraction radicale de la maladie. C'est la « chirurgie psychique », ainsi nommée par les guérisseurs.

Les Européens appellent ce procédé la chirurgie aux mains nues, ce qui est un contresens et induit toutes sortes de méprises regrettables.

Il existe en Afrique un autre système : le système rab, qui est le résultat d'un conflit avec la loi ou l'ordre social. La cure consiste à identifier le rab, le nommer, définir son appartenance, soit à la lignée maternelle, soit à la lignée paternelle, et à le faire passer du corps du malade dans celui de l'animal qui sera sacrifié. Puis, on achèvera la cure en construisant un autel, lequel concrétisera les nouveaux rapports entre le malade et son rab.

« Qu'est-ce que le rab, un être spirituel pouvant se matérialiser sous des formes humaines ou animales, s'introduire dans le corps ou l'esprit d'un individu pour en diminuer la raison, le rendre malade, l'obliger à des actions qu'il ne désire pas ? »

Le guérisseur donne à cet être religieux deux significations essentielles :

« Le rab symbolise à la fois l'ancêtre fondateur et le pacte d'alliance qui a permis l'occupation de l'espace mythique par l'ancêtre fondateur. Cette alliance implique des rapports de reconnaissance réciproque, des rapports de soumission, de protection.

« Le rab représente aussi la tradition, la loi, les ancêtres, les lignées, les parents, le groupe, toutes les références qui permettent à l'individu de se situer dans un ordre social symbolique auquel il se soumet et qui le protège. »

L'unité qui unit ces deux systèmes types de représentation se fonde sur un même principe : l'expulsion de la violence.

Enfin, touchant le problème de la mortalité infantile, on trouve le syndrome spécifique au jeune enfant : « l'enfant qui part et qui revient ». On peut le rapprocher du syndrome de la « mort inexpliquée du nouveau-né », bien connu en médecine classique. Il est fréquent dans une même fratrie de voir mourir les enfants les uns après les autres vers l'âge de deux ou trois ans, les maladies infectieuses parasitaires et la malnutrition étant responsables de cette forte mortalité infantile. Mais les représentations traditionnelles donnent à cette mortalité particulière une explication psychologique et sociale ; explication qui fait intervenir les relations intra-familiales, la relation de l'enfant à sa mère et aux ancêtres ; c'est le même enfant qui part et qui revient (H Collomb, 1973).

« (...) Il peut s'en aller alors qu'il est encore dans le ventre de sa mère, partir immédiatement après la naissance. Il quitte souvent après le sevrage surtout si la mère attend un autre enfant, ou parfois plus tard à l'occasion d'un événement important de sa trajectoire individuelle (circoncision). »

Parmi des descriptions spécifiques, retenons encore celle de l'enfant Nit-ku-bon décrit par A. Zemplini et J. Rabain en 1965.

L'enfant manifeste certaines particularités entre dix-huit mois et deux ans ; enfant fragile, il quitte la vie parfois sans maladie. Il a le regard lourd, ne sourit pas, ne communique pas, parle peu. Il est volontiers réservé, paraissant regarder à l'intérieur de lui-même, détaché du monde et cependant vigilant, en alerte à la moindre stimulation. Son humeur est très variable, il rit ou pleure sans raison. Il ne faut jamais le regarder en face, jamais le réprimander car il est immédiatement fâché ou trop triste. Il risque alors de tomber gravement malade ou de mourir... mais ces enfants devenus adultes seront doués de qualités remarquables, accéderont à un statut social important. C'est aussi parmi eux que se recrutent prophètes et guérisseurs. Il s'agit sans doute d'enfants ayant une constitution médiumnique comme en témoignage leur vive sensibilité et leurs dons intérieurs.

On voit comme les interprétations de la maladie peuvent varier d'une civilisation à l'autre. Mais si l'interprétation des

Africains peut faire sourire le médecin occidental, remarquons que celle-ci est opérationnelle, autant sur le plan social que personnel dans bien des cas.

Nous transférons nos inquiétudes en les attribuant à des microbes, des formations tumorales et des anomalies de laboratoire. Il n'est pas certain que le malade et l'entourage en soient pour autant « désensorcelés ».

Peut-être ne fallait-il apporter aux populations que nous souhaitions « civiliser » que l'hygiène par l'adjonction de conduites d'eau pure et quelques mesures de thérapeutique préventive, en leur accordant le droit de vivre selon leurs traditions.

# 20

# La mort et l'Ailleurs

« Je ne sais qui m'a mis au monde, ni ce que c'est que le monde, ni que moi-même. Je suis dans une ignorance terrible de toute chose. Je ne sais ce que c'est que mon corps, que mes sens. Mon âme est cette partie de moi-même qui pense ce que je dis, qui fait réflexion sur tout et sur elle-même et ne se connaît non plus que le reste.

« Je vois ces effroyables espaces de l'univers qui m'enferment et je me trouve attaché à un coin de cette vaste étendue sans que je sache pourquoi je suis plutôt placé en ce lieu qu'en un autre, ni pourquoi ce peu de temps qui m'est donné à vivre m'est assigné à ce point plutôt qu'en un autre de toute l'éternité qui m'a précédé et qui me suit... »

Les propos tenus par Blaise Pascal, je les ai tenus un temps, car l'éducation reçue me laissait dans les mêmes incertitudes, et la culture scientifique était bien incapable de me rassurer, bien que l'on m'en ait vanté les mérites. Et quand la mort d'un être cher m'a frappée..., je pouvais tenir le langage de ses *pensées*.

« Je ne vois que des infinités de toute part qui m'enferment comme un atome et comme une ombre qui ne dure qu'un instant, sans retour. Tout ce que je connais est que je dois bientôt mourir, mais ce que j'ignore le plus est cette mort même que je ne saurais éviter. Comme je ne sais d'où je viens, aussi je ne sais où je vais. Et je sais seulement qu'en sortant de ce monde, je tombe pour jamais ou dans le néant ou dans les mains d'un Dieu irrité, sans savoir à laquelle de ces deux conditions je dois être éternellement en partage. »

C'est bien la raison qui m'a inclinée à quitter mon service hospitalier pour avoir la liberté de penser à ma façon, puisque l'on m'avait laissée sans savoir et sans espoir.

Une telle recherche n'est jamais terminée. Mais je dois dire que j'ai acquis au contact de Tony Agpaoa et grâce au travail que j'ai pu faire une sérénité et une assise que je ne possédais point au temps où je n'étais pas marginale. C'est la marginalité qui a pu m'apporter des réponses à l'essentiel. Et quand je me sentirai aux portes de la mort, je ne craindrai plus rien. J'accepte l'idée d'une tristesse à l'instant de quitter ma fille et mes amis, mais ce n'est plus l'angoisse, ce n'est pas l'incertitude.

Et pourquoi ?

Parce que je sais que notre corps physique n'est pas tout. J'en ai mille preuves dont quelques-unes sont exposées ici. Et cet acquis n'est pas dû à la science [1] mais à des perceptions suprasensibles qui, elles, appartiennent, déjà au second monde, là où nous passerons. Nous passerons dans ce monde invisible où le symbole crée un ordre, un ordre qui peut être visualisé, visualisé grâce aux sens que possède ce corps subtil.

D'où venons-nous ? Où allons-nous ?

Nos corps subtils se réincarnent un jour dans un embryon, lequel se développe au sein de la famille qui va nous offrir les conditions nécessaires à notre évolution. Tout n'est pas obligatoirement rose. Mais le bon et le mauvais sont en équilibre. A nous de rechercher cet équilibre en négociant les contradictions de la vie. En sachant nous réjouir à l'aide des petits bonheurs, en installant la paix et la sérénité dans notre esprit.

En installant la tolérance dans nos cœurs et la tendresse aussi souvent qu'il est possible.

Le jour où la mort arrive, que se passe-t-il ?

N'ayant pas la mémoire de vies antérieures et encore moins des états intermédiaires, je ne peux que l'imaginer à partir de quelques expériences vécues. Celles de la mort de ma mère, de la mort de mon père, de mon accident de voiture qui m'a donné un avant-goût de la mort. Enfin, c'est le décès d'Agpaoa qui m'a permis d'aller le plus loin dans mes connaissances. Mes trois

1. Sans procédés ruineux, et sans sacrifices des animaux.

premières expériences sont écrites dans *Médecin des Trois Corps* et n'y reviendrai pas. Je rappellerai simplement que j'y ai découvert la possibilité de communication avec mon père, alors qu'il entrait dans le coma. Cet état semblant favoriser chez ceux qui sont dépourvus d'expérience, mais qui sont médiums, les voyages dits astraux.

A cet égard, je peux relater brièvement l'expérience d'une personne amie, épouse d'un grand scientifique, qui vécut un voyage astral, durant un coma prolongé. A cet égard, je ne tiens compte que de mon vécu personnel, mais dans le cas particulier, il est possible de faire confiance à ce témoignage. Cette femme sortant du coma se souvient avec étonnement d'un certain nombre de faits vécus durant ce laps de temps : elle s'était vue au pied de son lit, regardant son corps physique et s'appuyant sur les barreaux de son lit. Ses mains passaient au travers d'eux. Elle se souvenait avoir voyagé, déjeuné au restaurant, mangé des gâteaux qui ne salissaient pas ses doigts, elle se souvenait des pays et des villes qu'elle avait visités.

Son époux, entendant son récit, voulut effectuer le contrôle de ses dires. Tous deux partirent en voyage sur les traces de ses souvenirs. Elle retrouva tout ce qu'elle avait vu, prévenant dans le détail son mari de ce qu'ils allaient trouver en arrivant dans chaque endroit.

Au retour, elle voulut trouver dans l'étude de la religion l'explication de son vécu et fit des études poussées de théologie, passant diplômes et thèses. A aucun moment, malheureusement, l'explication ne vint. Ce n'est qu'en envisageant après plus de dix ans d'étude une autre conception du monde qu'elle put comprendre logiquement son vécu.

Ainsi, nos corps subtils peuvent voyager, et c'est le classique voyage astral, qui parfois n'est que le rêve.

En dehors du rêve et du coma, ou de l'hallucination... ce corps subtil peut-il voyager et être opérationnel ?

L'intrusion de l'énergie dans ce corps peut être réglée par ceux qui en sont maîtres. C'est ici qu'il m'est possible de relater quelques expériences vécues en compagnie d'Agpaoa de son vivant.

Je devais partir au Mexique et au Guatémala à l'occasion d'un congrès médical, lequel était sans intérêt, mais, ces régions étant riches en guérisseurs, je souhaitais y prendre quelques repères pour le cas où j'irais seule m'y documenter. Je devais partir le mercredi. Le week-end précédent se passait en Normandie. En faisant une promenade à bicyclette sur le sol mouillé, je tombai, dans une belle glissade, sur la terre glaise. La douleur intense me fit soupçonner une grosse entorse. Comme il m'était impossible de me relever, j'eus recours au massage des points d'acupuncture du membre inférieur et de l'oreille. Mais n'éprouvant aucun soulagement, je craignis immédiatement une entorse grave. Enfin, je pus rentrer péniblement chez moi, me traitai avec l'aide des aiguilles sans bénéfice supplémentaire. Le voyage était bien compromis. Incapable de conduire, je passai donc la nuit à la campagne, le pied protégé du contact du drap, ayant soulevé celui-ci grâce à deux oreillers. La douleur ne s'étant pas calmée. ce qui m'étonnait, car l'acupuncture est radicale sur l'entorse simple, je pris de l'aspirine et un hypnotique. Dans la nuit, c'est mon propre cri qui m'éveilla ! Quelqu'un manipulait mon pied et me faisait atrocement mal ! Ouvrant les yeux, je vis l'espace d'un instant Agpaoa, les yeux baissés, regardant mon pied et le manipulant au travers du drap, comme si celui-ci n'avait pas existé. Interdite, me disant que ce n'était pas possible, je vérifiai en allumant la lumière que les oreillers étaient bien en place aux deux extrémités du lit, relevant le drap, et m'endormis ; de nouveau mon propre cri me réveilla, c'était encore Agpaoa qui était là. Manipulant mon pied en me faisant souffrir, il apparaissait semi-lumineux dans la nuit. Ce fut encore très bref. Devais-je lui être reconnaissante de m'aider, car c'était ce qu'il tentait de faire, ou devais-je être mécontente de ces tentatives douloureuses et sans doute infructueuses ?

Totalement éveillée, j'allumai la lumière et, avec d'infinies précautions, me levai, en prenant appui sur le balai qui était devenu ma béquille. J'appuyai à peine, puis un peu plus, puis un peu plus, la douleur n'était plus là ! Je pouvais marcher ! Le matin, le pied était dégonflé. Le voyage se fit normalement.

Il lui arrivait deux ou trois fois par an de m'éveiller la nuit, en secouant mon épaule, pour me transmettre un message en anglais. Mais je ne le voyais pas. Mes capacités visuelles au niveau de l'invisible sont inexistantes, pourtant, cette nuit-là, je l'ai bien vu.

Il m'est arrivé de voir les *effets* de son action sans le voir et sans l'entendre, et dans des conditions si précises qu'ils ne peuvent être ignorés. Ces effets tendent à prouver l'existence du corps astral, mais surtout qu'il peut être maîtrisé à la demande. Nous avons vu cette jeune fille maîtrisant involontairement en quelque sorte l'énergie en gonflant des coussins, en intervenant sur son magnétophone à distance, etc., en en manifestant l'intention, certes, mais en glissant dans cet état à son insu. Ici nous allons voir Agpaoa agir volontairement.

Je fus interviewée à Genève au cours de l'émission « Les Oiseaux de Nuit » un samedi soir. C'est une émission de variétés au cours de laquelle alternent présentations littéraires et variétés.

En arrivant sur le plateau l'après-midi, je vois un charmant jeune homme au piano qui chante tout en s'accompagnant. « Savez-vous que ce chanteur est le fils du Pr Hamburger ? Je lui ai fait lire le passage de votre livre dans lequel vous exprimez votre désaccord avec son père », m'annonce le producteur, content de son « coup ». Rencontrer le père eût été plus agréable pour moi car nous aurions pu nous expliquer entre médecins, j'étais là devant un partenaire sympathique mais dont les opinions n'étaient faites que de « on-dit » et dont le niveau de culture médicale ne favorisait aucun dialogue[1].

Les Suisses sont des gens scrupuleux et organisés. Nous fîmes donc la répétition avant le dîner, afin de mettre en place les caméras, lesquelles répétèrent leurs parcours et enchaînements. Puis après le dîner, une brève répétition confirma la bonne mise en place.

Alors, l'émission commence. L'annonce est faite par un gros plan sur mon visage, mais on dit que l'image n'est pas passée. Et tout recommence. C'est bon cette fois ! mais la chose me semble perturbante car tous les machinistes travaillent avec grand soin. L'émission continue. Je vois les gens s'agiter sur le plateau, faire des signes, des changements dans le temps de parole et dans l'ordre ont lieu, certains sont contraints de garder le micro comme si les caméras ne fonctionnaient plus ou étaient immobilisées.

Néanmoins, je peux m'exprimer quelques minutes sous le

1. Le Pr Hamburger niait l'existence de l'homéopathie, de l'acupuncture et des guérisseurs. Depuis les deux premières disciplines sont entrées à la faculté grâce au doyen Cornilleaud.

regard moqueur du fils Hamburger qui hausse les épaules quand je parle des Trois Corps.

L'émission terminée, le responsable arrive devant nous, couvert de sueur, et s'adressant au présentateur exprime ses angoisses ! Jamais une chose semblable ne lui est arrivée : les caméras sont tombées en panne, les unes après les autres, il a cru ne jamais pouvoir terminer l'émission !

J'y reconnais un phénomène déjà vécu..., me fais toute petite, me sentant un peu coupable de leurs misères à tous... Sans doute un phénomène électromagnétique s'est-il produit autour de moi, mais comment ?

Une autre présentation est prévue les jours suivants au Luxembourg. Je m'en réjouis car le chanteur sera cette fois Sacha Distel, et l'amitié nous lie. Pourtant, je lui explique ce qui s'est passé à Genève. « J'espère, dit-il, que tout va marcher, car ce serait catastrophique à cause de l'enregistrement musical. »

Et nous commençons. L'émission est faite sur le même mode que la précédente. Sacha dit simplement qu'il ne connaît rien au problème des guérisseurs philippins mais qu'il a l'expérience de guérisseurs français et que celle-ci est positive. C'est lui qui explique la façon dont je travaille sur l'oreille... l'image renversée du fœtus... les couleurs... et puis il chante la chanson de toutes les couleurs et d'autres encore. Tout se passe merveilleusement bien. A la fin, il exprime sa satisfaction devant le déroulement de l'émission sur le plan de la technique. « Et même, as-tu vu ? ça marchait tout seul ! Je n'ai jamais vu cela, le technicien cadrait, puis s'en allait faire un tour. » Je ne m'expliquais pas la raison pour laquelle tout avait fonctionné « plus que bien », mais il était évident que Sacha avait créé une ambiance très positive et heureuse durant cette heure.

Arrivant quelques mois plus tard à Baguio, et expliquant à Agpaoa mes étonnements ou difficultés, je dis : « C'est curieux, toutes les caméras tombaient en panne la dernière fois que je suis venue ici avec Christian de Corgnol.

— Je sais. Tous les guérisseurs s'étaient mis d'accord pour empêcher cela. Vous ne deviez pas faire ce film avec lui. »

J'ajoute : « Il s'est passé des choses curieuses à Genève...

— Je sais, j'étais là, c'est moi. Mieux vaut détruire les appareils que détruire les gens.

— Mais au Luxembourg.

— Je sais, j'aidais. »

Aussi bien l'expérience thérapeutique que ce vécu-là m'incline à accepter l'idée de ce deuxième corps vivant dans le second monde et pouvant être maîtrisé par certains.

C'est le monde intermédiaire entre le spirituel et le matériel, monde que depuis bien longtemps nous avons perdu en acceptant la dualité du monde, fait de matière et d'esprit, d'un corps et d'une âme. Nous avons omis ce monde intermédiaire qui n'obéit pas aux mêmes lois que le monde ordinaire.

Il existe divers mondes et, pour chacun de ces mondes, des lois de physique différentes. C'est aux physiciens que revient la charge d'en faire la preuve (Capra [1], Olivier Costa de Beauregard...). Et d'autres le font savoir (Zukav [1], Michel Cazenave...).

Quand nous avons accompli le travail que nous devions faire ou que nous... aurions dû faire sur les différents plans de nous-mêmes, la mort devient quelque chose de simple, de beaucoup plus simple qu'on peut l'imaginer. Alors l'acharnement thérapeutique n'est plus de mise. J'en viens à penser que le médecin prolongeant indûment la vie d'un patient qui souffre et pour lequel nous ne pouvons plus rien devient un bourreau. C'est notre ignorance des mondes subtils qui nous fait craindre le pourrissement de notre corps de chair.

Peut-être devons-nous apprendre à nos mourants ce qu'est le corps subtil et même à lui donner les possibilités de l'expérimenter.

A cet égard, le livre *La Rencontre de l'homme avec la mort* [2] est instructif et courageux. Stanislav Grof et Joan Halifax ont amené leurs patients à vivre symboliquement le processus de leurs morts et de leurs renaissances en les projetant précisément dans ce monde symbolique avec du L.S.D. plutôt que d'utiliser les calmants habituels. A l'occasion de cette expérience, il est arrivé à des patients considérés comme perdus... de guérir !

Certains ont déjà préconisé son utilisation à dose unique comme préparatif à l'initiation tantrique, afin de savoir au moins qu'il existe autre chose. Castanéda a, sous l'influence d'un sorcier yaqui, utilisé les champignons hallucinogènes pour amorcer son initiation.

---

1. Fritjof Capra, *Le Tao de la physique*. Gary Zukav, *La Danse des éléments*.
2. Ed. du Rocher.

Sous aucun prétexte je n'aurais suivi Agpaoa s'il m'avait entraînée sur cette voie. J'ignore si ma position est critiquable ou non, mais elle est ainsi. Les possibilités qu'avait cet homme suffisaient à motiver ma recherche, il n'avait pas besoin de l'aide du L.S.D. pour me faire progresser.

Il faut souligner que cette remarque n'est pas une invite à l'utilisation du L.S.D. Elle souligne, au contraire, que cette exploration de l'Ailleurs doit être faite sous la direction d'un Maître ou d'un thérapeute averti.

Je n'ai vu que désastres succédant à l'utilisation de ces drogues. Et la situation est encore plus dramatique quand ce sont les éducateurs qui incitent les jeunes dont ils sont responsables à cet usage.

Mon propos ne touche que l'aide aux mourants, et veut inciter à reconsidérer le problème de la mort en l'abordant par la théorie des Trois Corps. La mort est là, que se passe-t-il ?

Je ne le sais pas vraiment, mais d'autres que moi disent avoir des contacts avec les disparus. Le problème est de savoir s'il s'agit d'hallucinés ou de sujets normaux mais doués, ou de sujets qui croient voir ce qu'ils souhaitent voir et finissent par visualiser leurs désirs.

A cet égard, j'ai l'intime certitude que la relation de Paul Misraki n'est pas celle d'un halluciné [1] et que les travaux d'Isola Pisani [2] sont solides. Pour ma part, l'expérience de « mon âme » dans les instants critiques d'un accident sérieux, déjà relaté [3], m'a laissée sur un souvenir merveilleux. Je voyais un ovale lumineux vers lequel ce qui est ma substance lumineuse mais non matérielle s'en allait (c'était Moi) alors que mon corps s'en allait en morceaux tel un patchwork ; sans doute mon corps énergétique se défaisait-il. C'est grâce à ma volonté dirigée par l'amour de ma fille que je suis demeurée vivante. J'avais, me semble-t-il, le choix.

Il est intéressant de voir comment, en Inde, la mort est vécue avec simplicité précisément parce que les êtres perçoivent l'âme comme une réalité vécue. Les gens sentent qu'ils vont mourir, et vont seuls ou accompagnés au bord d'une rivière sacrée, dans un

---

1. *L'Expérience de l'après-vie,* éd. R. Laffont.
2. *Preuves de survie,* et *Mourir n'est pas mourir,* éd. R. Laffont.
3. *Médecin des Trois Corps.*

mouroir. Là ils « quittent » leur corps. Leurs membres inférieurs sont trempés dans la rivière sacrée jusqu'aux genoux, ils sont ensevelis sous des linges suivant un rituel, on dresse un bûcher, leur corps est posé sous des branchages plus légers qui flamberont aisément. Et le tout brûle. Puis, les cendres sont jetées dans le fleuve sacré. Tout près, les enfants jouent, les femmes lavent leur linge, sans émoi.

La réincarnation est pour eux une évidence.

On peut voir dans les lamasseries des jeunes enfants qui sont ce qu'on appelle une « réincarnation ». Ce qui sous-entend que chacun a été reconnu comme étant la réincarnation d'un Maître connu. Diverses manifestations entourant la naissance et l'enfance le prouvent. L'enfant occupe déjà au moment de la prière une position privilégiée, celle qu'occupait celui dont il est la réincarnation.

Je suis allée à Rumtek après le décès du Gyalwa Karmapa. Sa place reste vide en attendant que soit trouvée sa réincarnation. Les recherches ne seront commencées que trois ans après sa mort, afin de laisser le temps à la réincarnation de se produire. Une lettre scellée, laissée par le défunt, donne des indications permettant de le retrouver dans sa future incarnation. Des prières sont dites en faveur d'une prompte réincarnation. Des méditations ont lieu afin que la voyance ajoute à la lettre des révélations facilitant les recherches [1]

*Come soon in the best rebirth like a lord of trees ;*
*Plant roots in irreproachable learning, contemplation and meditation ;*
*Spread your branches of explanation, pratice and activity,*
*Laden with the fruits of highest siddhi.*

*The Karma succession of lives is like a rosary of pearls,*
*Partial to the white light produced in the doctrine ;*
*Through adhering to the core of all histories,*
*Come quickly as holy protector of the world in degenerate time... etc.*

1. *Cf.* dans *Le Monde inconnu*, nº 34, la relation de la découverte du Dalaï Lama enfant.

Je dois avec sincérité écrire que j'ai éprouvé une seconde fois cette « expérience de l'âme » alors que j'étais à Baguio après la mort de mon maître Agpaoa.

Le décès de Tony Agpaoa s'était accompagné d'une succession de phénomènes qui m'avaient prouvé combien sur le plan subtil, invisible nous avions été liés. J'ai déjà dit que, tout en acceptant cette dépendance énergétique, j'étais assez soucieuse de conserver mon individualité. Prenant conscience que la séparation était en train de s'effectuer grâce à différentes manifestations, il me semblait que ce travail devait se faire dans des conditions particulières de paix. Il fallait prendre le temps de vivre ces phénomènes, ce qui m'entraîna à retourner à Baguio en février 1982, peu de temps après sa mort. Comme je cherchais une chambre chez un particulier, Lucy Agpaoa m'invita chez elle. Ses enfants font leurs études aux États-Unis, elle s'y trouvait seule.

Chacun en arrivant, épouse, sœurs, cousins, amis, me dit : « Tony n'est plus là physiquement, mais il est toujours avec nous. Vous le sentez, n'est-ce pas ? » Bien embarrassée mais sincère, je les désespérai en répétant : « Non, il n'est pas là avec nous, je sens qu'il est ailleurs et qu'il se repose. »

Il est très difficile d'exprimer ce que je sens alors, c'est comme si Tony était une sorte d'énorme chrysalide lumineuse... mise au coin ! Il n'est pas disponible, il n'est pas avec nous !

Cependant, on apporte son café tous les matins près de son tombeau, et tous les jours le repas lui est servi dans sa chambre près de sa photographie. L'après-midi, je médite dans sa chapelle privée où se trouve une immense photographie. Là non plus, il n'y est pas ; c'est avec regret que je ne peux souscrire aux désirs de sa famille étonnée qui me dit : « Pourtant, il était si près de vous ! »

Le 9 mars, vers 17 heures, en entrant dans sa chapelle, je le sens : « Cette fois, la famille a raison, il est là. Je sais qu'il est là qu'il emplit la chapelle. Cela me semble tout à fait normal, et je ne cherche aucune communication car ce genre d'expérience ne m'attire pas spécialement, en outre je suis là plutôt pour m'en séparer... donc il faut le laisser vivre sa propre vie Ailleurs. Puis, je remonte dans son salon, étudie un livre de physique moderne. laquelle tend à prouver qu'il nous faut renouveler nos vieilles idées relatives à la conception du monde, quand je m'aperçois qu'un courant vibratoire très doux, très subtil, infiniment harmonieux m'atteint, il vient d'en haut et de droite. Bien que très absorbée par mon étude, ces vibrations m'en distraient. J'ai le souvenir d'avoir déjà perçu quelque chose de semblable... Oui ! quand je partais dans mon âme ! Alors, levant la tête dans la direction que m'indiquent les vibrations et m'attendant à voir l'image d'un ovale lumineux et argenté, je vois un soleil doré lumineux mais non éblouissant.

Mon âme a changé d'aspect, elle n'est plus ovale, elle est ronde, elle n'est plus argentée mais dorée !

Mais si je vois mon âme, cela veut peut-être dire que je suis en train de mourir ! Je prends mon pouls qui est excellent, tâte mes membres, explore ma respiration, me lève avec précaution. Mais je tiens bien debout ! Osons marcher. Tout va bien. Je me rassieds et reprends le livre de physique. Tant de choses étranges se sont passées à Baguio, c'en est une de plus, je n'en saisis pas la signification.

Quelques minutes plus tard, la même sensation me distrait, mais elle vient d'en face ! Et le soleil doré est encore là. Peut-on mourir bien portante, en disposant de toutes ses facultés, en faisant de la physique ? Probablement non ! Cela veut dire quelque chose, ou bien il va se passer quelque chose. Mais quoi ? Me levant, m'inspectant, vérifiant en cognant les meubles que je suis bien réveillée, je sors et parle à la grosse et charmante cuisinière de Tony qui arrose le jardin comme tous les soirs à la même heure. Nous parlons quelques instants, elle ne fait aucune remarque particulière. Donc, je suis saine de corps et d'esprit, le jour va tomber, on arrose les fleurs, tout est normal.

Je m'assois, avec une constance admirable, reprends mon livre, et tout recommence ! Cette fois, le soleil lumineux est en haut et à gauche, ce qui veut dire qu'il tourne. La répétitivité du phénomène lui donne du poids. Je réfléchis. Peut-être suis-je en train de mourir sans m'en apercevoir ? Ou bien est-ce une expérience commandée par Tony ? Ou veut-il que je le rejoigne, plutôt que de vivre la séparation que je suis venue chercher ?

Peut-être va-t-il m'arriver « quelque chose ». Si l'expérience n'est que passagère, mieux vaut revenir « ici » dans de bonnes conditions. Le vieux réflexe de réanimateur me fait aller dans la chambre de ses enfants devenue la mienne, et je m'allonge sur un des lits, livre de physique en main... Mais le soleil doré m'a suivie, il est là face à moi, comme s'il me regardait ! Nous nous regardons. Je l'observe et l'analyse soigneusement. Il est bien rond, bien fermé. Mon ovale lumineux, lui, avait un cordon lumineux qui m'unissait à lui, et par là je me déversais en lui. Ainsi, les vibrations viennent du soleil doré. Je ne vais pas vers lui.

Donc, ce n'est pas moi ! C'est quelqu'un d'autre. C'est une âme, mais ce n'est pas la mienne.

Je ne suis pas en train de mourir.

Peut-être est-ce l'âme de Tony ?

Alors, à cet instant, le soleil doré fond sur moi, les vibrations, s'amplifiant dans leur surface et leur volume, s'évanouissent sur tout mon corps, le débordant, se perdant dans mon aura, dans une merveilleuse et brève sensation.

Le lendemain matin, Lucy Agpaoa me dit : « C'est aujourd'hui la cérémonie de la sortie de Bardo pour Tony, voulez-vous y assister ? »

J'ignore alors ce qu'est le Bardo[1]. C'est la sortie d'un état intermédiaire qui succède à la mort... Et nous sommes le 10 mars, jour de l'alignement des planètes, phénomène rarissime, jour important pour les astrologues.

Ce fut là la dernière manifestation vibratoire de Tony Agpaoa. J'étais allée chercher une séparation, celle de nos corps énergétiques, mais ce furent des retrouvailles, celles de l'âme...

1. *Cf.* le *Bardo Thödol*.

# 21

# Méditation de Tony Agpaoa, guérisseur philippin

Persuadée que la lecture de ce texte comblera tous ceux qui l'ont connu, tous ceux qu'il a aidés, je le soumets également à l'analyse des sophrologues pour lesquels il constitue un modèle. Notons qu'est introduite ici la dimension spirituelle, le cheminement vers la réalisation de l'Unité, notions que l'on ne retrouve pas chez Caycédo. Soulignons l'utilisation de la pensée positive, totalement laissée de côté par l'éducation et la thérapeutique en Occident. L'enseignement présent, modèle de méditation, s'adresse aux Occidentaux. Il y est donc question du Christ et de la prière.

Au-delà de ces concessions, il est intéressant de constater comment, doucement, il introduit sans agresser diverses notions dont certaines méritent d'être relevées.

— La première phrase : « Il y a bien longtemps, l'homme naquit d'un arc-en-ciel, reflet du cœur de Dieu... », introduit la conception de la préexistence des corps subtils au corps physique.

— Les sept couleurs de l'arc-en-ciel font référence au corps de lumière. Celui-ci explique la raison pour laquelle il me demandait de me brancher sur la lumière.

— Le cœur de Dieu, dont ces sept couleurs de l'arc-en-ciel sont le reflet, fait référence à la dimension spirituelle. Notons qu'en médecine chinoise, le cœur appartient à l'élément feu. Le feu brûle et purifie. Il est aussi le symbole de notre affectivité.

— Notons combien Tony Agpaoa insiste sur la prise de conscience des sens subtils, « reflets de l'Esprit qui sait tout, entend tout, comprend tout ». Par là sont définies des capacités médiumniques qui se trouvent anoblies plutôt que mêlées à la démonologie.

— La prise de conscience du corps physique a lieu dans un second temps. Il n'y a pas répétition, il s'agit d'une autre dimension qui doit être appelée secondairement au subtil pour nous faire reprendre conscience avec ici et maintenant.

— Quand il nous parle de prière et d'amour, il fait appel à la dualité, chère à notre civilisation. Il nous mène à chaque instant, cependant, vers la notion de Loi universelle, de Conscience suprême, pour nous amener à rejoindre l'Unité cosmique.

— Les notions de « visualisation », de « claire projection », d' « attitude créatrice pour la plus insignifiante des choses » répondent non seulement au principe de la pensée positive mais aussi à celui de la pensée dirigée et manifestée.

— Sa conception d'intégration de l'individu au monde qui l'entoure est teintée à la fois de compassion, de bonté, de don de soi. Mais certaines tournures de phrases sont importantes à retenir, car elles protègent l'Être de l'autodestruction, phénomène fréquent chez ceux qui sont nés pour aider les autres, et les raffermissent dans l'impérieuse nécessité dans laquelle chacun se trouve d'assumer aussi son propre développement : « Je suis ferme sur mes positions..., j'ai toute confiance en ma valeur personnelle..., je préserve mon intégrité..., je sais avoir le droit à mes propres croyances... » Tout ceci n'étant valable qu'à la condition de demeurer en harmonie avec la Conscience universelle.

— Enfin, il nous éveille à la notion de réincarnation, ce qui suppose la survie des corps subtils après la mort du corps physique et nous mène vers la notion d'évolution de ceux-ci à chaque réincarnation.

« Il y a bien longtemps, l'homme naquit d'un arc-en-ciel, reflet du cœur de Dieu. Aussi était-il en résonance parfaite avec Dieu, cette communication était immédiate et chaleureuse.

« Chacun de nous possédait les qualités nécessaires pour recevoir les messages du monde spirituel grâce à des sens psychiques que nous appelons aujourd'hui « clairvoyance », « clairaudience » et « clairsensibilité »... Quand l'homme s'est détaché de Dieu pour rechercher les biens de la terre, non seulement il s'est éloigné du monde spirituel mais encore il a perdu les dons qui lui permettaient de communiquer avec lui.

« De nos jours, la majorité des hommes ne croient plus en cette possibilité de communication ; seul un petit nombre d'entre eux en sont encore capables et possèdent les dons nécessaires à cet effet.

« Mais les temps approchent où, comme par le passé, tout homme pourra communiquer avec le monde spirituel par la vue, l'ouïe et la sensibilité. D'ici là, ceux qui croient en Dieu le trouveront par d'autres voies. Il y aura alors comme un renouveau, et le retour en la croyance en la réalité du Tout-Puissant et en la survie de l'esprit après la mort du corps.

« Pour se manifester aux hommes, le pouvoir spirituel a besoin de médiums, il met à leur service les pouvoirs oddiques dont il est la source.

« *Dieu bien-aimé, je reconnais la vérité et la puissance de la Loi universelle que contient toute création et toute créature.*

« *La puissance cosmique m'enveloppe comme une nuée, me baigne comme un fleuve. J'élève mon niveau de conscience jusqu'à être en harmonie avec cette force divine qui se manifeste dans la moindre de mes pensées, de mes paroles, de mes actions. Connaissant le pouvoir du verbe, je pèse chacune de mes paroles. Dynamisées par la puissance divine, elles atteignent leur but et, par l'empreinte indélébile qu'elles laissent sur la subjectivité de mon esprit, permettent la régénération de tout mon être physique et spirituel.*

« *Mon esprit commande à mon corps et mon corps obéit à mon esprit.*

« *Mon corps physique est le résultat de ce que j'assimile et de ce que je pense.*

« *Santé parfaite, bonheur, jeunesse en sont le résultat.*

« *Optimiste, heureux et gai, je découvre progressivement la suprême beauté de la vie en moi.*

« *Ma chevelure, solide et généreuse, est imprégnée de cette vie, elle conserve durablement sa couleur originelle, elle croît, abondante et vigoureuse.*

« *Ma vision est parfaite, mes yeux relaxés, mon regard puis-*

*sant. Ma vue, perçante comme celle de l'aigle planant dans les airs qui distingue clairement le nid convoité.*

« *Mon ouïe aiguë et fine, capte le moindre son de la nature. J'entends en moi ce que le prophète peut entendre et plus encore ; l'ouïe est le reflet en moi de l'esprit qui entend tout, sait tout, comprend tout.*

« *Je suis en paix avec l'humanité. Mon cœur est empli d'un amour parfait. Robuste et plein de santé, l'harmonie s'établit en lui.*

« *Mon estomac et mon tube digestif sont le grand alchimiste de mon corps. Il prend soin de lui. Ce génial alchimiste crée l'énergie qui nourrit mon physique autant que mon mental. Et le fonctionnement en est parfait puisque cette énergie demeure en harmonie avec les forces universelles fortes et bénéfiques. Mon appétit, mes fonctions d'assimilation et d'élimination sont stables et harmonieuses. Mon régime respecte l'équilibre entre les protéines, les graisses et les hydrates de carbone, et les sels minéraux. Je maintiens ce régime parfaitement équilibré.*

« *Cette force infinie qui inonde mon corps assume l'équilibre parfait de mes glandes endocrines. Lequel reflète l'harmonie divine dans ma tête, mon cou, mes épaules, ma poitrine, mon ventre... dans mes bras, mes mains, dans mes genoux, mes jambes, mes pieds, dans chaque cellule et chaque organe de mon corps.*

« *Mes nerfs sont maintenant paisibles, stables et lisses. Je conserve mon calme et ma sérénité, même dans l'agitation et le bruit, demeurant en accord avec le rythme de l'Esprit universel d'où provient toute connaissance.*

« *Je sais ce dont j'ai besoin et comment le trouver. Ce que je cherchais au-dehors, je l'ai trouvé en moi-même. La sagesse de la Loi universelle me régit, me nourrit, me comble, me guide et résout mes problèmes. Il y a maintenant complète harmonie dans mon corps, dans ma vie, dans mon travail et dans toutes mes entreprises.*

« *Ce que je cherchais au-dehors était aussi à l'intérieur de moi-même. La vie, la jeunesse se manifestent dans chaque organe de mon corps et témoignent de l'Unité divine.*

« *Je suis plein de vigueur, de vitalité, d'énergie. Mon corps est parfait. Je suis heureux. Le flux de l'Essence divine traverse chacune des cellules de mon corps et les vitalise. La sérénité et la force de l'Esprit universel m'entourent de toute part, me pénètrent, je me plonge dans ce bain de sérénité, de force, de santé, d'harmo-*

*nie, le jour, la nuit... Dans cette harmonie qui ressemble au printemps, tout peut se faire.*

*« La puissance de l'Esprit divin me guide vers la liberté, la prospérité et l'évolution spirituelle.*

*« La puissance de Dieu m'habite et me permet de me visualiser à ma vraie place.*

*« Dans ma vie apparaissent ceux qui m'aident à conserver santé, bonheur et prospérité. J'ai à leur égard une dette de reconnaissance que j'ai les moyens d'honorer.*

*« Je suis reconnaissant de tout ce qui est réalisé et accompli.*

*« Au moment voulu, je me retrouverai éveillé, reposé, heureux, plein d'énergie pour le travail que je dois faire. Je suis consciemment en accord avec la perfection de la Conscience suprême pour devenir ce que je dois être. Ce qui nécessite l'usage de la pensée positive. Je ne m'autorise aucune pensée négative. Je conçois des projets sains, et ce que j'ai conçu avec sincérité dans mon cœur se réalise.*

*« Je mets en pratique les connaissances que j'ai acquises.*

*« Je travaille, car je dois vivre, et Dieu aide ceux qui s'aident eux-mêmes ; à chaque occasion, je donne le meilleur de moi-même et fais le mieux que je peux. Je crois en Dieu, j'ai confiance en moi-même, en mon prochain, en l'humanité. Je sais que toute recherche de la vérité passe par l'amour authentique et la vraie foi. La vérité vit en chaque âme. Avec la Foi, tout est possible. J'ai la Foi... J'ai la Foi. Je suis rempli de force et de courage, mes actions sont justes, et je prends mes responsabilités.*

*« Je suis ferme sur mes positions quand je suis sûr d'avoir raison. Je surmonte mes craintes et accomplis les tâches qui m'effraient. Je suis fort car en harmonie avec la Conscience universelle de Dieu, source de toute intelligence et de toute force. J'ai toute confiance en ma valeur personnelle, en ma puissance mentale, car elle est l'émanation de la force divine.*

*« Je suis assez fort pour accepter avec sérénité les joies et les épreuves. J'utilise mes forces pour le seul bien. Toute chose que j'ai pu visualiser devient réelle. Ce que d'autres hommes ont pu réaliser, je peux le faire aussi. Toutes mes actions sont conformes à la Loi universelle. Je crois d'abord à ce que Jésus-Christ disait : « Tout ce que je fais, vous pouvez le faire et d'autres choses bien plus merveilleuses encore. »*

*« Je suis franc, seule la vérité persiste. L'honnêteté est à la base*

*de la solution que j'apporte à mes problèmes. Je remplis mes obligations et ne suis avare ni de mon temps, ni de mes talents, ni de mes efforts.*

« *Je suis fidèle à ma propre nature et à ma foi. Je préserve mon intégrité, mais je suis toujours prêt à m'adapter afin d'être utile à l'ordre social. L'effort sincère assure la réussite, et c'est là ma récompense. Je suis honnête. Je suis libre, je respecte le droit d'autrui. Il bénéficie de la même liberté de penser et de faire, de ce que lui dicte sa propre conscience. Je sais avoir le droit à mes propres croyances. J'équilibre respect de soi et considération pour d'autres.*

« *Toute mon énergie est dirigée vers le bien commun, je ne lésine pas sur mes obligations vis-à-vis de la société.*

« *Je fais chaque chose de la manière la plus créative, et progressivement, même pour la plus insignifiante des choses. J'y attache toute mon attention avec le souci constant d'améliorer ma façon de faire. J'engage ma vie pour chaque action.*

« *Mon sens de l'observation est aigu. Je distingue chaque chose dans une claire projection et avec un grand luxe de détails. Je discrimine celles qui ont de la valeur et celles qui n'en ont pas.*

« *Je distingue le bien et le mal cachés dans toute chose et j'arrive à une conclusion sage par le seul raisonnement logique.*

« *Je suis guidé sur le chemin de la santé et de l'abondance afin d'augmenter les opportunités de servir mon être propre, ma famille et tous ceux qui m'entourent. Mon pouvoir accru est dirigé par la Loi universelle, je l'utilise pour l'élévation de l'humanité.*

« *Je développe mon subconscient afin d'obtenir les ultimes réalisations que je désire. Je me purifie de tout doute, jalousie ou crainte. J'ai confiance en mes œuvres.*

« *J'apprécie l'argent, non pour moi-même, mais pour l'intérêt qu'il présente pour l'humanité. Je le donne avec joie à ceux qui en ont besoin et il m'en revient dix fois plus.*

« *J'ai un regard sain sur les événements de la vie : je suis un maillon de la chaîne humaine et je suis donc partiellement responsable de tout ce qui arrive. En chaque homme je distingue l'esprit de Dieu, l'amitié et la bénédiction de Dieu en chaque chose. Je maintiens ces pensées en mon esprit, j'éprouve compassion, tendresse et amour.*

« *Je reçois l'enseignement de la société et de mon environnement. Je prends part aux souffrances de mes semblables et comme nous sommes tous enfants de Dieu, je demande pardon pour mes fautes et je pardonne les fautes des autres. Je suis fermement convaincu qu'en pardonnant je suis moi-même pardonné. C'est en donnant qu'on reçoit le plus, et chaque bonne action est récompensée.*

*« Je maintiens les contacts avec mes semblables, aucun homme n'est isolé des autres. J'examine donc tous les aspects de mes relations avec autrui. Je n'ai pas de haine, je ne me perds pas en discussions.*

*« Je suis toujours calme, joyeux et compréhensif, me contrôlant parfaitement. Je n'envisage pour les autres que des pensées de bonté et d'honnêteté. J'essaie de comprendre et de développer l'aspect positif de leur nature. Je les aime, et si je parle, je ne dis que ce qui est vrai, aimable, utile. Ce que j'ai entendu de mal par une oreille est sortie par l'autre. Je hais les commérages et ne veux voir en l'homme que ses bons côtés.*

*« Je sais que les sentiments passionnels sont nécessaires pour autant qu'ils soient sous-entendus par l'amour et l'harmonie complète.*

*« La passion de l'amour est d'origine divine et ne devrait pas être éteinte par de faux systèmes de pensée.*

*« Je crois qu'après l'instinct de conservation, le plus puissant mobile de l'homme est la propagation de l'espèce. Ceci commence dès la jeunesse et se poursuit au long de l'âge mûr, gratifiant chaque individu de la grâce que déverse le Cœur universel.*

*« Je suis dans la Lumière, je me développe spirituellement. Heureux ceux qui ont faim et soif de droiture car ils seront comblés. Je suis partie intégrante de la Loi universelle. C'est pourquoi j'ai confiance en moi-même et en mes décisions... Mon cœur est vaste, ma vue claire et ma volonté fervente. Je suis Un avec Dieu, je prie lors de chacune de mes actions. Ma plus grande joie est de sentir cette liberté et cette vraie sensation d'être illuminé par les forces universelles, car je vis dans l'Ordre divin universel.*

*« J'entends en moi la voix de celui qui me guide, j'entends cette voix qui afflue ou s'éteint en moi au moment voulu, exactement quand il le faut, puisque accordé à l'Esprit universel. Chacune de mes manifestations me gonfle de joie et de gratitude... Je suis reconnaissant, je suis créé pour cela J'inspire et j'expire, j'inspire et j'expire, j'inspire et j'expire... Maintenant je ferme les yeux et je médite sur les organes de mon corps qui nécessitent des soins.*

« *J'inspire, je relaxe chaque muscle de mon corps. Maintenant je ressens la douce vibration qui coule en moi. Je médite uniquement sur des pensées positives et j'écarte toute pensée négative, par voie de conséquence, la douleur se dissipe, les soucis s'éloignent, les doutes s'apaisent, ainsi la peur disparaît. Je suis bien bien, très, très bien...*

« *C'est par le centre de mon cœur que je suis en rapport avec les forces célestes. Je suis maintenant prêt à expérimenter des sensations durables de bonheur et de repos.*

« *Je suis reposé. Je détends les muscles de mon front, tandis que mes paupières sont doucement closes et relaxées. Mes joues perdent leurs tensions, mes lèvres sont détendues, mes mâchoires relâchées, en repos. J'éloigne toute tension des muscles de mon cou, de ma gorge, de mes épaules, de ma poitrine. Une sensation reposante se répand de mon front jusqu'à ma poitrine.*

« *Mon thorax se soulève doucement au rythme de ma respiration naturellement calme. Je respire calmement et naturellement. Je peux sentir la chaleur de mon souffle. Je sens aussi l'air frais que j'inspire par mes narines. Mes poumons se remplissent de vie et d'oxygène. Ma poitrine est résistante et ferme.*

« *Mon cœur bat régulièrement, envoyant puissamment le sang dans les artères. Son rythme est à l'unisson de l'Esprit universel. Mon cœur est un tout. Il est très bien.*

« *Mes côtes se soulèvent rythmiquement, elles soutiennent mon buste et s'appuient sur le coussin qui cale mon dos, ce coussin est doux comme l'air que je respire. Ma colonne vertébrale maintient mes côtes, les soutient. Elle est solide.*

« *Je la détends doucement, segment par segment.*

« *Mon estomac aussi a chassé ses tensions, il se relaxe à l'unisson de ma poitrine et de mon cœur, doucement, calmement, lentement. Les muscles de mon estomac sont relaxés.*

« *Je détends maintenant mes bras en commençant par les épaules, les coudes, les poignets, les mains, les doigts.*

*Mes hanches sont solides et stables, maintenant j'en détends les muscles tandis que l'énergie vivifiante s'attarde sur tout mon corps. Les muscles de mes jambes se relaxent aussi. Certes, je peux marcher fièrement et courir comme un pur-sang, mais j'ai aussi besoin de repos. Je détends donc mes jambes, mettant tous leurs ligaments au repos. Je perçois aussi cette sensation de repos et de détente jusque dans mes pieds, jusque dans mes orteils.*

« *Tout mon corps maintenant se repose ; alors ma tête, mes yeux, mes joues, mon cou, mon estomac, mes épaules, mes bras, mes mains et mes doigts, mon ventre, mes hanches, mes jambes, jusqu'au bout de mes orteils sont maintenant détendus et reposés. Je suis inspiré par des sentiments d'abandon, de satisfaction, de joie et de bonheur. J'ai l'impression de m'enfoncer dans un profond sommeil, comme un enfant tout contre la chaude poitrine de sa mère.*

« *Je sens comme un doux nuage au-dessus de moi, il m'environne de toute part, apaisant mes sens et mes nerfs. Cette sensation est si agréable que je la perçois comme venant d'en haut au-delà de la sagesse humaine.*

« *Oh ! Dieu, tu m'as éprouvé et tu me connais. Tu comprends toutes mes pensées, tous mes projets, mes théories de travail.*

« *Tu sais tout de moi avant que je ne l'aie exprimé. Tes yeux ont vu toutes mes actions en les connaissant avant même que je les aie faites. Tu es à la fois devant et derrière moi, tu m'entoures et tu poses ta main sur moi.*

« *Esprit du Dieu d'Amour garde-moi dans ta grâce, lave-moi, purifie-moi, façonne-moi et utilise-moi pour ton service et ta gloire.*

« *Oh ! Dieu de joie, je te supplie de me faire devenir Toi.*

« *C'est dans la joie que tu as créé le ciel, la terre et tout ce qu'ils contiennent. Aide-moi, Seigneur, à bénir ta création, à vivre chaque jour dans la joie, à découvrir la joie en toute chose, grande ou petite ? Père céleste, je te remercie de faire couler en moi et à travers moi ta force vivifiante, ta puissance qui recrée chaque cellule, chaque goutte de mon sang, purifiant tout mon être, le rendant transparent.*

« *Je m'en remets à ta force, ta sagesse, tes conseils et je te remercie, Seigneur. Saint-Esprit de Dieu, viens en mon cœur et emplis-le. J'ouvre la fenêtre de mon âme pour te laisser entrer, je te consacre ma vie entière, viens et prends-moi, remplis-moi de lumière et de vérité.*

« *Je t'offre la seule chose que je possède, ma capacité d'être empli de Toi seul. Je ne suis qu'un vase vide, emplis-moi afin que je puisse naître à la vie de l'esprit, à la vie de vérité, à la vie de la beauté, de la bonté, de l'amour, de la sagesse et de la force. Guide-moi aujourd'hui en toute chose. Dirige-moi vers les personnes que je dois rencontrer par mes actes et mes prières, mais par-dessus tout, Christ, sois en moi. Où pourrais-je aller sans ton esprit ? Où pourrais-je fuir en ta présence ? Si je m'élève, je te trouve, si je sombre, je te trouve encore. Que j'enfourche les ailes de l'aube, que j'atteigne les confins des mers, c'est toujours ta main qui me guide. Tu as formé mon être le plus profond, tu connais parfaitement mon âme. C'est toi qui m'as créé dans le sein de ma mère, et déjà tu savais l'être que j'allais devenir en secret.*

*« Si l'on comptait en grains de sable l'infinité de ta sagesse et de ta connaissance, tout le sable de la Terre n'y suffirait pas, et même si je pouvais y arriver, je serais toujours avec toi. Je te remercie, oh ! Seigneur, d'être merveilleusement, respectueusement fait à ton image. »*

# Conclusions

Médecin rationaliste dont l'âme et l'esprit s'étaient assoupis sous l'effet anesthésiant de l'ordre matérialiste, je m'éveille brutalement sous l'effet d'une souffrance partagée, celle de ma mère qui se meurt des métastases d'un cancer. Je vivais, comme beaucoup d'autres, soumise à la notion de certitude établie par Descartes : « L'intelligence seule peut percevoir la Vérité. » J'admettais paresseusement la notion de deux subsistances créées, l'âme et la matière. Soudain, les circonstances m'en font découvrir une troisième, dont la qualité réelle semblait dissimulée en 1970 aux yeux de mes confrères hospitaliers : l'énergie !

Insuffisance ou excès à la suite de blocages de sa circulation ont un immédiat effet sur les cellules de notre corps. L'insuffisance peut se traduire par des signes de souffrance cellulaire aboutissant à l'atrophie ou à l'ulcération, l'excès localisé se concrétise sous la forme de tumeurs de volume et de qualité variables.

Mais l'énergie se manipule ! Il est possible d'accélérer ou de parfaire une cicatrisation et de faire disparaître certaines tumeurs.

L'expérience médicale confirme sur le vivant la loi d'Einstein : Énergie, matière et lumière sont liées.

Ainsi, l'énergie, c'est aussi la lumière qui s'offre en une palette de couleurs dont chacune commande une grande fonction physiologique.

Ma notion des valeurs et du savoir appris sous l'égide du monde scientifique occidental d'alors bascule. Il me faut reconstituer un nouvel équilibre intérieur en intégrant l'ancien et le nouveau, chacun devant trouver sa place respective.

J'aurais pu en demeurer là si les circonstances ne m'avaient amenée à devenir l'élève d'Antonio Agpaoa, célèbre guérisseur de Baguio.

Les prestidigitateurs qui gagnent leur vie en distribuant l'illusion y voient un des leurs. Les visiteurs pressés, les scientifiques à la démarche hâtive, des journalistes en quête de scandale y voient une exploitation de la sottise humaine. Les malades et leur famille, projetant leur conditionnement occidental, y voient, se souvenant des miracles de Lourdes, des phénomènes miraculeux : opérations sans bistouri, le sang qui coule, les plaies qui se referment instantanément : ils y projettent leur âme et non plus leurs limites. Conscients qu'un Inconnu est présent dans notre représentation du monde, ils l'expliquent à leur façon, avec leur compréhension d'Occidentaux et leur symbolisme matérialiste.

Voulant savoir, j'accepte d'être mêlée aux guérisseurs, à leur travail, à leur façon d'être, de comprendre la vie et la mort, mais aussi la survie. Une seconde mutation m'éprouve.

Les sens appartenant au corps invisible se développant, et tout particulièrement celui du tact, je découvre la réalité du deuxième corps électromagnétique, soumis aux influences du magnétisme terrestre et planétaire, identifiable dans une certaine mesure grâce à la carte du ciel au jour de la naissance, qui en dessine le squelette.

La raison essentielle qui oppose souvent le médecin au malade devient alors une évidence. Le patient vit les perturbations de ce corps électromagnétique quand le médecin n'interroge et ne reconnaît que le corps physique. L'un et l'autre ne parlent pas du même corps.

C'est le guérisseur qui travaille sur le corps électromagnétique !

Celui-ci est fluide, mobile, et le temps sur lui s'inscrit d'une façon particulière puisqu'il peut être interrogé et vécu à l'envers, en accéléré, mais on peut aussi provoquer des pauses, effacer des images, les redresser, les modifier... Nous sommes là dans un autre monde, réglé par un autre système « physique »... Les lois du monde ordinaire ne conviennent plus !

Au niveau de ses manifestations, le deuxième corps est apparemment soumis aux lois du symbolisme : symbolisme des planètes, des couleurs, des chiffres, des saisons... Ce qui confère une actualité à la science des tarots, à la kabbale, à la géomancie, à l'architecture ésotérique du corps [1].

C'est le monde intermédiaire, le monde imaginal de Corbin, celui de la mythologie culturelle. Et surtout celui de l'évolution suivant un mouvement vertical.

Le guérisseur possède le privilège d'accéder à ce monde, à ce corps dont il connaît intuitivement certaines lois. En effet l'intellect a peu de place dans cet univers où la sensibilité et le cœur sont les gardiens du royaume.

Cependant l'ordre y règne selon un plan géométrico arithmétique que les mathématiciens de haute volée abordent par l'intuition, et dont les psychanalystes ou les philosophes en découvrent les images symboliques et les mythes.

Le symbole est la clé du moteur qui actionne le monde électromagnétique. Il peut être réduit à sa plus simple expression : la pensée d'une lettre, d'un chiffre, d'une image géométrique, d'une couleur peut le mettre en action Cette technique sollicite une forte énergie et une grande concentration. On comprend pourquoi les Orientaux utilisent une forme matérielle qui leur sert de support dans cette action. Le monde symbolique leur est tellement familier qu'ils en utilisent les formes supérieures dans l'architecture de leurs temples, encore aujourd'hui. Le monde intermédiaire fut connu en Europe jusque dans les premiers siècles, et délaissé progressivement.

Mais le symbole est encore vivant au fond de chacun de nous, bien que nous en ayons perdu les clés, celles qui donnent accès au monde vertical et au sacré. Aussi l'utilisons-nous sur le plan horizontal, en sacralisant le non-sacré en lui donnant une valeur hybride qui perd de son efficacité. Il n'est plus opérationnel, à ce titre il ne consacre plus qu'une idéologie personnelle ou collective. En médecine, qu'est-ce que l'examen de laboratoire, la radiographie ou l'identification des microbes sinon la recherche d'un symbole pouvant exprimer la maladie ? Qu'est-ce que la

1. Graad, *Initiation à la kabbale hébraïque,* éd. du Rocher ; A. De Souzenelle, *De l'arbre de vie à schéma corporel ;* Édouard Descamp *Tarot iniatiatique,* Courrier du Livre. etc.

chirurgie dans la plupart des cas, sinon l'éradication d'une représentation de la maladie, alors que la cause déclenchante et profonde est méconnue et toujours évolutive ? Qu'est-ce que la chimiothérapie sinon un engin de mort utilisé à titre d'exorcisme, destiné par intention à tuer les cellules malades en souhaitant que les cellules saines y résistent ? Le symbolisme est vivant dans l'inconscient du rationaliste, il tente de l'utiliser, il est, à son insu, fasciné par lui, par son pouvoir, tout en refusant de le reconnaître et de lui donner sa place. Pourtant il l'utilise tout comme le sorcier qui utilise le *witchkraft* et l'exorcisme. Mais le sorcier a l'avantage de savoir qu'il est sorcier. Il a intégré son insconcient, l'autre pas encore...

La perception du deuxième corps, de ses formes, de ses mouvements, de ses déplacements donne un sens nouveau aux conceptions des psychanalystes qui ont évoqué depuis longtemps les relations entre sujet et objet, les phénomènes de dualité, de morcellement de l'image du corps, etc.

Le traitement de la perturbation de ces formes par le thérapeute guérisseur, la restitution du potentiel énergétique et de la qualité vibratoire du deuxième corps introduisent un nouveau souffle dans notre action et notre efficacité thérapeuthique.

Quelles sont les limites de cette thérapeutique ? N'en déplaise à ses détracteurs qui n'en sont certainement pas utilisateurs, l'examen de la carte du ciel nous les indique. L'astrologie médicale est une réalité.

Les aspects conflictuels actuels représentent l'épreuve que doit accepter le patient. Il doit les vivre comme une maladie initiatique. Au terme de celle-ci sera tournée une page dans l'histoire de son évolution. C'est le temps de travail sur le corps spirituel. Nul ne peut le faire pour lui. Cependant, pour que l'harmonie soit réalisée, les trois corps sont à chaque instant à considérer. La médecine classique, la médecine énergétique et l'initiation vont de pair.

La séparation du corps physique et des corps subtils est appelée la mort. Elle n'est qu'une des étapes de la vie. La préparation à la mort devrait être envisagée comme un entraînement à la perception de ces corps subtils en nous.

# TABLE DES MATIÈRES

*Achevé d'imprimer en octobre 1986*
*sur presse CAMERON*
*dans les ateliers de la S.E.P.C.*
*à Saint-Amand-Montrond (Cher)*
*pour*
*les éditions Robert Laffont*

**Dépôt légal : avril 1983.**
**N° d'Édition : 30241. N° d'Impression : 1834.**